उच्च हिन्दी पाठ्यक्रम
A COURSE IN ADVANCED HINDI

उच्च हिन्दी पाठ्यक्रम

शीला वर्मा

मोतीलाल बनारसीदास पब्लिशर्स
प्राइवेट लिमिटेड

A Course in Advanced Hindi

Sheela Verma

Parts I & II
(Bound in One)

**MOTILAL BANARSIDASS PUBLISHERS
PRIVATE LIMITED**

Reprint: Delhi **2007**
First Editon: Delhi, 1997

© SHEELA VERMA, 1996

ISBN : 81-208-1470-3

MOTILAL BANARSIDASS

41 U.A. Bungalow Road, Jawahar Nagar, Delhi 110 007
8 Mahalaxmi Chamber, Warden Road, Mumbai 400 026
203 Royapettah High Road, Mylapore, Chennai 600 004
236, 9th Main III Block, Jayanagar, Bangalore 560 011
Sanas Plaza, 1302 Baji Rao Road, Pune 411 002
8 Camac Street, Kolkata 700 017
Ashok Rajpath, Patna 800 004
Chowk, Varanasi 221 001

PRINTED IN INDIA
BY JAINENDRA PRAKASH JAIN AT SHRI JAINENDRA PRESS,
A-45 NARAINA, PHASE-I, NEW DELHI 110 028
AND PUBLISHED BY NARENDRA PRAKASH JAIN FOR
MOTILAL BANARSIDASS PUBLISHERS PRIVATE LIMITED,
BUNGALOW ROAD, DELHI 110 007

A Course in Advanced Hindi

Part 1

उच्च हिन्दी पाठ्यक्रम

भाग १

SHEELA VERMA

Department of South Asian Studies
University of Wisconsin, Madison

शीला वर्मा

दक्षिण एशियाई विभाग
विस्कौंसिन विश्वविद्यालय

Preface

This is a textbook for a comprehensive course in Advanced Hindi. An expanded version with additional materials for various sections of the book is being worked on. This book is designed to serve as the foundation for a competency-based course. As such, it has several components to provide for the various requisite language skills, namely reading, writing, speaking, and listening. The reading part of the course will be divided into two sections-- Intensive Reading and Non-Intensive Reading. The book includes suitable texts for intensive reading, along with glossaries and grammatical explanations and exercises. The selections for intensive reading are all unmodified original texts so as to expose the students to authentic Hindi. They should provide for the necessary transition from an intermediate level textbook to an advanced textbook. The glossaries provide for most of the words in texts but not all of them, so as to encourage the students to try and deduce the meanings from the contexts, and also to use a dictionary when absolutely necessary. For the non-intensive part of the course, supplementary materials will be chosen and assigned in a structured way.

This book also provides material for teaching and improving speaking proficiency. It does so by including three kinds of oral materials, namely Situational Conversation, Oral Presentation on assigned topics, and Simultaneous Oral Translation.

The section on writing in this course is in addition to whatever written exercises may be necessary as part of the intensive reading of texts. It is designed to provide students with thematically organized specialized vocabulary on the basis of which they can write coherent paragraphs on those themes in free composition. Format-related writing (such as personal and professional letters, job applications, and the like) will also be assigned.

Listening is an extremely important skill which also needs to be taught and learned in a structured way. Audio-visual materials, with or without scripts, should be used as part of a course so designed as to provide for extensive listening exposure to varied materials (talks, dialogues, songs, TV or movie segments) and for the testing of listening comprehension.

In conclusion, I would like to acknowledge the cooperation of those friends and colleagues who have helped in one way or another to make this textbook possible. My participation in the preparation and teaching of a special competency-based course in Advanced Hindi in the summer of 1986 with Professor Manindra Verma and Dr. Narendra Sinha provided a number of ideas and materials which have been incorporated here. Consultation with Professor Yamuna Kachru has resulted in the inclusion of the play "Ande ke Chilke" and the story "Mard" with her glossaries. The pre-final version of the book was looked at and commented on by Professor Peter E. Hook. I have benefitted from all these suggestions but I alone am responsible for whatever shortcomings are still there and are in need of further improvement. All those students of mine on whom most of these materials were tried in class and who gave me helpful feedback are deserving of my gratitude. Special mention must, however, be made of Randal Alain Everts, who spared me a lot of legwork by running to the library for the needed reference materials. I have appreciated Mithilesh Mishra's suggestions in regard to some textual questions. Griffith A. Chaussée and later Mika Fukuda's contributions have been absolutely invaluable in that in spite of various academic and personal concerns, they undertook the typing of the manuscript and have done such a beautiful job. Mika Fukuda also took care to make page and line format adjustments wherever necessary to make the final product more consistent and aesthetically pleasing. The Department of South Asian Studies has been very supportive of this project. I am extremely grateful to Professor David Knipe for his encouragement, to Professor Joseph Elder for his support, and to Sharon Dickson for her ungrudging cooperation.

उच्च हिन्दी पाठ्यक्रम
भाग १
विषय सूची

विषय सूची

v

विषय सूची

विषय सूची

विषय सूची

विषय सूची

विषय सूची

I. INTENSIVE TEXTS

Yashpal
"Dukh kā Adhikār" and "Sac Bolne kī Bhūl"

"Dukh kā Adhikār" is a very short story by Yashpal which has a simple story line. Some people find a middle-aged woman-- a foot-path vendor of watermelons-- crying incessantly, unable to make a sale. They make disdainful, snide remarks about her. It turns out that her son had died only a couple of days earlier, and instead of mourning appropriately she is "out to make a buck." This is evidence enough for them that low-class people have no sense of shame or propriety. The title of the story sarcastically implies that not everyone has the right to feel pain-- only the rich have.

This story is representative of both the political and literary philosophies of Yashpal. He was a writer with socialistic, even Marxist leanings and tried to bring in aspects of class struggle in his writings, in short stories as well as novels. He was also sympathetic with the revolutionary approach to the struggle for Indian independence from the British rather than a believer in the peaceful civil disobedience propounded by Mahatma Gandhi.

"Sac Bolne kī Bhūl" is a story by Yashpal which consists of a mixture of horror, humor, and surprise, but more than anything else, human frailty born of deprivation. It deals with a poor farmer in the hills who on the one hand is trying-- though reluctantly-- to be a good host, while on the other hand is not above expecting proper recompense. The farmer and his wife are not only disappointed but become positively hostile when they realize that their apparently rich guest told them the truth when he said that he didn't have much to give them at that time. Telling the truth was obviously a mistake, but it is not clear who the reader should sympathize with, the poor farmer host or the rich guest who told the truth.

Despite his lack of belief in art for art's sake and his view of literature and revolution as complementing each other, Yashpal was a consummate writer, and certainly a major writer in modern Hindi literature. He is in the category of those who were classified as "progressive writers" in modern Hindi literature. His concern with his political philosophy hardly ever got in the way of his skillfully constructing stories with a great deal of impact. His writings were translated into English, French, Russian and Czech. He was also a prolific journalist and edited the journal "Viplav" (lit., "revolution") and added a new dimension to Hindi literature.

Yashpal was born in 1903 and died in 1976. During this period Premchand was a great influence on the Hindi short story and gave it a new direction. This was because of his own personality as an author but also because of the age in which he lived. The Hindi short story after Premchand got down more into the analyses of the new social order of things, trying to analyze and explain the various courses that led to social exploitation and the chaotic order of things. Yashpal continued the tradition of Premchand in his direct approach to social problems in the traditional plot-dominated structure of his stories. Although identified with Marxism and revolution, Yashpal in his stories exposed not only the problems of imperialism and capitalism but also tried to expose phoniness in all aspects of human relations. Whereas Premchand frequently portrayed the virtues of kindness, honesty, justice, goodwill, Yashpal frequently questioned these virtues. He, like Premchand, made social relations of life the theme of his stories. He constructed plots full of suspense, and resolved complications at the ends of the stories with dramatic effect. Because of his beliefs in Marxian concepts he weaves his stories around them and provides for a sharp hit at the end. The reader always feels that some mystery is going to unfold itself. Even though in concluding the story Yashpal follows Premchand's tradition, his manner seems to be very different. His endings do not convey a moral; they are generally bitingly satirical. The end in his stories is not a simple emotional climax. It is a satire and irony consisting of resentment, suffering and dissent. His stories always have a purpose but are constructed very artistically.

दुःख का अधिकार !
यशपाल

मनुष्यों की पोशाकें उन्हें विभिन्न श्रेणियों में बाँट देती हैं । प्रायः पोशाक ही समाज में मनुष्य का अधिकार और उसका दर्ज़ा निश्चित करती है । वह हमारे लिए अनेक बंद दरवाज़े खोल देती है, परंतु कभी ऐसी भी परिस्थिति आ जाती है कि हम ज़रा नीचे झुककर समाज की निचली श्रेणियों की अनुभूति को समझना चाहते हैं । उस समय यह पोशाक ही बंधन और अड़चन बन जाती है । जैसे वायु की लहरें कटी हुई पतंग को सहसा भूमि पर नहीं गिर जाने देतीं उसी तरह खास परिस्थितियों में हमारी पोशाक हमें झुक सकने से रोके रहती है ।

बाज़ार में, फुटपाथ पर कुछ खरबूज़े डलिया में और कुछ ज़मीन पर बिक्री के लिए रखे जान पड़ते थे । खरबूज़ों के समीप एक अधेड़ उम्र की औरत बैठी रो रही थी । खरबूज़े बिक्री के लिए थे, परंतु उन्हें खरीदने के लिए कोई कैसे आगे बढ़ता ? खरबूज़ों को बेचने वाली तो कपड़े से मुँह छिपाए सिर को घुटनों पर रखे फफक-फफक कर रो रही थी ।

पड़ोस की दुकानों के तख़्तों पर बैठे या बाज़ार में खड़े लोग घृणा से उसी स्त्री के संबंध में बात कर रहे थे । उस स्त्री का रोना देखकर मन में एक व्यथा-सी उठी पर उसके रोने का कारण जानने का उपाय क्या था ? फुटपाथ पर उसके समीप बैठ सकने में मेरी पोशाक ही व्यवधान बन खड़ी हो गई ।

एक आदमी ने घृणा से एक तरफ़ थूकते हुए कहा, "क्या ज़माना है ! जवान लड़के को मरे पूरा दिन नहीं बीता और यह बेहया दुकान लगा के बैठी है ।"

दूसरे साहब अपनी दाढ़ी खुजाते हुए कह रहे थे, "अरे जैसी नीयत होती है अल्ला भी वैसी ही बरकत देता है।"

सामने के फुटपाथ पर खड़े एक आदमी ने दियासलाई की तीली से कान खुजाते हुए कहा, "अरे इन लोगों का क्या है ? ये कमीने लोग रोटी के टुकड़े पर जान देते हैं। इनके लिए बेटा-बेटी, खसम-लुगाई, धर्म-ईमान सब रोटी का टुकड़ा है।"

परचून की दुकान पर बैठे लालाजी ने कहा, "अरे भाई, उनके लिए मरे-जिए का कोई मतलब न हो, पर दूसरे के धर्म-ईमान का तो ख्याल करना चाहिए ! जवान बेटे के मरने पर तेरह दिन का सूतक होता है और वह यहाँ सड़क पर बाज़ार में आकर खरबूज़े बेचने बैठ गई है। हजार आदमी आते-जाते हैं। कोई क्या जानता है कि इसके घर में सूतक है। कोई इसके खरबूज़े खा ले तो उसका ईमान-धर्म कैसे रहेगा ? क्या अंधेर है ?"

पास-पड़ोस की दुकानों से पूछने पर पता लगा-- उसका तेईस बरस का जवान लड़का था। घर में उसकी बहू और पोता-पोती हैं। लड़का शहर के पास डेढ़ बीघा भर ज़मीन में कछियारी करके परिवार का निर्वाह करता था। खरबूज़ों की डलिया बाज़ार में पहुँचाकर कभी लड़का स्वयं सौदे के पास बैठ जाता, कभी माँ बैठ जाती।

लड़का परसों सुबह मुँह-अँधेरे बेलों में से पके खरबूज़े चुन रहा था। गीली मेड़ की तरावट में विश्राम करते हुए एक साँप पर लड़के का पैर पड़ गया। साँप ने लड़के को डस लिया।

लड़के की बुढ़िया माँ बावली होकर ओझा को बुला लाई। झाड़ना-फूंकना हुआ। नागदेव की पूजा हुई। पूजा के लिए दान-दक्षिणा चाहिए। घर में जो कुछ आटा और अनाज था, दान-दक्षिणा में उठ गया। माँ, बहू और बच्चे 'भगवाना' से लिपट-

लिपट कर रोए, पर भगवाना जो एक दफ़े चुप हुआ तो फिर न बोला। सर्प के विष से उसका सब बदन काला पड़ गया था।

ज़िंदा आदमी नंगा भी रह सकता है, परंतु मुर्दे को नंगा कैसे विदा किया जाए ? उसके लिए तो बज़ाज़ की दुकान से नया कपड़ा लाना ही होगा, चाहे उसके लिए माँ के हाथों के छन्नी-ककना ही क्यों न बिक जाएँ।

भगवाना परलोक चला गया। घर में जो कुछ चुनी-भूसी थी सो उसे विदा करने में चली गई। बाप नहीं रहा तो क्या। लड़के सुबह उठते ही भूख से विलविलाने लगे। दादी ने उन्हें खाने के लिए खरबूज़े दे दिए लेकिन बहू को क्या देती ? बहू का बदन बुखार से तवे की तरह तप रहा था। अब बेटे के बिना बुढ़िया को दुवन्नी-चवन्नी भी कौन उधार देता।

बुढ़िया रोते-रोते और आँखें पोंछते-पोंछते भगवाना के बटोरे हुए खरबूज़े डलिया में समेंट कर बाज़ार की ओर चली-- और चारा भी क्या था ?

बुढ़िया खरबूज़े बेचने का साहस करके आई थी, परंतु सिर पर चादर लपेटे, सिर को घुटनों पर टिकाए हुए फफक-फफक कर रो रही थी।

कल जिसका बेटा चल बसा, आज वह बाज़ार में सौदा बेचने चली है, हाय रे पत्थर दिल।

उस पुत्र-वियोगिनी के दुःख का अन्दाज़ा लगाने के लिए पिछले साल अपने पड़ोस में पुत्र की मृत्यु से दुःखी माता की बात सोचने लगा। वह संभ्रांत महिला पुत्र की मृत्यु के बाद अढ़ाई मास तक पलंग से उठ न सकी थी। उन्हें पंद्रह-पंद्रह मिनट बाद पुत्र वियोग से मूर्छा आ जाती थी और मूर्छा न आने की अवस्था में आँखों से आँसू न रुक सकते थे। दो-दो डाक्टर हरदम सिरहाने

बैठे रहते थे । हरदम सिर पर बरफ रखी जाती थी । शहर भर के लोगों के मन उस पुत्र-शोक से द्रवित हो उठे थे ।

जब मन को सूझ का रास्ता नहीं मिलता तो बेचैनी से कदम तेज़ हो जाते हैं । उसी हालत में नाक ऊपर उठाए, राह चलतों से ठोकरें खाता मैं चला जा रहा था । सोच रहा था--

शोक करने, ग़म मनाने के लिए भी सहूलियत चाहिए और... दुःखी होने का भी एक अधिकार होता है ?

Points to Note and Prepare for in the Lesson

दुःख का अधिकार

I. GRAMMATICAL NOTES AND CONSTRUCTIONS

1. Descriptive Adverbs

Hindi, like many other languages, is in the habit of using onomatopoetic forms as descriptive adverbs, as in the following expressions:

फफक-फफक कर रोना — to cry sobbingly

- सड़क पर बुढ़िया खरबूज़े बेचते वक्त फफक-फफक कर रोने लगी ।

धड़ाम से — with a bang

- उन्होंने धड़ाम से दरवाज़ा बंद कर लिया ।

चटाक से — with a smacking or cracking sound

- लड़के ने गुस्से में अपने दोस्त को चटाक से तमाचा मारा ।

टपटप पानी पड़ना — for water or any liquid to fall with a dripping noise

- छत से टपटप पानी पड़ने लगा ।

गटगट पानी पीना — to drink noisily with a gurgling or swallowing sound

- गर्मी के मारे ठंडा पानी मैं गटगट पी गया ।

तड़ाक से (उलट कर) जवाब देना — to answer back without delay or proper consideration

- तर्क में उन्होंने तड़ाक से जवाब दिया ।

चटाक से जवाब देना — to reply cheekily or flippantly

- वह लड़का हमेशा ही चटाक से जवाब दिया करता है ।

तपाक से — with promptitude; promptly

- जब मैं सिन्हा साहब से मिलने गया वे तपाक से मुझसे मिले ।

2. Distributive Constructions

A grammatical construction using the reduplication of words (in various parts of speech) is a very productive syntactic device having a distributive meaning. Some of the following occur in this story.

बड़े-बड़े लोग	important people in various places
पांच-पांच रुपये	five rupees each
पन्द्रह-पन्द्रह मिनट बाद	every fifteen minutes

3. Participles

The participial forms of a verb can be used as adjectives and also as adverbs. Different forms correspond to different aspects.

1. बच्चा खेल रहा है — खेलता (हुआ) बच्चा

2. बच्चा सोया है   सोया (हुआ) बच्चा
3. बच्चा रोता है (habitually)   रोने वाला बच्चा
4. ये लोग बम्बई जायेंगे   बम्बई जाने वाले लोग

--Note that for both the habitual aspect and the future, the participial form is **वाला**

3A. Translate the following sentences into Hindi using participial modifiers:

1. Stop the boy who is running so fast.
2. You shouldn't eat anything which is lying on the floor.
3. The woman who cleans my house hasn't come today.
4. People who live in villages are very simple.
5. This is the bus which will go to Delhi.
6. People who are to go to Bombay should stand on the other side.

In the adverbial function, the −ता (present) and −या (past) participles modify a verb.

वह रोता हुआ बोला ।
वह लेटी हुई सोचती रही ।

3B. Translate into English the following sentences, all of which have a participle in adverbial function:

1. वह रोता हुआ मेरे पास आया ।
2. घर आते-आते देर हो गयी ।
3. मेरे आते ही वह चला गया ।
4. मैं बैठा रह गया ।
5. बैठे-बैठे शाम हो गयी ।

6. मैं पड़ा-पड़ा देखता रहा ।
7. रोते-रोते उसका बुरा हाल हो गया ।
8. मुझे यहां आए हुए दो साल हो गए ।

II. VOCABULARY

1. Idioms and Expressions

दुकान लगाना — to set up vending, to open for business as a vendor

- रोज़ सवेरे सड़क के किनारे सब्ज़ीवाली दुकान लगाकर बैठ जाती है ।

जान देना — to die for something; to be very fond of something

- बच्चे मिठाई पर जान देते हैं ।

चारा न होना — to have no remedy

- घर में खाने के लिये कुछ भी न रहा । भूखे ही सोना पड़ा । इसके सिवा कोई चारा भी न था ।

चल बसना — to die

- उसकी माता दो साल हुए चल बसीं; वह बहुत ही दुःखी है !

पत्थर-दिल — stone-hearted; cruel

- पुत्र की मृत्यु होने पर भी वह दिन भर खरबूज़े बेचती

रही ।   सचमुच थी वह पत्थर-दिल ।

मरे-जिये   matter of life and death

- लाला जी को मरे-जिये का कोई ख़याल ही नहीं है ।

निर्वाह करना   to support oneself

- बेचारा ग़रीब आदमी मज़दूरी करके अपने परिवार का निर्वाह
  करता था ।

2. Coordinative Compounds

Hindi is very fond of using compounded lexical items of various kinds. Some are reduplicative, repeating the same word to form a compound, which grammatically has a distributive meaning, as explained above under the section on Grammatical Notes (बड़े-बड़े,

पांच-पांच, etc.) There are other compounds which combine semantically paired words which identify a semantic domain, such as husband and wife, life and death, etc. They are generally hyphenated.

बेटा-बेटी
खसम-लुगाई
मरे-जिये
दाल-रोटी
रात-दिन

3. Translation Compounds

Hindi also uses compounds in which both words mean the same thing. They generally come from different linguistic sources, such as Sanskrit and Persian, and are like a translation of each other. The meaning of such compounds is to imply a collective unity, such as, "other things in that general semantic area," "and such," etc. For example,

पास-पड़ोस

छन्नी-ककना

दान-दक्षिणा

बाल-बच्चा

4. Word Derivation

As in other languages, words in Hindi can be derived from other words, typically to change the part of speech. Some such derivationally related words that occur in this lesson are:

योग m	union
वियोग m	separation, pangs of separation
वियोगी m	one suffering the pangs of separation
वियोगिनी f	a woman suffering the pangs of separation
चैन m	mental ease
बेचैन Adj	devoid of mental ease, restless
बेचैनी f	restlessness
दुःख m	sorrow
दुःखी Adj	sorry, sorrowful; also, a person in a distressed state
दुखिया n	a person in sorrowful circumstances

Grammar & Exercises: दुःख का अधिकार

व्यवस्था	n	order, organization
व्यवस्थित	Adj	orderly, organized
बेचना	tr	to sell
बिकना	intr	to be sold
बिक्री	f	sale

III. TEXTUAL COMPREHENSION AND EXERCISES

IIIA. Check the correct answer(s) to each question:

1. पोशाक के बारे में लेखक ने क्या-क्या कहा है ?

   a. पोशाक से धनी-ग़रीब, शहर-ग्रामीण, शिक्षित-अशिक्षित आदि का पता लग जाता है ।

   b. अच्छे कपड़े पहन कर कोई ग़रीबों के पास नहीं जा सकता ।

   c. लेखक बहुत अच्छे कपड़े पहने था ।

   d. हमें महंगी पोशाक पहननी चाहिये ।

2. खरबूज़े बेचने के लिए बाज़ार कौन गई थी ?

   a. भगवाना की दादी ।

   b. भगवाना की मां ।

   c. भगवाना की पत्नी ।

   d. भगवाना की चाची ।

3. भगवाना की मृत्यु कैसी हुई ?

    a. गीली मेड़ से ठंड लग गई ।
    b. पेड़ से गिर गया ।
    c. सांप ने काट लिया ।
    d. खाने के लिए कुछ नहीं था इसलिए भूख से मर गया ।

4. खरबूज़ों को ख़रीदने के लिए ग्राहक आगे क्यों नहीं बढ़ रहे थे?

    a. खरबूज़े सड़े (rotten) थे ।
    b. खरबूज़ोंस को बेचनेवाली रो रही थी ।
    c. खरबूज़े महंगे थे ।
    d. खरबूज़े बेचनेवाली को सूतक लगा था ।

IIIB. Answer the following questions in a sentence or two. Your answer has to be relevant to the story दुःख का अधिकार . The crucial point of the answer is indicated in the English phrase following the question.

Example: बाज़ार में फुटपाथ पर कुछ खरबूज़े डलिया में और कुछ ज़मीन पर क्यों थे ?
(a middle aged woman trying to sell them)

Answer: खरबूज़े बिक्री के लिए थे जिनको एक अधेड़ उम्र की औरत लेकर आई थी ।

1. अधेड़ औरत कैसे बैठी थी और कैसे रो रही थी ?
(hiding her face and sobbing)

2. लेखक यशपाल औरत के समीप क्यों नहीं बैठ सके ?

(his clothing acted as a barrier)

3. पड़ोस के एक आदमी ने थूकते हुए घृणा से क्या कहा ?
(expressing disdain for her behavior)

4. बुढ़िया का बेटा भगवाना कब और कैसे मरा ?
(by snake bite)

5. अपने पुत्र भगवाना की मृत्यु के एक दिन बाद बाज़ार में
बुढ़िया क्यों खरबूज़े बेचने आई ?
(had no other means of support)

IIIC. Answer the following questions:

1. इस कहानी के अनुसार समाज में पोशाक का क्या स्थान
है ?
2. खरबूज़े कौन बेच रहा था और क्यों ?
3. भगवाना कौन था और उसकी उम्र क्या थी ?
4. भगवाना परिवार का निर्वाह कैसे करता था ?

सच बोलने की भूल

यशपाल

शरद् के आरम्भ में दफ्तर से दो मास की छुट्टी ले ली थी। स्वास्थ्य-सुधार के लिए पहाड़ी प्रदेश में चला गया था। पत्नी और बेटी भी साथ थीं। बेटी की आयु तब सात वर्ष की थी। उस प्रदेश में बहुत छोटे-छोटे पड़ाव हैं। एक खच्चर किराये पर ले लिया था। असबाब खच्चर पर लाद लेते थे और तीनों हंसते-बोलते, पड़ाव-पड़ाव पैदल यात्रा कर रहे थे। रात पड़ाव की किसी दुकान पर या डाक-बंगले में बिता देते थे। कोई स्थान अधिक सुहावना लग जाता तो वहां दो रात ठहर जाते।

एक पड़ाव पर हम लोग डाक-बंगले में ठहरे हुए थे। वह बंगला छोटी-सी पहाड़ी के पूर्वी आंचल में है। बंगले के चौकीदार ने बताया-- "साहब लोग आते हैं तो चोटी से सूर्यास्त का दृश्य ज़रूर देखते हैं।" चौकीदार ने बता दिया कि बंगले के बिलकुल सामने से ही जंगलाती सड़क पहाड़ी तक जाती है।

पत्नी सुबह आठ मील पैदल चल चुकी थी। उसे संध्या फिर पैदल तीन मील चढ़ाई पर जाने और लौटने का उत्साह अनुभव न हुआ परन्तु बेटी साथ चलने के लिए मचल गई।

चौकीदार ने आश्वासन दिया-- "लगभग डेढ़ मील सीधी सड़क है और फिर पहाड़ी पर अच्छी साफ पगडंडी है। जंगली जानवर इधर नहीं हैं। सूर्यास्त के बाद कभी-कभी छोटी जाति के भेड़िये जंगल से निकल आते हैं। भेड़िये भेड़-बकरी के मेमने या मुर्गियां उठा ले जाते हैं, आदमियों के समीप नहीं आते।"

मैं बेटी को साथ लेकर सूर्यास्त से तीन घंटे पूर्व ही चोटी की ओर चल पड़ा। सावधानी के लिए टार्च साथ ले ली। पहाड़ी

तक डेढ़ मील रास्ता बहुत सीधा-साफ़ था। चढ़ाई भी अधिक नहीं थी। पगडंडी से चोटी तक चढ़ने में भी कुछ कठिनाई नहीं हुई।

पहाड़ की चोटी पर पहुंचकर पश्चिम की ओर बर्फानी पहाड़ों की शृंखलाएं फैली हुई दिखाई दीं। क्षितिज पर उतरता सूर्य बरफ से ढकी पहाड़ी की रीढ़ को छूने लगा तो ऊंची-नीची, आगे-पीछे खड़ी हिमाच्छादित पर्वत-शृंखलाएं अनेक इन्द्रधनुषों के समान झलमलाने लगीं। हिम के स्फटिक कणों की चादरों पर रंगों के खिलवाड़ से मन उमग-उमग उठता था। बच्ची उल्लास से किलक-किलक उठती थी।

सूर्यास्त के दृश्य का सम्मोहन बहुत प्रबल था परन्तु ध्यान भी था-- रास्ता दिखाई देने योग्य प्रकाश में ही डाक-बंगले को जाती जंगलाती सड़क पर पहुंच जाना उचित है। अंधेरे में असुविधा हो सकती है।

सूर्य आग की बड़ी थाली के समान लग रहा था। वह थाली बरफ की शूली पर, अपने किनारे पर खड़ी वेग से घूम रही थी। आग की थाली का शनैः-शनैः बरफ़ के कंगूरों की ओट में सरकते जाना बहुत ही मनोहारी लग रहा था। हिम के असम विस्तार पर प्रतिक्षण रंग बदल रहे थे। बच्ची उस दृश्य को विस्मय से मुंह खोले अपलक देख रही थी। दुलार से समझाने पर भी वह पूरे सूर्य के पहाड़ी की ओट में हो जाने से पहले लौटने के लिए तैयार नहीं हुई।

सहसा सूर्यास्त होते ही चोटी की बरफ़ पर श्यामल नीलिमा फैल गई। पहाड़ी की चोटी पर अब भी प्रकाश था पर हम ज्यों-ज्यों पूर्व की ओर नीचे उतर रहे थे, अंधेरा घना होता जा रहा था। आपको भी अनुभव होगा कि पहाड़ों में सूर्यास्त का झुटपुट

उजाला बहुत देर तक नहीं बना रहता। सूर्य के पहाड़ की ओट में होते ही उपत्यका में सहसा अंधेरा हो जाता है।

मैं पगडंडी पर बच्ची को आगे किए पहाड़ी से उतर रहा था। अब धुंधलका हो जाने के कारण स्थान-स्थान पर कई पगडंडियां निकलती-फटती जान पड़ती थीं। हम स्मृति के अनुभव से अपनी पगडंडी पहचानकर नीचे जिस रास्ते पर उतरे, वह डाक-बंगले की पहचानी हुई जंगलाती सड़क नहीं जान पड़ी। अंधेरा हो गया था। रास्ता खोजने के लिए चोटी की ओर चढ़ते तो अंधेरा अधिक घना हो जाने और अधिक भटक जाने की आशंका थी। हम अनुमान से पूर्व की ओर जाती पगडंडी पर चल पड़े।

जंगल में घुप्प अंधेरा था। टार्च से प्रकाश का जो गोला-सा पगडंडी पर बनता था, उससे कंटीले झाड़ों और ठोकर से बचने के लिए तो सहायता मिल सकती थी परन्तु मार्ग नहीं ढूंढ़ा जा सकता था। चौकीदार ने आंचल में आसपास काफ़ी बस्ती होने का आश्वासन दिया था। सोचा-- 'समीप ही कोई बस्ती या झोंपड़ी मिल जाएगी, रास्ता पूछ लेंगे।'

हम टार्च के प्रकाश में झाड़ियों से बचते पगडंडी पर चले जा रहे थे। बीस-पचीस मिनट चलने के बाद हमारा रास्ता काटती हुई एक अधिक चौड़ी पगडंडी दिखाई दे गई। सामने एक के बजाय तीन मार्ग देखकर दुविधा और घबराहट हुई, ठीक मार्ग कौन-सा होगा? अपने लक्ष्य की ओर बढ़ने की अपेक्षा भटकाव का ही अवसर अधिक हो गया था। घना अंधेरा, जंगल में रास्ता जान सकने का कोई उपाय नहीं था। आकाश में तारे उजले हो गए थे परन्तु मुझे तारों की स्थिति से दिशा पहचान सकने की समझ नहीं है। पूर्व दिशा दाईं ओर होने का अनुमान था इसलिए चौड़ी पगडंडी पर दाईं ओर चल दिए। आध घंटे तक चलने पर

एक और पगडंडी रास्ता काटती दिखाई दी । समझ लिया, हम
बहुत भटक गए हैं । मैंने सीधे सामने चलते जाना ही उचित
समझा ।

जंगल में अंधेरा बहुत घना था । उत्तरी वायु चल पड़ने से
सर्दी भी काफ़ी हो गई थी । अपनी घबराहट बच्ची से छिपाए
था । बच्ची भयभीत न हो जाए, इसलिए उसे बहलाने के लिए
और उसे रुकावट अनुभव न होने देने के लिए कहानी सुनाने लगा
परन्तु बहलाव थकावट को कितनी देर भुलाए रखता ! बच्ची
बहुत थक गई थी । वह चल नहीं पा रही थी । कुछ समय उसे
शीघ्र ही बंगले पर पहुंच जाने का आश्वासन देकर उत्साहित
किया और फिर उसे पीठ पर उठा लिया । वह मेरे कंधे के ऊपर
से मेरे सामने टार्च का प्रकाश डालती जा रही   थी । मैं बच्ची के
बोझ और थकावट से हांफता हुआ अज्ञात मार्ग पर, अज्ञात दिशा में
चलता जा रहा था । मेरी पीठ पर बैठी बच्ची सर्दी से सिहर-
सिहर उठती थी और मैं हाँफ-हाँफ कर पसीना-पसीना हो रहा
था । कुछ-कुछ समय बाद मैं दम लेने के लिए बच्ची को
पगडंडी पर खड़ा करके घड़ी देख लेता था । अधिक रात न हो
जाने के आश्वासन से कुछ साहस मिलता था ।

हम अजाने जंगल के घने अंधेरे में ढाई घंटे तक चल चुके थे ।
मेरी घड़ी में साढ़े नौ बज गए तो मेरा मन बहुत घबराने लगा ।
बच्ची को कहानी सुनाकर बहलाना संभव न रहा । वह जंगल में
भटक जाने के भय से मां को याद कर ठुसक-ठुसककर रोने
लगी । बंगले में अकेली, घबराती पत्नी के विचार ने और भी
व्याकुल कर दिया । मेरी टांगें थकावट से कांप रही थीं । सर्दी
बहुत बढ़ गई थी । जंगल में वृक्ष के नीचे रात काट लेना भी
संभव नहीं था । छोटे भेड़िये भी याद आ गए । वहां के लोग उन

भेड़ियों से नहीं डरते थे, पर छोटी बच्ची साथ होने पर भेड़िये से भेंट की आशंका से मेरा रक्त जमा जा रहा था।

हम जंगल से निकलकर खेतों में पहुंचे तो दस बज चुके थे। कुछ खेत पार कर चुके तो तारों के प्रकाश में कुछ दूरी पर एक झोंपड़ी का आभास मिला। झोंपड़ी में प्रकाश नहीं था। बच्ची को पीठ पर उठाए फसल-भरे खेतों में से झोंपड़ी की ओर बढ़ने लगा। झोंपड़ी के कुत्ते ने हमारे उस ओर बढ़ने पर एतराज़ किया। कुत्ते की क्रोध-भरी ललकार से सांत्वना ही मिली। विश्वास हो गया, झोंपड़ी सूनी नहीं थी।

पहाड़ों में वर्षा की अधिकता के कारण छतें ढालू बनाई जाती हैं। ग़रीब किसान ढालू छत के भीतर स्थान का उपयोग कर सकने के लिए अपनी झोंपड़ियों को दोतल्ला कर लेते हैं। मिट्टी की दीवारें, फूस की छत और चारों ओर कांटों की ऊंची बाढ़। किसान लोग नीचे के तल्ले में अपने पशु बांध लेते हैं और ऊपर के तल्ले में उनकी गृहस्थी रहती है।

मैं झोंपड़ी की बाढ़ के मोहरे पर पहुंचा तो कुत्ता मालिक को चेताने के लिए बहुत ज़ोर से भौंका। झोंपड़ी का दरवाज़ा और खिड़की बन्द थे। मेरे कई बार पुकारने और कुत्ते के बहुत उत्तेजना से भौंकने पर झोंपड़ी के ऊपर के भाग में छोटी-सी खिड़की खुली और झुंझलाहट की ललकार सुनाई दी-- "कौन है, इतनी रात गए कौन आया है ?"

झोंपड़ी के भीतर अंधेरे में से आती ललकार को उत्तर दिया-- "मुसाफिर हूं, रास्ता भटक गया हूं। छोटी बच्ची साथ है। पड़ाव के डाक-बंगले पर जाना चाहता हूं।"

खिड़की से एक किसान ने सिर बाहर निकाला और क्रोध से फटकार दिया-- "तुम शहरी हो न ! तुम आवारा लोगों का देहात

में क्या काम ? चोरी-चकारी करने आए हो । भाग जाओ, नहीं
तो काटकर दो टुकड़े कर देंगे और कुत्ते को खिला देंगे।"

किसान को अपनी और बच्ची की दयनीय अवस्था दिखलाने
के लिए अपने ऊपर टार्च से प्रकाश डाला और विनती की--
"बाल-बच्चेदार गृहस्थ हूं । चोटी पर सूर्यास्त देखने गए थे,
भटक गए । पड़ाव के बंगले में बच्चे की मां हमारी प्रतीक्षा कर
रही है, बंगले का चौकीदार बता देगा । पड़ाव के डाक-बंगले पर
जाना चाहता हूं । रास्ता दिखाकर पहुंचा दो तो बहुत कृपा हो ।
तुम्हें कष्ट तो होगा, यथाशक्ति मूल्य चुका दूंगा।"

किसान और भी क्रोध से झल्लाया, "पड़ाव और डाक-बंगला
तो यहां से सात मील हैं । कौन तुम्हारे बाप का नौकर है जो इस
अंधेरे में रास्ता दिखाने जाएगा । भाग जाओ यहां से, नहीं तो कुत्ते
को अभी छोड़ता हूं।"

क्रुद्ध किसान मुझे झोंपड़ी की खिड़की से भाग जाने के लिए
ललकार रहा था तो झोंपड़ी के ऊपर के भाग में दीया जल जाने
से प्रकाश हो गया था और वह दीया खिड़की की ओर बढ़ आया
था । दीये के प्रकाश में किसान की छोटी घुंघराली दाढ़ी और
लम्बी-लम्बी सामने झुकी हुई मूंछों से ढका चेहरा बहुत भयानक
और खूंखार लग रहा था । खिड़की की ओर दीया लानेवाली
स्त्री थी ।

किसान की बात सुनकर मेरे प्राण सूख गए । समझा कि
अंधेरे में बहुत भटक गया हूं । उस अंधेरे, सर्दी और थकान में
बच्ची को उठाकर सात मील चल सकना मेरे लिए सम्भव नहीं
था । बच्ची के कष्ट के विचार से और भी अधीर हो गया ।

बहुत गिड़गिड़ाकर किसान से प्रार्थना की-- "भाई, दया
करो ! मैं अकेला होता तो जैसे-तैसे जाड़े और ओस में भी रात

काट लेता परन्तु इस बच्ची का क्या होगा ? हमपर दया करो।
हमें कहीं भीतर बैठ जाने-भर की ही जगह दे दो। उजाला होते ही
हम चले जाएंगे।"

खिड़की के भीतर किसान के समीप आ बैठी औरत का चौड़ा
चेहरा भी किसान की तरह ही बहुत रूखा और कठोर था परन्तु
उसकी बात से आश्वासन मिला। स्त्री बोली-- "अच्छा, अच्छा !
उसके साथ बच्ची है। इस समय पड़ाव तक कैसे जाएगा ? आने
दो, कुछ हो ही जाएगा।"

किसान स्त्री पर झुंझलाया, "क्या हो जाएगा, कहां टिका लेगी
इन्हें ? शहर के लोग हैं, इनकी मेहमानदारी हमारे बस की
नहीं !"

स्त्री ने उत्तर दिया-- "अच्छा-अच्छा, नीचे जाकर कुत्ते को
पकड़ो, उन्हें आने तो दो !"

किसान ने नीचे आकर झोंपड़ी का दरवाज़ा खोला। कुत्ते को
डांटकर चुप करा दिया और हमारे लिए बाड़े का मोहरा खोल
दिया। स्त्री भी हाथ में दीया लिए नीचे आ गई थी। किसान
और कुत्ता स्त्री के विरोध में असंतोष से गुर्राते जा रहे थे। किसान
बोलता जा रहा था-- "बड़े शौकीन, नवाब हैं सैर करनेवाले।
चले आए आधी रात में रास्ता भूलकर। कहां टिका लेगी तू
इनको ?"

स्त्री ने पति को समझाया-- "बेचारे भटक कर परेशानी में आ
गए हैं तो कुछ करना ही होगा। आने दो, यह लोग ऊपर लेट
रहेंगे। हम लोग यहां नीचे फूस डालकर गुज़ारा कर लेंगे।"

किसान बड़बड़ाया-- "हम नीचे कहां पड़े रहेंगे ? गैया को
बाहर निकाल देगी कि मुर्गी को बाहर फेंक देगी ?"

झोंपड़ी के दरवाज़े में कदम रखते समय मैंने टार्च से उजाला

कर लिया कि ठोकर न लगे । कोठरी के भीतर दीवार के साथ एक गैया जुगाली कर रही थी । टार्च का प्रकाश आंखों पर पड़ा तो गैया ने सिर हिला दिया और अपने विश्राम में विघ्न के विरोध में फुंकार दिया । दूसरी दीवार के समीप उल्टी रखी ऊंची टोकरी के नीचे से भी विरोध में मुर्गी की कुड़कुड़ाहट सुनाई दी । स्त्री ने हाथ में लिए दीये से दीवार के साथ बने ज़ीने पर प्रकाश डालकर कहा-- "हम गरीबों के घर ऐसे ही होते हैं । बच्ची को हाथ पकड़कर ऊपर ले आओ । मैं रोशनी ले चलती हूं ।"

किसान असंतोष से बड़बड़ाता रहा । झोंपड़ी के ऊपर के तल्ले में छत बहुत नीची थी । दोनों ओर ढलती छत बीच में धन्नी पर उठी थी । धन्नी के ठीक नीचे भी गर्दन सीधी करके खड़े होना सम्भव नहीं था । नीची और संकरी खाट पर गंदे गूदड़-सा बिस्तर था । स्त्री ने बिस्तर की ओर संकेत किया-- "तुम यहां लेट रहो । हम नीचे गुज़ारा कर लेंगे ।"

स्त्री ने कोने में रखे कनस्तरों और सूखी हांडियों में टटोल कर गुड़ का एक टुकड़ा मेरी ओर बढ़ाकर कहा-- "बच्ची को खिलाकर पानी पिला दो !" उसने कोने में रखे घड़े से एक लोटा जल खाट के समीप रख दिया ।

स्त्री दीया उठाकर ज़ीने की ओर बढ़ती हुई बोली-- "क्या करूं, इस समय घर में आटा भी नहीं है । सांझ को ही चुक गया । सुबह ही पनचक्की पर जाना होगा ।"

स्त्री ज़ीने की ओर बढ़ती हुई ठिठक गई । विस्मय से भवें उठाकर बोली-- "हैं ! इतनी-सी लड़की के गले में मोतियों की कंठी !" उसका स्वर कुछ भीग गया-- "हम कुछ करें भी किसके लिए ? लड़का-लड़की घर पर थे तब कुछ हौंसला रहता था । लड़की सियानी होकर अपने घर चली गई । लड़के को शहर का

चस्का लगा है । दो बरस से उसका कुछ पता नहीं । जहां हो... हे
देवी माता, लोग उसको भी शरण दें ।"

स्त्री नीचे उतर गई । तब भी असन्तुष्ट किसान के बड़बड़ाने
की और कुछ उठाने-धरने की आहट आती रही ।

बच्ची थोड़ा गुड़ खाकर और जल पीकर तुरंत सो गई । मुझे
गंधाते, गंदे बिस्तर से उबकाई अनुभव हो रही थी । अपनी
असुविधा की चिन्ता से अधिक चिंता थी-- डाक-बंगले में हमारी
प्रतीक्षा में असहाय पत्नी की । हम दोनों के न लौट सकने के
कारण वह कैसे बिलख रही होगी । कहीं यही न सोच बैठी हो
कि हम भेड़ियों या आततायियों के हाथ पड़ गए हैं । हमें खोजने
के लिए डाक-बंगले के चपरासी को लेकर चोटी की ओर न चल
पड़ी हो... ।

मस्तिष्क में चिंता की वेदना और पीठ थकान से इतनी
अकड़ी हुई थी कि करवट लेने में दर्द अनुभव होता था । झपकी
आती तो पीठ के दर्द और बिस्तर की असुविधा के कारण टूट
जाती । करवटें बदलता सोच रहा था-- 'रास्ता दिखाई देने
योग्य उजाला हो तो उठकर चल दें ।'

खिड़की की सांधों से पौ फटती-सी जान पड़ी । सोचा--
'ज़रा उजाला और हो जाए ।' नीचे सोए लोगों की नींद में विघ्न
न डालने का भी ध्यान था । एक झपकी और ले लेना चाहता था
कि नीचे से दबी-दबी फुसफुसाहट सुनाई दी ।

मर्द कह रहा था-- "...बहुत थके हुए हैं । सूरज बांस-भर चढ़
जाएगा तब भी उनकी नींद नहीं टूटेगी ।"

स्त्री सांस के स्वर में बोली-- "तुम्हें उन्हें जगा के क्या लेना
है ?... नहीं उठते तो मैं जाऊं ?"

"अच्छा जाता हूं !"

"आह ! संभलकर... । आहट न करो ।... गर्दन ऐसे दबा लेना कि आवाज़ न निकले ।... चीख न पड़े । छुरा ताक में है ।"

स्त्री-पुरुष का परामर्श सुनकर मेरे रोम-रोम से पसीना छूट गया-- हत्यारों से शरण मांगकर उनके पिंजड़े में बन्द हो गया था । सोचा-- 'पुकारकर कह दूं... मेरे पास जो कुछ है ले लो, लड़की के गले की कंठी ले लो और हमारी जान बख्शो ।'

फिर मर्द की आवाज़ सुनाई दी-- "बेचारी को रहने दूं, मन नहीं करता ।"

स्त्री बोली-- "उंह, मन न करने की क्या बात है ! उसे रहने देकर क्या होगा ! कहां बचाते-छिपाते फिरोगे ?"

मैंने आतंक से नींद में बेसुध बच्ची को बांहों में ले लिया । भय की उत्तेजना से मेरा हृदय धक-धक कर रहा था । सोचा-- 'उन्हें स्वयं ही पुकारकर, गिड़गिड़ाकर प्राण-रक्षा के लिए प्रार्थना करूं,' परन्तु गले ने साथ न दिया । यह भी खयाल आया कि वे जान लेंगे कि मैंने उनकी बात सुन ली है तो कभी छोड़ेंगे ही नहीं । अभी तो वे बात ही कर रहे हैं । भगवान उनके हृदय में दया दे । सोचा-- 'यदि किसान के ऊपर आते ही मैं उसे धक्के से नीचे गिरा कर चीख पड़ूं !... पर जाने आस-पास मील दो मील तक कोई दूसरे लोग भी हैं या नहीं !'

सहसा दबे हुए गले से मुर्गी के कुड़कुड़ाने की आवाज़ आई । स्त्री का उपालम्भ-भरा स्वर सुनाई दिया-- "देखो, कहा भी था कि संभलकर गर्दन पर हाथ डालना ।"

ओह ! यह तो मुर्गी के काटे जाने की मन्त्रणा थी । अपने भय के लिए लज्जा से पानी-पानी हो गया ।

स्त्री का स्वर फिर सुनाई दिया-- "मुर्गी के लिए इतना क्यों बिगड़ रहे हो ? शहर के बड़े लोगों की बातें होती हैं । खातिर से

ख़ुश हो जाएं तो बख़्शीश में जो चाहे दे जाएं। मामूली आदमी नहीं हैं। लड़की के गले में मोतियों की कंठी नहीं देखी ?"

दूसरी चिंता और लज्जा ने मस्तिष्क को दबा लिया। उस समय मेरी जेब में केवल ढाई रुपये थे। बंगले से सूर्यास्त का दृश्य देखने आया था, बाज़ार में ख़रीदारी करने के लिए नहीं। लड़की के गले में कंठी नकली मोतियों की, रुपये-सवा रुपये की थी। दीये के उजाले में वे देहाती कंठी को क्या परख सकते थे ? बहुत दुविधा में सोच रहा था-- 'इन लोगों को क्या उत्तर दूंगा। कुछ बताए बिना चुपचाप ही कंठी दे जाऊं। बाद में चालीस-पचास रुपये मनीआर्डर से भेज दूंगा।'

खिड़की की सांधों से काफी सवेरा हो गया जान पड़ा। सोच ही रहा था, लड़की को जगाकर नीचे ले चलूं कि ज़ीने पर कदमों की चाप सुनाई दी और किसान का चेहरा ऊपर उठता दिखाई दिया।

किसान का चेहरा रात की भांति निर्दय और डरावना न लगा। वह मुस्कराया-- "नींद खुल गई ! मैं तो जगाने के लिए आ रहा था। धूप हो जाने पर बच्ची को इतनी दूर ले जाने में परेशानी होगी।" किसान ने पुराने अख़बार में लिपटी एक बड़ी-सी पुड़िया मेरी ओर बढ़ा दी और बोला-- "यह लो, यह तुम्हारे ही भाग्य के थे। घर में आटा भी नहीं था जो दो रोटी बना देते, इसीलिए तो मैं तुम्हें रात में ही हांके दे रहा था पर घरवाली को बच्ची पर तरस आ गया। खेती के लिए ज़मीन ही कितनी है। अंडे बेचकर ही गुज़ारा करते हैं। बरसात के अंत में पापी पड़ोसी लोगों की मुर्गियों मे बीमारी फैली तो हमारी मुर्गियां भी मर गईं। मुर्गियां बचाने के लिए सभी कुछ किया। पीर की दरगाह पर दीये जलाए। मुर्गियों को ढेरों लहसुन खिलाया, सरकारी

अस्पताल से दवाई भी लाकर दी पर उनका काल आ गया था, बची नहीं। हां, यह मुर्गा बड़े जीवट का था। बीमारी झेलकर भी बच गया था। उसके लिए तुम आ गए। एक छोटी-सी मुर्गी काल की आंख से बचकर छिप रही थी, वह बच्ची के लिए हो जाएगी। इस समय तुम्हारा तो काम चले, हमारा देखा जाएगा !"

किसान ने पुड़िया मेरे हाथ में दे दी और बोला-- "रात के भूखे हो, चाहो तो नीचे चलकर कुल्ला करके मुंह-हाथ धो लो और अभी खा लो। मन चाहे तो रास्ते में खा लेना।"

बच्ची को उठाया। उसने उठते ही भूख से व्याकुलता प्रकट की। दोनों ने अखबार की पुड़िया खोलकर नाश्ता कर लिया।

पेट-भर नाश्ता करके मैं संकोच से मरा जा रहा था। किसान और उसकी स्त्री ने बहुत आशा से हमारी खातिर की थी। अपने अन्तिम मुर्गा, चूज़ा भी हमारे लिए काट दिए थे। मैंने संकोच से कहा-- "इस समय मेरी जेब में कुछ है नहीं, केवल ढाई रुपये हैं। अपना नाम-पता दे दो, मनीआर्डर से रुपये भेज दूंगा।" मैंने बच्ची के गले से कंठी उतारकर स्त्री की ओर बढ़ा दी-- "चाहे तो यह रख लो !"

स्त्री कंठी हाथ में लेकर प्रसन्नता से किलक उठी-- "हाय, इसे तो मैं मठ में चढ़ाकर मानता मानूंगी। हमारी मुर्गियों पर देवताओं की कोपदृष्टि कभी न हो।"

स्त्री की सरलता मेरे मन को छू गई, रह न सका। कह दिया-- "तुम्हें धोखा नहीं देना चाहता, कंठी के मोती नकली हैं।"

स्त्री ने कंठी मेरी ओर फेंक दी। घृणा और झुंझलाहट से उंगलियां छिटकाकर बोली-- "रखो, इसे तुम्हीं रखो। शहर के लोगों से धोखे के सिवा और मिलेगा क्या ?"

किसान ठगे जाने से क्रुद्ध हो गया था, वह डाक-बंगले का

रास्ता बताने के लिए साथ न चला । दिन का उजाला था । हम
राह पूछ-पूछकर बंगले पर पहुंच गए ।

पत्नी डाक-बंगले के सामने अस्त-व्यस्त और विक्षिप्त की
तरह धरती पर बैठी हुई दिखाई दी । उसका चेहरा ओस से भीगे
सूखे पत्ते की तरह आंसुओं से तर और पीला था । आंखें गुड़हल
के फूल की तरह लाल थीं । वह बच्ची को कलेजे पर दबाकर
चीखकर रोई और फिर मुझसे चिपट-चिपटकर रोती रही ।

पत्नी के संभल जाने पर मैंने उसे रात के अनुभव सुना दिए ।
रात मेरे और बच्ची के असहाय अवस्था में गला काट दिए जाने के
काल्पनिक भय में पसीना-पसीना होकर कांपने की बात सुनकर
उसने भी भय प्रकट किया-- 'हाय मैं मर गई ।'

पत्नी को बच्ची की कंठी के लिए किसान स्त्री के लोभ और
कंठी के विषय में सचाई जानकर उनके खिन्न हो जाने की बात
भी बता दी ।

पत्नी ने मुझे उलाहना दिया-- "उन देहातियों को कंठी के
बारे में बता खिन्न करने की क्या ज़रूरत थी ? कंठी मठ में
चढ़ाकर उनकी भावना संतुष्ट हो जाती ।"

सोचा-- 'किस भूल के लिए अधिक लज्जा अनुभव करूं--
काल्पनिक भय में पसीना-पसीना हो जाने की भूल के लिए या
सच बोल देने की भूल के लिए !'

Points to Note and Prepare for in the Lesson

सच बोलने की भूल

I. GRAMMATICAL NOTES AND CONSTRUCTIONS

1. Reduplicative Adverbs

ठुसक-ठुसक कर रोना — to cry sobbingly
- बच्ची जंगल के अंधेरे में मां को याद कर ठुसक-ठुसक कर रोने लग गई ।

सिहर-सिहर उठना — to shiver
- अधिक बर्फ़ पड़ने के कारण सर्दी से मैं सिहर-सिहर उठता था ।

उमग-उमग उठना — to be filled with joy
- पहाड़ की ऊंची चोटी पर बर्फ़ानी दृश्य देखकर मन उमग-उमग उठता था ।

किलक-किलक उठना — to giggle (with joy)
- पहाड़ पर चढ़ते-उतरते मेरे साथ बच्ची भी उल्लास से किलक-किलक उठती थी ।

चिपट-चिपट कर रोना — to cling and cry
- लेखक की पत्नी अस्त-व्यस्त धरती पर बैठी उसका इंतज़ार कर रही थी; जब लेखक डाक-बंगले पहुंचा तो वह उससे ि चिपट-चिपट कर रोने लगी ।

घबरा-घबरा कर बोलना — to speak in a worried manner

- जब उसकी हालत ख़राब हो गई तो वह घबरा-घबरा कर बोलने लगा ।

रो-रो कर बोलना   to speak in a crying voice

- जैसे-जैसे अंधेरा बढ़ता गया लड़की रो-रो कर बोलने लगी ।

1A. Translate the sentences given above into English

2. Transitive Intransitive Alternation

Hindi has very productive pairs of transitive-intransitive verbs. For a very large number of them, there is alternation between the sentences containing them, expressing roughly the same idea. The intransitive counterpart sometimes has the logical subject occurring with the post position को or से. Sometimes, depending on the verb, the logical subject may even occur with the possessive post position का (or any of its variants).

साहब लोग सूर्यास्त का दृश्य देखते हैं ।
साहब लोगों को सूर्यास्त का दृश्य दिखता है ।

मैंने दरवाज़ा खोल दिया ।
मुझसे दरवाज़ा खुल गया ।

ग़लती से मैंने उंगली जला ली ।
ग़लती से मेरी उंगली जल गई ।

2A. Rewrite the following sentences using intransitive counterparts of the transitive verbs preserving the overall meanings:

1. उसने पैदल जाने का उत्साह अनुभव किया ।

2. रास्ते में मैं चोकीदार से मिला ।
3. कुत्ते के भौंकने से मैं झुंझलाया ।
4. कमरा साफ़ करते समय खाट के नीचे मैंने एक
   डालर (dollar) पाया ।
5. छोटी बच्ची ने पहाड़ी पर चलते समय एक भेड़िया देखा ।

3. Contextually Determined Use of Compulsion Constructions

Compulsion constructions both using है and पड़ना , with the main verb in the infinitive, are translated into English using 'have.'

मुझे जाना है / था   I have / had to go
मुझे जाना पड़ा   I had to go

This very often causes some confusion to the English speaking learners of Hindi. The difference can be understood easily if the compulsion construction using पड़ना is always interpreted to mean-- It becomes / became necessary to do something. Thus a sentence like:

— *कल रात एकाएक मेरे दोस्त की तबियत ख़राब हो गई
इसलिए मुझे अस्पताल जाना था ।

is wrong. It has to be:

— कल रात एकाएक मेरे दोस्त की तबियत ख़राब हो गई
इसलिए मुझे अस्पताल जाना पड़ा ।

to mean-- I had to go to the hospital because my friend was suddenly taken ill. This is because the context requires it to be conveyed to going to the hospital was not according to the normal plan of things but something that became necessary for some reason or another.

The compulsion construction in है as well as पड़ना can occur in almost all tenses or aspects and will still retain their basic difference in meaning in all those tenses and aspects.

उसे जाना है / था / होगा / हो / होता ।

He has / had / will have / might have / might have had to go.

मुझे जाना पड़ता है / था / होगा / हो / होता ।

It usually becomes / became / will become / might become / might have become necessary for him to go.

उसे जाना पड़ रहा है / था / होगा / हो / होता ।

It is / was / will be / might be / might have been necessary for him to go.

उसे जाना पड़ा / है / था / होगा / हो / होता ।

It became / has become / had become / will have become / may have become / might have become necessary for him to go.

--Note that the form हुआ of the verb है does not occur as a sentence or statement, but it might occur as a conditional sentence. For example:

अगर उसे जाना हुआ...   If it were the case that he had to go...

4. Compulsion Construction in चाहिये

The compulsion construction in चाहिये (with the main verb in the infinitive) expresses a kind of moral obligation or advice and can be translated conveniently most of the time by using the English modal 'ought to' (and by 'should' but only in the sense of 'ought to'). For example:

अब मुझे सोना चाहिये ।	I ought to / should go to sleep now.

There is another moral compulsion construction using चाहिये which requires a sentence in the subjunctive to be attached to it. For example:

मुझे चाहिये कि मैं मेहनत करूं ।	I really should work hard.
आपको चाहिये कि आप मेहनत करें ।	You really should work hard.

4A. Translate the following sentences:

1. एक पड़ाव पर लेखक को अपने परिवार के साथ डाक-बंगले में ठहरना पड़ा ।
2. हमें जंगली जानवर से बचना चाहिये ।
3. अंधेरे में प्रकाश के लिए टार्च (torch / flashlight) लेना पड़ रहा है ।
4. सूर्यास्त के दृश्य देखने के लिये लेखक को चाहिये कि पहाड़ पर चढ़े ।
5. किसान को चाहिये कि वह लेखक और बच्ची को अपने यहां रात बिताने दे ।
6. लेखक को पहाड़ी दृश्य देखने थे ।

II. VOCABULARY

1. <u>Idioms and Expressions</u>

लज्जा से पानी-पानी होना	to be overcome with shame

- जब लेखक को मालूम हुआ कि वह बेकार ही किसान की आवाज़ सुन कर भयभीत होता जा रहा था तो वह लज्जा से पानी-पानी हो गया ।

भय से पसीना-पसीना होना — to sweat nervously
- जंगल में जब मैंने शेर को देखा तो भय से पसीना-पसीना हो गया ।

रोम-रोम से पसीना छूटना — to be terrified; lit. for sweat to emerge from every pore of the body
- घुप्प अंधकार में चलने के कारण मेरे रोम-रोम से पसीना छूटने लगा ।

नींद टूटना — to wake up
- बच्ची की नींद आधी रात को टूट गई ।

आशंका से रक्त जमना — to be scared stiff
- रात अधिक होती गई; भेड़िये की भेंट की आशंका से लेखक का रक्त जमने लगा ।

एतराज़ करना — to disapprove; to object
- मैंने पहाड़ पर आगे जाने से एतराज़ किया ।

ठिठक जाना — to hesitate
- कुत्ते को देख कर आगे बढ़ने से मैं ठिठक गई ।

चस्का लगना — to be addicted to
- आजकल मुझे सिगरेट पीने का चस्का लग गया है ।

रास्ता भटक जाना — to lose the way

- मैं अंधेरे में रास्ता भटक गया ।

फटकार देना — to chide; to scold

- उन्होंने मुझे फटकार दिया ।

स्वर भींग जाना — to be compassionate

- जब किसान की स्त्री अपने बच्चों की बातें करने लगी तो उसका स्वर भींग गया । कहने लगी वे तो अब रहे नहीं किसके लिए मैं हौसला करूं ।

ख़ातिर करना — to be hospitable

- जब मैं उनके यहां गया तो उन्होंने जी भर मेरी ख़ातिर की ।

उलाहना देना — to complain

- क्या आप भी रात-दिन उलाहना देते रहते हैं ?

देखा जायेगा — "We will see what happens;" implies acceptance of fate's will

- अभी तो मैं भरपेट खा लेता हूं फिर जो होगा देखा जायेगा ।

2. Verbs of Special Usage

Translate into English:

मैं जब ग़रीब किसान के घर पहुंचा तो कुत्ता मालिक को *चेताने* के लिए ज़ोर से *भौंका* । मैं काफ़ी *घबरा* गया और छोटी बच्ची को *बहलाने* लगा । आधी रात को किसान क्रोध

से *झल्लाते* हुए उठा और मुझे *फटकारते* हुए बोला कि मैं *भाग* जाऊं । जब मैंने किसान को झुझंलाते हुए देखा तो *गिड़गिड़ा* कर मैंने कहा कि वह मुझ पर *दया करे* और अपने यहां रात *बिताने* दे । किसान गुस्से में *बड़बड़ाया* और पूछने लगा मैं कौन हूं । मैंने कुत्ते को *गुर्राते* देख कर जल्दी से कहा कि मैं मुसाफिर हूं और रास्ता *भटक* गया हूं ।

3. Translation Compounds

Here both parts mean the same thing.

बाल-बच्चा
सीधा-साफ़
खेल-तमाशा
साग-सब्ज़ी
पास-पड़ोस

4. Repetitive Expressions

Hindi has numerous repetitive expressions in which the same word is used twice in a compound form. This can be done in all parts of speech, i.e. numerals, nouns, adjectives, adverbs, and verbs. The meaning is basically distributive, i.e. stretched out over time, area, etc.

शनैः शनै	gradually
ज्यों-ज्यों... त्यों-त्यों	as... as
कभी-कभी	sometimes
कहीं-कहीं	someplace or other
पड़ाव-पड़ाव	one stop after another
छोटे-छोटे	several small ones

5. Coordinative Compounds

These show semantically paired words.

हंसते-बोलते
भेड़-बकरी
ऊंची-नीची
निकलती-फटती
अस्त-व्यस्त
मुंह-हाथ
नाम-पता

6. Echo Compounds

They are used informally; second members usually rhyme.

चाय-वाय
चोरी-चकारी
भीड़-भाड़
ठीक-ठाक
गड़बड़-शड़बड़

7. Word Derivation

Change the words according to the instructions:

1. थकना V   _____N
2. बहलाना V   _____N
3. भय N   _____Adj
4. झुंझलाना V   _____N
5. कुड़कुड़ाना V   _____N
6. उत्साह N   _____Adj

7. डर N _____Adj
8. क्रोध N _____Adj
9. मुस्कराना V _____N
10. कल्पना N _____Adj
11. दया N _____Adj
12. प्रकाश N _____Adj
13. उत्तेजना N _____Adj
14. विस्मय N _____Adj

III. TEXTUAL COMPREHENSION AND EXERCISES

Answer the following questions:

१. किसान दम्पति (married couple) ने अपने शहरी मेहमानों की आव-भगत (hospitality) कैसे की?

२. किसान ने आख़िर लेखक को अपनी झोपड़ी में कैसे और क्यों आने दिया?

३. किसान दम्पति को कितने बच्चे हैं और वे कहां हैं ?

४. लेखक को क्यों ऐसा लगा कि वह "हत्यारों के पिंजड़े" में बन्द हो गया था?

५. क्या सचमुच किसान और उसकी पत्नी, लेखक और उसकी बच्ची की जान लेना चाहते थे?

६. किसान दम्पति की आर्थिक (economic) स्थिति कैसी थी?

७. बच्ची के गले की कंठी पाकर किसान की स्त्री क्यों बहुत

खुश हुई?

९. अपने पति और बच्ची के रात में न लौटने पर प्रतीक्षा करती
हुई लेखक की पत्नी की रात कैसे बीती थी?

Chandrakiran Sonriksa
"Mard"

The story "Mard" deals with the problem of women's chastity in orthodox Hindu society where it is very strictly defined. An abducted woman, to say nothing of a raped woman, is no longer considered fit to be a member of a respectable family. The story deals with a young bride in a traditional family who is sent with others for ritual bathing at a pilgrimage. She gets lost. Everyone in the family decides to treat her as dead and performs the necessary death ceremonies. Even if she is alive somewhere she is as good as dead as far as they are concerned since she can not be taken back to the family after having been abducted. It is only her husband, a young man of progressive ideas, who is grief-stricken and bristles both at their easy acceptance of the loss and their suggestion that he remarry. The lost wife finally appears, brought back by some social workers. When they realize that the family is unwilling to take her back they decide to take her to a home for destitute women. That is when the husband steps in and accepts his wife, even though tainted, like a "man."

The author, Chandrakiran Sonriksa, was born in 1920; she is a modern writer who has already made a name for herself through a literary award for her work "Ādamkhor" (a collection of short stories). She is one of the recognized woman writers in Hindi who comment on the plight of women in the Indian family and Indian society. Although her stories have everyday and familiar events in the plot, they also express a lot of sarcasm toward society. Her speciality is a depiction of social discrimination and a realistic portrayal of the human inadequacies that cause people to lose sight of the inner value of life. The story "Mard" has basically an old theme, but portrays it in a new style.

मर्द

चन्द्रकिरण सोनरिक्सा

सत्येन्द्र को तो सुनकर कुछ होश ही न रहा-- मानो उसके सिर पर किसी ने मनों का पत्थर दे मारा, जिसकी चोट से बेहोशी आ गई हो, मानो किसी ने उसकी देह का सारा सत ही खींच लिया हो, जिससे कि कुछ भी बोध न होता हो; पागल-सा, निरीह भाव से यह सबको ताक रहा था।

ताई ने तब रोते-रोते आसमान सिर पर रखा हुआ था। अम्मा और भाभी तो इस अधेड़ उम्र में भी ठोड़ी तक घूँघट काढ़े धरती पर बैठी विलाप कर रही थीं। बड़े भैया, ताऊजी और लालाजी मरदानी बैठक में सिर थामे बैठे थे-- "हाय भगवान क्या हो गया !"

परसों ही तो सब अच्छे भले प्रयाग गये थे कुम्भ नहाने, केवल सत्येन्द्र रह गया था घर पर।

सत्येन्द्र आधुनिक विचारों का बी० ए० पास बेकार ग्रेजुएट है। गाँव में ज़मींदारी है और शहर में पिता और ताऊ की घी और कपड़ों की बड़ी-बड़ी दुकानें; और अब इसीसे नौकरी की चिन्ता त्यागकर सत्येन्द्र अपने दिन अख़बार पढ़ने, लेख लिखने और टाउन हॉल में अपने संगी-साथियों को जमा करके लेकचर फटकारने में ही बिता देता है। छह मास पहले ही तो उसका विवाह हुआ था। बहू सुन्दर मिली थी-- कनक लता-सी, कामिनी-सी। यदि दुःख था सत्येन्द्र को तो बस यही कि साधारण चिट्ठी-पत्री के अतिरिक्त और अधिक शिक्षा उसकी नहीं थी। किन्तु इस कमी को सत्येन्द्र ने स्वयं पूरा करने का निश्चय किया था। अध्यवसायी वह था ही, छह महीने में ही सुशीला को उसने

लोअर मिडिल तक की योग्यता करा दी। धीरे-धीरे वह उसे अपने मनोनुकूल बनाये ले रहा था। हाँ, अभी तक वह उसकी व्रत और पूजन की निष्ठा में कमी नहीं कर पाया था। इस ओर उसने जल्दी भी नहीं की थी। यह युगों के संस्कार जल्दी थोड़े ही मिटेंगे-- वह जानता था; इसी कारण अनिच्छा होने पर भी जब माँ और ताई ने ज़ोर डाला कि बहूरानी को भी कुम्भ नहाने भेज दे, तो वह इन्कार नहीं कर सका। बहूरानी का जी भी तो पुण्य लूटने के लिए ललक रहा था न ! यद्यपि उन उतने स्वर्गाभिलाषियों की भीड़ में त्रिवेणी स्नान के दुर्लभ पुण्य की प्राप्ति की अपेक्षा सुशीला के खो जाने का भय ही विशेष था, फिर भी उसने उस समय 'हाँ' कर दी, जैसे 'भावी' ही उसके सिर पर चढ़कर बोल दी !

सब कुम्भ नहाने गये।

सत्येन्द्र अकेले घर में मिश्रानी के हाथ से बनी दाल-रोटी से जैसे-तैसे पेट भरकर; दिन-रात उपन्यासों के रोमांस में डूबता उतराता रहता था।

कल स्नान था, और आज वे सब रोते-धोते घर में घुसे, तो सत्येन्द्र का कलेजा धक कर उठा।

ताँगे में ही ताईजी का लच्छेदार स्वर सुन पड़ा-- "हाय मेरी बहू ! और मेरी लक्ष्मी तू कहाँ गई ! और मैं मुनुवा को कौन मुँह दिखाऊँगी-- रे हाय !"

सत्येन्द्र 'हेमलेट' को कुर्सी पर फेंककर बाहर आया कि ताई ने ताँगे से उतरकर उसे गोद में भर लिया-- "बेटा ! बहू !" और फिर, "ऊँऊँऽऽऽबहू !"

"क्या हुआ बहू को !"-- सत्येन्द्र कुछ समझ नहीं पा रहा था

कि ताई ने नाक के स्वर में रोकर कहा-- "हाय मुनुवा मैं कौन घड़ी उसे ले गई थी रे..."

अम्मा ने भी अपना सुर मिला दिया।

सत्येन्द्र को जैसे काठ मार गया। "बहू सुशीला तो गंगा की भेंट हो गई !" उसे अपने कानों पर विश्वास नहीं हो रहा था। किन्तु ताँगे से जब भाभी उतरीं, छोटी बहिनें उतरीं, भतीजी श्यामा उतरी, और फिर खाली ताँगा मुड़ने लगा, तो होश आया ! 'ओ ! सुशीला तो नहीं है उनमें ! न ! वह छोटे-छोटे मेंहदी से रंगे पाँव ! वह लाल साड़ी में लिपटी हुई गुड़िया !--'

इधर न उधर, सुशीला कहीं भी न दीख पड़ी !

तो वह सँभल नहीं पाया। ताई अगर उसे पकड़े न होतीं, तो शायद वह वहीं चक्कर खाकर गिर गया होता। फिर भी उसकी अवश देह संभालने में ताई एक बार हाँफ उठीं-- चौबीस बरस के कड़ियल जवान की देह जो थी !

एक बार, केवल एक बार सत्येन्द्र कह पाया 'ताई !' और उसका गला बन्द हो गया।

"बेटा ! मेरा लाल !" ताई ने उसे चिपटा लिया। उसके सफ़ेद पड़े हुए मुख को ताककर वह घबरा गई,-- "छोटी बहू। जल्दी पानी ला। मुनुवा को तो ग़श आ गया है।"

छोटी बहू यानी सत्येन्द्र की माँ जब पानी लाई; तब तक सत्येन्द्र कुछ संभल चुका था, उसने फटे-से स्वर में पूछा, "अम्मा उसे क्या हुआ था ?"

"अरे भैया ! होना क्या था, उसे कोई मगरमच्छ पानी में खींच ले गया। लाश तक का पता न लगा--" और अम्मा ने रागनी अलापी-- "अरे मेरी सोने-सी बहू थी रे-- दिया ले के ढूँढ़ूँ

तो भी वैसी न पाऊँगी ! ...मेरी लाढ़ो के हाथों की मेंहदी भी अभी मैली न हुई थी-- ई...ई--" भाभी भी रोने लगीं और श्यामा भी । दो मिनिट भी नहीं बीते थे कि सारा पड़ोस उनके यहाँ इकट्ठा हो गया । सभी रो रहे थे सुशीला को ! "हाय बड़ी सुन्दर बहू थी । कैसी हँसमुख..."

सत्येन्द्र ताई का सहारा थामे खड़ा था । निश्चेष्ट ! निस्पन्द ! --मानो उसका संसार तो फूस के छप्पर-सा एक ही दियासलाई में राख हो गया-- पसीने में वह नीचे से ऊपर तक तर हो गया !

"सुशीला अब नहीं है ! मर गई । उफ ! लाश तक न मिली, उस मरी के मुख में आग तक न दे सका ! उसे चिता भी नसीब न हुई । ओ !" --दोनों हाथों से अपनी आँसुओं से नहाई हुई पलकों को मूँदकर वह दीवार के सहारे लग रहा ।

ताई तब भी उसे थामे हुई थीं ।

भीड़ चीरकर ताऊ उसके सामने आये-- "बेटा !" बुझे हुए मन से उन्होंने कहा, "हिम्मत करो, यूँ हौसला क्यों खोते हो ? ईश्वर को तुम्हारा 'जोड़ा' पसन्द न था, सो बिछड़ गया, चलो बाहर चलो--!"

सत्येन्द्र अब आँखें फाड़-फाड़कर ताऊ के कथन को समझने की चेष्टा करने लगा ।

"मुन्नू ! सत्येन्द्र !" पीछे से उसके लाला ने कहा-- "बेटा सब्र करो !"

सत्येन्द्र पागल-सा उन्हें ताकने लगा ।

धीरे-धीरे सब हुआ, उठावनी, दसवाँ और लो आज तेरहवीं भी हो रही थी । लकीर तो पीटनी ही थी । भला बिरादरी यह सब कराये बिना छोड़ती ? सत्येन्द्र ने भी कलेजे पर पत्थर रखकर

सब किया-- सभी कुछ दान-दक्षिणा...! ब्राह्मणों को सात बर्तन, कपड़े, बिछुबे, पलंग, बिस्तर-- सभी कुछ दिया।

दुनिया का काज थोड़े ही रुकता है। दिन भी कटते ही हैं, रोकर, हँसकर !

ब्राह्मण खा चुके थे। आँगन में बैठे हुए सत्येन्द्र के आत्मीय बड़े-बूढ़े, सभी उसे समझा रहे थे। वह चुप बैठा सुन रहा था। सुनना ही था।

लाला रामानन्द ने अपनी तोंद पर हाथ फेरकर धोती का फेंट सरकाते हुए कहा-- "लाला रामसरन ! बस अब मुन्ना को ज़्यादा फ़िक्र न करने देना। देखो लड़का दस ही दिन में सूखकर आधा हो गया।"

"भला यह भी कोई फ़िकर करने की बात है,"-- हरिकृष्ण शुक्ल ने अपनी घुटी चाँद पर हाथ फेरते-फेरते कहा-- "अरे ! कमबख़्त की घोड़ी मरे, भाग्यवान् की लुगाई, एक गई दूसरी तैयार, और पहली से चढ़ती हुई !"

सत्येन्द्र तिलमिला गया। ऐसी संवेदना उसे नहीं चाहिए। पर करे क्या ? सुननी ही पड़ती थी।

भगवानप्रसाद उनके दूर के सम्बन्धी होते थे, उनकी एक भतीजी थी, सत्रह वर्ष की। वर मिल नहीं रहा था। ऐसा स्वर्ण अवसर वे भला कैसे छोड़ते ? जल्दी से बोले-- "सो तो है ही पण्डितजी ! ज़रा लाला रामसरन के इशारा करने भर की देर है, यहीं पर खड़े-खड़े 'टीका' चढ़ जाय मुन्ना का, और पहली ही लगन में ब्याह। कोई बात भी हो, क्यों लालाजी ?--"

लालाजी तब धीरे-से बोले-- "भाई मुझे तो कोई उज़्र नहीं, पर मुन्ना राज़ी होगा भला ? और आजकल के लड़के माँ-बाप

को समझते ही क्या हैं ?-- उड़द पर सफ़ेदी के बराबर भी तो नहीं; इस पहले ब्याह में ही सत्येन्द्र ने कितनी मीन-मेष निकाली थी !"

ताऊजी की इच्छा थी कि अभी लड़का रुकवा दिया जाय। उनके विचार में लड़के का रंज दूर करने का एकमात्र उपाय यही था, ताई ने भी उनसे रात यही कहा था।

वे बोले, "इसमें हरज ही क्या है, क्यों भाई मुन्नू ?"

सत्येन्द्र से अब और रहा ही नहीं गया। दाँतों से होंठ दबाकर अपना उछ्वास रोकते हुए कहा, "ताऊजी ! ऐसी बातें मुझसे न कहिये !"

लड़के के स्वर का रूखापन लक्ष्य करके ताऊजी और अनुरोध नहीं कर सके। कहने लगे, "सो कोई जल्दी थोड़े ही है बेटा, साल-छह महीने बाद सही !"

उपस्थित जन एक-एक, दो-दो करके उठने लगे। सत्येन्द्र द्वार तक उन्हें पहुँचाने आया, केवल शिष्टाचारवश। दूर से एक ताँगा आता दीख रहा था। मुड़ते हुए सत्येन्द्र ने देखा कि ताँगा उसके ही द्वार पर आकर रुक गया और उसमें से दो-तीन खद्दरपोश अधेड़-से व्यक्ति उतरे और उनके पीछे-पीछे घूँघट काढ़े हुए एक दुबली-पतली युवती भी, साड़ी से अपना अंग-अंग लपेटे हुए।

"लाला रामसरन मित्तल का मकान यही है न ?" उनमें से जो सबसे अधिक वयस्क था, उसने पूछा।

"जी हाँ। क्यों ?"-- सत्येन्द्र ने अचकचाकर उत्तर दिया। ताँगे में से उतरती हुई युवती में सुशीला का सादृश्य पाकर वह उसे ही ताक रहा था। युवती लड़खड़ाते पाँवों से आगे बढ़ी और...

एक नज़र ऊँची कर देखते ही उसके पाँवों के पास गिर पड़ी !

और लिपट गई पैरों से, "हाय-- स्वामी !"

सत्येन्द्र चौंक पड़ा ।

"अरे सुशीला... तुम !"

×   ×   ×

दम-भर में वहाँ सारा शहर उमड़ पड़ा, जाति, परजाति सभी से आँगन ठसाठस भर गया और बाहर का चौक भी । सुशीला सिर झुकाये सत्येन्द्र के पाँवों के पास गठरी बनी हुई बैठी थी । और बैठी रही ।

लालाजी, ताऊजी और बड़े भैया का मुँह सफ़ेद फ़क हो रहा था, काटो तो ख़ून नहीं । और ताई, अम्मा व भाभी भी किवाड़ों की ओट किये सिसकियाँ ले रही थीं, जैसे सुशीला का मृत्यु-संवाद अभी-अभी मिल चुका हो ।

उन प्रौढ़ सज्जन ने दम-भर उपेक्षा करके फिर कहा, "आप ही बताइये लड़की का इसमें क्या दोष ?... घूँघट के तूफान में कुछ दीखता तो था ही नहीं, तिस पर वहाँ ग़ज़ब की भीड़ । पैरों पर दृष्टि किये चली आ रही थी, सो भीड़ के रेले में बिछुड़ गई । ग़लती तो आप लोगों की है कि पहले तो युवतियों को ऐसे मेला में ले ही न जाना चाहिए, और यदि ले भी गये थे, तो कम-से-कम उनके मुँह से 'नक़ाब' तो उतरवा ही देना था..."

"अजी यह कहने की बात है," ताई जी ने अपनी पैंतालीस साल में तैयार की हुई लाज-शरम को जैसे पानी में बहाकर, भीतर से ही कहा, "हमारी बड़ी बहू भी तो घूँघट काढ़े थी । वह क्यों न रह गई भीड़ में ? अरे छरछंदी लुगाइयों के यही ढंग होते हैं ।

पन्द्रह दिन बाहर मौज मारकर अब घर की सुध आई है। डूब के न मरा गया ? क्या गंगा सूख गई थी ? यहाँ अपना काला मुँह दिखाने चली आई, बेहया कहीं..."

प्रौढ़ सज्जन ने दुखी होकर कहा, "बहनजी, बस करो। अब वह बेचारी तो वैसे ही मरी हुई है-- चार दिन से पानी की बूँद भी नहीं उतरी है उसके गले से-- लेकिन लालाजी"-- उन्होंने लाला रामसरन की ओर मुड़कर कहा, "ग़ज़ब का साहस किया साहब, आपकी बहू ने ! तिमंज़िले की छत से खिड़की और कार्निसों पर पाँव रखती उतर आई। इसी का दम था इतना-- नहीं तो आसफअली और हरनारायण जैसे बदमाशों के चंगुल से निकलना..."

लालाजी ने भरे स्वर में कहा, "साहस किया या कुछ भी किया, पर भाई साहब हमारे किस काम की रही यह अब ?"

"और क्या ?"-- भीतर से ताई फिर बोलीं, "इसे क्या हम अपनी देहरी लाँघने देंगे ? हमारे कुल की आब तो चली ही गई। अब क्या इसे घर में रखकर बिरादरी से बाहर होंगे ?"-- और सुशीला को वक्र-दृष्टि से ताककर उन्होंने फिर कहा-- "अरे जब एक बार चली गई थी, तो फिर वहाँ रह जाती। इतनी अक्ल न आई कि तुझ 'मुसलमानी' को अब घर में कौन रखेगा ?"

अम्मा ने भी भिनभिना कर कहा-- "हमने तो इसीलिए तुझ पै मिट्टी डाल दी थी; दसवाँ, तेरहवीं तक कर दिये थे। हमारे लेखे तो तू उसी दिन मर गई...!"

चार घण्टे और इसी तरह के विवाद में बीत गये।

आख़िर चिढ़कर उसी प्रौढ़ व्यक्ति ने कहा-- "तो बोलिये इस लड़की का होगा क्या ? क्या आप चाहते हैं कि यह फिर उसी

आसफ़- अली के अड्डे पर पहुँच जाय ? या दालमंडी का कोठा आबाद करे ? छी, शर्म कीजिये लालाजी, इसी कारण तो हमारा समाज रसातल को जा रहा है... ।"

"क्या बतायें भाई"-- ताऊजी ने कहा-- "इसे घर में कैसे रखें ? भगवती सीता को जब रामचन्द्र नहीं रख सके, तो हम किस खेत की मूली हैं भला ! हमारे लिए तो यह मर चुकी-- चाहे जहाँ जाय !"

"उठो बेटी !" उन प्रौढ़ सज्जन ने सुशीला से कहा-- "तुम्हें विधवा आश्रम में ही पहुँचाना होगा । पति के होते भी आज तुम विधवा हो । तुम इनके लिए मर चुकीं और यह...!" आगे बोला नहीं गया उनसे; गला रुँध गया ।

सुशीला अब सह नहीं पाई, हया-शरम लोक-लाज सभी छोड़कर सत्येन्द्र से लिपट गई-- "हाय अम्मा !" उसके मुँह से निकला ।

सत्येन्द्र ने उसे अपने अंक में भर लिया, उसके आँसू भी कलेजा फाड़कर बाहर आ रहे थे ।

"अब तिरिया-चरित्तर दिखा रही है--" ताई यह सब निर्लज्जपना सह नहीं सकीं-- बाहर आ गईं-- "चल दफ़ा हो ! हमारे लिए तो तू उसी दिन मर गई । बेशर्म, बेहया...!"

"बेटी चलो"-- खद्दरधारी ने दोहराया, "अब तो आश्रम के टुकड़ों पर ही तुम्हारा जीवन कटेगा ।"

सुशीला पाँव न उठाती थी । पर प्रौढ़ ने हाथ पकड़कर उठाना चाहा, तो सत्येन्द्र ने कहा-- "रहने दीजिये । वह न जायगी ।"

"ऐं"-- सब चिहुँक पड़े-- "यह क्या ?"

सत्येन्द्र कह रहा था-- "जी हाँ, वह न जायगी ! सबने उसे छोड़ दिया, पर मैंने नहीं। वह मेरी पत्नी है... मेरी।"

Points to Note and Prepare for in the Lesson

मर्द

I. GRAMMATICAL NOTES AND CONSTRUCTIONS

1. The Presumptive and the Subjunctive

It is important to realize that the auxiliary है and था when added to another verb form in a given aspect just specify the tense as 'present' or 'past.' The aspect continues to be the same, such as, 'habitual' in −ता, 'progressive' in −रहा, 'perfective' in −या, or 'desiderative' (i.e., intended or future action) in −ना. Thus,

वह रोज़ दस बजे स्कूल जाता है — habitual present
वह रोज़ दस बजे स्कूल जाता था — habitual past
　　　　　　　　　　　　(He <u>used</u> to go to school everyday)
उसे जाना है　　　— desiderative present— He has to go
उसे जाना था　　　— desiderative past— He had to go

2. The Presumptive in होगा

In the same way when होगा and हो are used in the place of है or था with these aspectual verbs, we get the 'Presumptive' and the 'Subjunctive' respectively.

वह रोज़ दस बजे स्कूल　　　— habitual presumptive—

जाता होगा।

He (habitually) goes to school at ten o'clock everyday, I presume.

वह खा रहा होगा।

-- progressive presumptive-- He is eating, I presume.

उसने खाया होगा।

-- perfective presumptive-- He ate, I presume.

उसको खाना होगा।

-- desiderative presumptive-- He has to eat, I presume.

It is important to note that in this kind of presumptive construction, the tense is really neutral and the tense interpretation will depend on context. Thus, depending on context वह सो रहा होगा will mean "He is/was sleeping, I presume."

टेलीफ़ोन की घंटी बज रही है लेकिन कोई उठा नहीं रहा है; वह सो रहा होगा।

- The telephone is ringing, no one is picking it up; he is sleeping, I presume.

टेलीफ़ोन की घंटी बज रही थी लेकिन कोई उठा नहीं रहा था; वह सो रहा होगा।

- The telephone was ringing, no one was picking it up; he was sleeping, I presume.

As can be seen in both of the above examples the presumptive sentence used is वह सो रहा होगा , which is translated differently using "is" or "was" depending on the context. English, on the other hand, may distinguish in its presumptive, as in "He must be sleeping" and "He must have been sleeping."

3. The Subjunctive in हो

The subjunctive construction using हो behaves in exactly the same manner as above, of course, with a 'subjunctive' meaning instead of a 'presumptive' meaning. The subjunctive हो also occurs with a verb in all aspectual forms as above.

(शायद) वह रोज़ दस बजे स्कूल *जाता हो* ।	-- habitual subjunctive-- Maybe he goes to school everyday at ten o'clock.
अगर वह दस बजे स्कूल *जा रहा हो*, तो...	-- progressive subjunctive- If it be the case that he is going to school at ten o'clock, then...
अगर वह *सोया हो* ,तो उसे मत उठाइये।	-- perfective subjunctive-- If it be the case that he is asleep, then don't wake him up.
वह यहां नहीं आना चाहता है, शायद उसे कहीं और *जाना हो* ।	-- desiderative subjunctive- He does not want to come here, maybe he has to go someplace else.

Very much like the presumptive constructions, the subjunctive constructions are also neutral as to the tense most of the time. The tense will be interpreted according to the context.

टेलीफ़ोन की घंटी बजती जा रही थी; शायद वह सोया हो।

- the telephone kept on ringing; maybe he <u>was</u> asleep.

Notice that in the above example the same sentence शायद वह सोया हो is translated in two different tenses depending on the tense of the context.

Incidentally, it is to be kept in mind that there is also subjunctive form of the main verb itself without using हो This has a subjunctive meaning in the future tense.

शायद वह जाये   Maybe he will go
शायद वह नहीं आये   Maybe he won't come

4. The Subjunctive in होता

The subjunctive in होता is sometimes called the "past subjunctive" and has a 'counter-factual' meaning to express something that might have happened but didn't.

मैं खाता लेकिन मैंने नहीं खाया। I would have eaten but I didn't.

The subjunctive in होता also occurs with a verb in various aspects.

अगर वह रोज़ स्कूल जाता होता तो आज उसे इतनी मेहनत नहीं करनी पड़ती। -- habitual past subjunctive-- If he had gone to school (habitually) everyday, he would not have to struggle so hard today.

आप कहते हैं कि मैं मूवी में सो रहा था। अगर मैं सो रहा होता तो मुझे पूरी कहानी कैसे मालूम रहती? -- progressive past subjunctive-- You claim that I was sleeping during the movie. If I had been sleeping, how is it that I know the whole plot?

अगर मैंने ठीक समय पर दवा *खायी होती*, तो आज यह कष्ट नहीं भोगना पड़ता।	-- perfective past subjunctive-- If I had taken the medication at the right time, I would not have had to suffer this condition today.
अगर मुझे *जाना होता*, तो अब तक मैं चला गया होता।	-- desiderative past subjunctive-- If it were the case that I had to go, I would have left by now.
अगर मुझे चाय *पीनी होती* तो मैं आपसे कहता।	-- If I had wanted to drink tea, I would have asked you.
अगर ताई उसे पकड़े न होतीं तो शायद वह वहीं गिर गया होता।	-- If his aunt hadn't been holding him he would have fallen right there.

As the last example above shows, the number-gender or person agreement in all the presumptive and subjunctive constructions follows the usual rules of verb agreement.

4.A. Translate the following sentences

1. अगर वह विद्यार्थी आया होता तो मैंने उसे उसकी किताब दी होती।
2. यदि मैं बाज़ार न गया होता तो ऐसी दुर्घटना न हुई होती।
3. शायद उसने अब तब खा लिया हो।
4. लड़कियां इस समय घर आ रही होतीं तो ख़ूब रौनक हो

जाता।

5. अगर रेल गाड़ी समय पर आती होती तो स्टेशन पर हमेशा
    इतनी भीड़ न रहती।

5. Expressions in मानो and जैसे (कि)

मानो is a sentence connective and can be very productively
used to express a hypothetical situation or comparison. The
clause with मानो generally occurs with the subjunctive
(because of the hypothetical comparison implied).

जैसे (कि) is also used as a co-relative with ऐसे

तुम मेरी तरफ़ ऐसे देख रहे हो जैसे मेरे दो सर हों।
- You are staring at me as if I had two heads.

As shown above जैसे is normally used as a sentence
connective or a co-relative, but it can be used also with any
word to express a hypothetical situation or comparison. In
such constructions the sentence doesn't have to be in the
subjunctive.

उसका सारा जीवन जैसे नरक हो गया है।
- His whole life is as if it were a hell. Or-- His whole life is
now like a hell.

5.A. Translate the following sentences

1. सत्येन्द्र को तो सुनकर कुछ होश ही न रहा-- मानो उसके
    सिर पर किसी ने मनों का पत्थर दे मारा।
2. उसे चोट से बेहोशी आ गई मानो किसी ने उसकी देह से
    सारा सत ही खींच लिया हो।
3. वह ताई का सहारा थामे खड़ा था निश्चेष्ट, निस्पंद-- मानो

उसका संसार तो फूस के छप्पर-सा एक ही दियासलाई में राख
हो गया हो।

4. सत्येन्द्र को जैसे काठ मार गया हो।

5. वह लड़की सज-धज कर जब बाहर आयी तो ऐसा लगा मानो
चांद आसमान से निकला हो।

6. ऐसे बात करते हो जैसे तुम्हीं शिक्षक हो।

6. Expressions in सा

सा can be looked upon as a short form of जैसा in its use to
express a hypothetical situation or comparison. It can be used
with various parts of speech-- nouns, adjectives and verbs.

सत्येन्द्र पागल सा उन्हें ताकने लगा।
- Satyendra started staring as if he were a crazed person.

तांगे से दो-तीन खद्दरपोश अधेड़ से व्यक्ति उतरे।
- Two or three sort of middle-aged men clad in khaddar got off
the tonga.

एक मरियल सा आदमी मेरे आमने आ खड़ा हुआ।
- A sickly type person appeared before me.

वह सोचने-सा लगा।
- He sort of got engrossed in his thoughts.

As can be seen in some of the examples above सा has almost
the force of a hedging comparison and can even be translated
by the English "-sh."

एक छोटा-सा मकान   a smallish house

एक मरियल-सा आदमी   a ricketish man

II. VOCABULARY

1. Idioms and Expresions

होश न रहना/होना   to lose conciousness

- सत्येन्द्र ने जब सुशीला के बारे में सब कुछ सुना तब उसे होश ही न रहा।

आसमान सिर पर उठाना/रखना   to stir a storm in a tea cup; to create a frightful ballyhoo

- ज़रा देर तक खाना नहीं मिलता तो ये आसमान सिर पर उठा लेते हैं।

ज़ोर डालना   to insist

- ताई ने ज़ोर डाला कि बहूरानी भी कुम्भ नहाने चले।

कलेजा धक-धक करना   for the heart to pound; to be worried

- जब सब लोग रोते-धोते घर में घुसे तो सत्येन्द्र का कलेजा धक-धक करने लगा।

काठ मार जाना   to become motionless

- सब कुछ सुनकर उसे लगा जैसे काठ मार गया हो।

गंगा की भेंट हो जाना   to die as if one is an offering

- सुशीला तो गंगा की भेंट हो गई।

रागिनी अलापना — to start singing a tune

- तुम तो बस, अपनी ही रागिनी अलापती रहती हो।

लकीर पीटना — to follow the customs

- सत्येन्द्र ने क्रिया-कर्म सब कुछ किया। उसे लकीर तो पीटनी ही थी।

कलेजे पर पत्थर रखना — to bear a tragedy with fortitude

- मुझे कलेजे पर पत्थर रख कर सब कुछ करना पड़ा।

काटो तो ख़ून नहीं — so nonplussed that if one cut them, there would be no blood

- सुशीला सिर झुकाये सत्येन्द्र के पांवों के पास बैठी रही। ताऊ और बड़े भैया आंखें फाड़-फाड़ कर उसे देखते रह गये। काटो तो ख़ून नहीं।

मुंह (सफ़ेद) फ़क होना — to turn pale

- तुम्हारी बात सुनते ही उनका मुंह फ़क हो गया।

मौज़ मारना/करना — to have a good time

- कुछ विद्यार्थी कभी पढ़ते-लिखते नहीं; बस मौज़ मारते हैं।

हम किस खेत की मूली हैं? — what standing do we have; lit., what farm are we radishes of

- ताश खेलने में मैंने बड़े-बड़े लोगों को हरा दिया है; आप किस खेत की मूली हैं?

मीन-मेष निकालना   to raise an objection
- वह हमेशा ही सब चीज़ों में मीन-मेष निकालती है।

राज़ी होना   to agree
- जब मैंने उनसे अपने साथ चलने को कहा तो वे तुरंत ही राज़ी
हो गये।

चंगुल में पड़ना/चंगुल से निकलना to fall into/get out of
         the hands or grip of
         something or someone
- भई, इस बदमाश आदमी के चंगुल से निकलना मुश्किल है,
इसके चंगुल में मत पड़ो।

1.A. Note the meanings of the idioms and expressions given above and translate the sentences into English to bring out the meaning appropriately.

2. Translation Compounds

When both parts mean the same thing:

शादी-ब्याह
लाज-शरम
चिट्ठी-पत्री
अच्छा-भला
काम-धन्धा
दुबली-पतली
क्रिया-कर्म

3. Co-ordinative Compounds

Semantically related pairs:

मां-बाप
दाल-रोटी
दिन-रात
हाथ-पांव
बड़े-बूढ़े
रोते-धोते
डूबता-उतराता
ऐसे-वैसे
जैसे-तैसे

4. Reduplicative Compounds

Express distributive meaning:

अंग-अंग
घर-घर
खड़े-खड़े
फाड़-फाड़

5. Word Derivation

अध्यवसाय m	diligence
अध्यवसायी Adj	diligent
प्राप्त करना v	to receive
प्राप्ति f	act of receiving

प्राप्य Adj	attainable
इच्छा f	desire
अनिच्छा f	lack of desire
निर्लज्ज Adj	shameless
निर्लज्जता f	shamelessness
शरीर m	body
शारीरिक Adj	physical

6. Match the synonyms by selecting the appropriate word from the right hand column and writing in its number next to the appropriate word from the left hand column:

विवाह	(1) मास
महीना	(2) स्नान करना
नहाना	(3) सोना
त्याग कर	(4) शर्म
लाज	(5) शादी
कनक	(6) छोड़ कर

III. TEXTUAL COMPREHENSION AND EXERCISES

III.A. Answer the following questions:

1. सत्येन्द्र कोई नौकरी क्यों नहीं करता?
2. सत्येन्द्र और उसकी पत्नी सुशीला में क्या फ़र्क था?
3. अपनी पत्नी की मृत्यु की ख़बर सुनकर सत्येन्द्र को कैसा लगा?

4. कुंभ के मेले में सुशीला कैसे खो गई थी?

5. लौटकर आने पर सुशीला के ससुरालवाले उसे स्वीकार करने से क्यों इनकार कर रहे हैं? सुशीला के ज़िन्दा लौट आने पर खुश होने के बदले वे दुःखी और नाराज़ क्यों हैं?

6. "कमबख़्त की घोड़ी मरे, भाग्यवान की लुगाई"-- इस कथन से औरतों की स्थिति के बारे में आपको क्या पता चलता है?

7. औरत की पवित्रता (purity/chastity) के बारे में भारतीय समाज कैसे सोचता है? इस कहानी के आधार पर बताइये।

III.B Read the following passage in English about Sonriksa and use it as a basis to write a paragraph in Hindi on Sonriksa as a writer. (You are not being asked to translate this passage.)

Sonriksa is a contemporary (समकालीन) woman writer (लेखिका). In this story she comments on a problem of orthodox Hindu society in which a woman's chastity is very strictly defined. An abducted woman has no place as a wife or a mother in a respectable family. The story has been titled significantly. It seeks to redefine what a real man is or should be. One can say that Sonriksa's overall approach to society is that of a feminist (नारी आंदोलनवादी), and this story is in support of her ideas about an aspect of feminism (नारी-आंदोलन).

Vipinkumar Agarwal
"Bādshāh"

Vipinkumar Agarwal, born in 1931, is a poet of the post-war, post-independence India who could be considered to belong to the literary movement called "new poetry." In fact, the poets of this literary movement published their poems in a literary journal called "Naī Kavitā," that is, "new poetry." New poetry, roughly of the 1950's and 1960's, is essentially free of political philosophies and has a more humanistic perspective on life. It is more aware of the subtle aspects of life and expresses them in a straightforward simple diction, as we can see in the poem "Badshah."

बादशाह

विपिनकुमार अग्रवाल

मैं जब बीमार पड़ता हूँ
सब को बहुत डाँटता हूँ,
हर कोई मेरी डाँट
ख़ुशी-ख़ुशी सह लेता है,
मेरे कहते ही हर काम
सब काम छोड़ कर देता है
फिर थक जब सो जाता हूँ,
और सो कर उठ जाता हूँ,
तब लगता है इस दुनिया में
बादशाह बनने का विचार सबसे पहले
किसी बीमार को ही आया होगा।

[handwritten annotations: emperor; sick; fall; scold; scolding; happily; bear it; chore; leave; tired; get up; world; emperor; thought; it seems to me in this world that the thought of becoming emperor must have occurred to a sick person]

पद्य - prose

गद्य - poetry

निराशा - frustrated/hopeless

मुझे निराशा होती है।

हदौद = सीमा - border

Agyeya
"Hiroshimā"

Agyeya, whose full name is Satchidanand Hiranand Vatsyayan, was born in 1911 and died just in 1986. He is one of the most well known names in modern Hindi literature. He is best known for his psychoanalytical novels, but he also wrote short stories and poetry. In fact, he was the leader of a very influential literary movement in poetry called 'Prayogvād' or 'Experimentalism' whose beginning could be identified with the publication of a literary journal 'Tār Saptak' in 1943.

The poem selected here comments on the nuclear bombing of Hiroshima.

हिरोशिमा

'अज्ञेय'

एक दिन सहसा
सूरज निकला
नगर के चौक
धूप बरसी
पर अन्तरिक्ष से नहीं,
फटी मिट्टी से।

छायाएँ मानव-जन की
दिशाहीन
सब ओर पड़ी-- वह सूरज
नहीं उगा था पूरब में, वह
बरसा सहसा
बीचो-बीच नगर के :
काल-सूर्य के रथ के
पहियों के ज्यों धुरे टूटकर
बिखर गए हों
दसों दिशा में
कुछ क्षण का वह उदय-अस्त
केवल एक प्रज्वलित क्षण की
दृश्य सोख लेने वाली दोपहरी।
फिर ?
छायाएं मानव-जन की
नहीं मिटीं लम्बी हो-होकर

हिरोशिमा

मानव ही सब भाप हो गए।
छायाएं तो अभी लिखी हैं
झुलसे हुए पत्थरों पर
उजड़ी सड़कों की गच पर
मानव का रचा हुआ सूरज
मानव को भाप बनाकर सोख गया।
पत्थर पर लिखी हुई यह
जली हुई छाया
मानव की साखी है।

Premchand
"Kafan"

Premchand (1880-1936) is universally considered one of the greatest writers of modern India. His career can justifiably be considered the focal point in the development of the modern Hindi short story. Writers like Jayshankar Prasad and Chandradhar Sharma Guleri had begun writing stories in Hindi a little before Premchand, not to speak of some even earlier writers, too, whose stories were more in the nature of tales. Premchand wrote books in Urdu and in Hindi and is claimed as a master story teller in both languages. There was no short story in Urdu before Premchand. His first Hindi story "Panc Parmeśwar" was published in 1916. Premchand exerted a great deal of influence in establishing Hindi short stories as a legitimate modern literary form capable of reflecting social realities. He was instrumental in creating a readership in Hindi for short stories dealing with contemporary life. His stories number around three hundred. Social commentary characterizes most of them. His stories are interesting to read because of their realistic themes, the dialogues that reveal the character of the man behind them, and the dramatic element in them. A great strength of Premchand's work lies in its graphic description of village India and a deep sense of understanding of its ways of life, feelings and emotions, hopes and despair, as well as its language and native wisdom.

Premchand knew the village well. He was born in one. His desire to see the poor peasant receive a fair share of the fruits of his labor led him to seek inspiration from Tolstoy, the Arya Samaj, Gandhi, and Ruskin. Moreover, the fact that Premchand knew villagers well enabled him to portray them with great truth. He knew their language, their humor. His death occurred when it appeared he was about to start on the greatest phase of his career. The story "Kafan" (The Shroud) was written in the year he died. In "Kafan" economic pressure affects not only the emotional relations of husband and wife, father and son, but also makes the prevailing moral standards of society seem ridiculous. Another famous story of his is "Īdgah," in which he brings out the impact of poverty on a child's mind both in its positive and negative aspects on the occasion of an important Muslim festival, and shows how religious observances are influenced by money.

Almost all his social stories revolve around the effects of economic deprivation. The story "Kafan" in a very subtle way depicts how economic pressure affects the emotional relations of the family. The story deals with a low caste family consisting of a father, a son, and the son's wife who is in labor without any medical help or money. Since the two men cannot do anything about it, they become increasingly indifferent and even callous to her misery. While they do not succeed in getting any monetary help for her treatment, they do succeed in getting some money for a shroud after her death. This itself is an indirect comment on society's willingness to give a little more importance to death than to life. However, on their way to buy a shroud for the dead woman, their poverty-stricken demeaned nature leads them to a village tavern. They get drunk and rationalize it by saying that their drunken happiness bought with the money for a shroud is more likely to find her a place in heaven than the ritual of a shroud.

themes:
hunger + satiation — evils of satiation
shroud
the dead body

black comedy, irony,
humor — typical of
PWA

कफ़न

प्रेमचंद

(१)

झोंपड़े के द्वार पर बाप और बेटा दोनों एक बुझे हुए अलाव के सामने चुपचाप बैठे हुए हैं और अन्दर बेटे की जवान बीबी बुधिया प्रसव-वेदना से पछाड़ खा रही थी । रह-रह कर उसके मुंह से ऐसी दिल हिला देने वाली आवाज़ निकलती थी, कि दोनों कलेजा थाम लेते थे । जाड़ों की रात थी, प्रकृति सन्नाटे में डूबी हुई, सारा गांव अंधकार में लय हो गया था ।

घीसू ने कहा--- "मालूम होता है बचेगी नहीं । सारा दिन दौड़ते हो गया, जा देख तो आ ।"

माधव चिढ़ कर बोला--- "मरना ही है तो जल्दी मर क्यों नहीं जाती ? देखकर क्या करूँ ?"

"तू बड़ा बेदर्द है बे ! साल-भर जिस के साथ सुख चैन से रहा, उसी के साथ इतनी बेवफ़ाई ।"

"तो मुझ से तो उसका तड़पना और हाथ-पांव पटकना देखा नहीं जाता ।"

चमारों का कुनबा था और सारे गांव में बदनाम । घीसू एक दिन काम करता तो तीन दिन आराम करता । माधव इतना काम-चोर था कि आध घंटे काम करता तो घंटे-भर चिलम पीता । इसलिए उन्हें कहीं मज़दूरी नहीं मिलती थी । घर में मुट्ठी-भर भी अनाज मौजूद हो, तो उनके काम करने की क़सम थी । जब दो चार फाके हो जाते तो घीसू पेड़ पर चढ़ कर लकड़ियाँ तोड़ लाता और माधव बाज़ार से बेच लाता और जब तक वह पैसे रहते,

दोनों इधर-उधर मारे-मारे फिरते। जब फाके की नौबत आ जाती, तो फिर लकड़ियां तोड़ते। या मज़दूरी तलाश करते। गांव में काम की कमी न थी। किसानों का गांव था, मेहनती आदमी के लिए पचास काम थे। मगर इन दोनों को लोग उसी वक़्त बुलाते, जब दो आदमियों से एक का काम पा कर भी सन्तोष कर लेने के सिवा और कोई चारा न होता। अगर दोनों साधु होते तो उन्हें सन्तोष और धैर्य के लिए संयम और नियम की बिल्कुल ज़रूरत न होती। यह तो इन की प्रकृति थी। विचित्र जीवन था इनका! घर में मिट्टी के दो चार बर्तनों के सिवा कोई सम्पति नहीं। फटे चीथड़ों से अपनी नग्नता को ढांके हुए जिये जाते थे। संसार की चिन्ताओं से मुक्त! कर्ज़ से लदे हुए। गालियां भी खाते, मार भी खाते, मगर कोई भी ग़म नहीं। दीन इतने कि वसूली की कोई आशा न रहने पर भी लोग इन्हें कुछ-न-कुछ कर्ज़ दे देते थे। मटर, आलू की फ़सल में दूसरों के खेतों से मटर या आलू उखाड़ लाते और भून-भान कर खा लेते या दस-पांच ऊख उखाड़ लाते और रात को चूसते। घीसू ने इसी आकाश-वृत्ति से साठ साल की उम्र काट दी और माधव भी सपूत बेटे की तरह बाप ही के पद-चिन्हों पर चल रहा था। बल्कि उसका नाम भी उजागर कर रहा था। इस वक्त भी दोनों अलाव के सामने बैठ कर आलू भून रहे थे, जो कि किसी खेत से खोद लाए थे। घीसू की स्त्री का तो बहुत दिन हुए देहान्त हो गया था। माधव का ब्याह पिछले साल हुआ था। जब से यह औरत आई थी, उसने इस ख़ानदान में व्यवस्था की नींव डाली थी। पिसाई करके या घास छीलकर वह सेर भर आटे का इन्तज़ाम कर लेती थी और इन दोनों बे-ग़ैरतों का दोज़ख़ भरती रहती थी। जब से वह आई, यह दोनों और भी आरामतलब हो गए थे। बल्कि कुछ

अ क ड ने भो लगे थे। कोई कार्य करने को बुलाता, तो निर्व्याज भाव से दुगुनी मज़दूरी मांगते। वही औरत आज प्रसव-वेदना से मर रही थी और यह दोनों शायद इसी इन्तज़ार में थे कि वह मर जाए, तो आराम से सोयें।

घीसू ने आलू निकाल कर छीलते हुए कहा--- "जा कर देख तो, क्या दशा है उसकी ? चुड़ैल का फ़िसाद होगा, और क्या ? यहां तो ओझा भी एक रुपया मांगता है।"

माधव को भय था कि कोठरी में गया, तो घीसू आलूओं का बड़ा भाग साफ़ कर देगा। बोला--- "मुझे वहां जाते डर लगता है।"

"डर किस बात का है, मैं तो यहां हूँ ही।"

"तो तुम्हीं ज़ाकर देखो न ?"

"मेरी औरत जब मरी थी, तो मैं तीन दिन तक उसके पास से हिला तक नहीं। और फ़िर मुझ से लजाएगी कि नहीं ? जिस का कभी मुँह नहीं देखा, आज उसका उघड़ा हुआ बदन देखूं ? उसे तन की सुध भी तो न होगी ? मुझे देख लेगी तो खुलकर हाथ पांव भी न पटक सकेगी।"

"मैं सोचता हूँ कि कोई बाल-बच्चा हो गया, तो क्या होगा ? सोंठ, गुड़, तेल, कुछ भी तो नहीं है घर में।"

"सब कुछ आ जाएगा। भगवान दें तो। जो लोग अभी एक पैसा नहीं दे रहे हैं, वे ही कल बुला कर रुपये देंगे। मेरे नौ लड़के हुए, घर में कभी कुछ न था, मगर भगवान ने किसी-न-किसी तरह बेड़ा पार ही लगाया।"

जिस समाज में रात-दिन मेहनत करने वालों की हालत उन की हालत से कुछ बहुत अच्छी न थी, और किसानों के मुक़ाबले में वे

लोग, जो किसानों की दुर्बलताओं से लाभ उठाना जानते थे, कहीं ज़्यादा सम्पन्न थे, वहां इस तरह की मनोवृत्ति का पैदा हो जाना कोई अचरज की बात न थी। हम तो कहेंगे, घीसू किसानों से कहीं ज़्यादा विचारवान था और किसानों के विचार-शून्य समूह में शामिल होने के बदले बैठकबाज़ों की कुत्सित मण्डली में जा मिला था। हां, उसमें यह शक्ति न थी कि बैठकबाज़ों के नियम और नीति का पालन करता। इसलिए जहां उसकी मण्डली के और लोग गांव के सरगना और मुखिया बने हुए थे, उस पर सारा गांव उंगली उठाता था। फिर भी उसे यह तसकीन तो थी ही कि अगर वह फटे हाल है तो कम-से-कम उसे किसानों की सी जी-तोड़ मेहनत तो नहीं करनी पड़ती। और उसकी सरलता और निरीहता से दूसरे लोग फ़ायदा तो नहीं उठाते।

दोनों आलू निकाल-निकाल कर जलते-जलते खाने लगे। कल से कुछ नहीं खाया था। इतना सब्र न था कि ठण्डा हो जाने दें। कई बार दोनों की ज़बानें जल गईं। छिल जाने पर आलू का बाहरी हिस्सा तो बहुत ज़्यादा गर्म न मालूम होता, लेकिन दांतों के तले पड़ते ही अन्दर का हिस्सा ज़बान और हलक और तालू को जला देता था और उस अंगारे को मुंह में रखने से ज़्यादा ख़ैरियत इसी में थी कि वह अन्दर पहुंच जाए। वहां उसे ठण्डा करने के लिए काफ़ी सामान थे। इसलिए दोनों जल्द जल्द निगल जाते। हालांकि इस कोशिश में उनकी आंखों से आंसू निकल आते।

घीसू को उस वक्त ठाकुर की बारात याद आई, जिस में बीस साल पहले वह गया था। उस दावत में उसे जो तृप्ति मिली थी, वह उसके जीवन में एक याद रखने लायक बात थी, और आज भी उसकी याद ताज़ी थी। बोला--- "वह भोज नहीं भूलता। तब से फ़िर उस तरह का खाना भरपेट नहीं मिला। लड़कीवालों

ने सब को भरपेट पूड़ियां खिलाई थीं, सब को । छोटे-बड़े सब ने
पूड़ियां खाईं और असली घी की ! चटनी, रायता, तीन तरह के
सूखे साग, एक रसेदार तरकारी, दही, चटनी, मिठाई । अब क्या
बताऊं कि उस भोज में क्या स्वाद मिला । कोई रोक-टोक नहीं
थी । जो चीज़ चाहो, मांगो और जितना चाहो खाओ । लोगों ने
ऐसा खाया, ऐसा खाया, कि किसी से पानी न पिया गया । मगर
परोसनेवाले हैं कि पत्तल में गर्म-गर्म, गोल-गोल सुबासित
कचौड़ियां डाले देते हैं । मना करते हैं कि नहीं चाहिये, पत्तल पर
हाथ रोके हुए हैं, मगर वह हैं कि दिए जाते हैं । और जब मुंह धो
लिया, तो पान-इलायची भी मिली । मगर मुझे पान लेने की कहां
सुध थी ? खड़ा हुआ न जाता था । चटपट जाकर अपने कम्बल
पर लेट गया । ऐसा दिल-दरिया था वह ठाकुर !"

माधव ने इन पदार्थों को मन-ही-मन मज़ा लेते हुए कहा---
"अब हमें कोई भोज नहीं खिलाता ।"

"अब कोई क्या खिलाएगा ? वह ज़माना दूसरा था ! अब तो
सब को किफ़ायत सूझती है । शादी-ब्याह में मत ख़र्च करो,
क्रिया-कर्म में मत ख़र्च करो । पूछो, ग़रीबों का माल बटोर-
बटोर कहां रखोगे ? बटोरने में तो कमी नहीं है । हां, ख़र्च में
किफ़ायत सूझती है ।"

"तुम ने एक बीस पूरियां खाई होंगी ?"

"बीस से ज़्यादा खाई थीं ।"

"मैं पचास खा जाता ।"

"पचास से कम मैं ने न खाई होंगी । अच्छा पट्ठा था । तुम
तो मेरा आधा भी नहीं हो ।"

आलू खा कर दोनों ने पानी पिया और वहीं अलाव के सामने
अपनी धोतियां ओढ़ कर, पांव पेट में डाले सो रहे । जैसे दो बड़े-

बड़े अजगर गेंडुलियां मारे पड़े हों।

और बुधिया अभी तक कराह रही थी।

(२)

सवेरे माधव ने कोठरी में जाकर देखा, तो उसकी स्त्री ठंडी हो गई थी। उसके मुंह पर मक्खियां भिनक रही थीं। पथराई हुई आंखें ऊपर टंगी हुई थीं। सारी देह धूल से लथपथ हो रही थी। उसके पेट में बच्चा मर गया था।

माधव भागा हुआ घीसू के पास आया। फिर दोनों ज़ोर ज़ोर से हाय-हाय करने और छाती पीटने लगे। पड़ोस वालों ने यह रोना-धोना सुना तो दौड़े हुए आए और पुरानी मर्यादा के अनुसार इन अभागों को समझाने लगे। मगर ज़्यादा रोने पीटने का अवसर न था। कफ़न की और लकड़ी की फ़िक्र करनी थी। घर में तो पैसा इस तरह ग़ायब था, जैसे चील के घोंसले में मांस।

बाप बेटे रोते हुए गांव के ज़मींदार के पास गए। वह इन दोनों की सूरत से नफ़रत करते थे। कई बार इन्हें अपने हाथों पीट चुके थे। चोरी करने के लिए, वादे पर काम न आने के लिए। पूछा--- "क्या है बे घिसुआ, रोता क्यों है ? अब तो तू कहीं दिखाई भी नहीं देता ! मालूम होता है, इस गांव में रहना नहीं चाहता।"

घीसू ने ज़मीन पर सिर रख कर आंखों में आंसू भरे हुए कहा--- "सरकार। बड़ी विपत्ति में हूँ। माधव की घरवाली रात को गुज़र गई। रात-भर तड़पती रही सरकार। हम दोनों उसके सिरहाने बैठे रहे। दवा-दारू जो कुछ हो सका, सब कुछ किया, मुदा वह हमें दग़ा दे गई। अब कोई एक रोटी देने वाला भी न

रहा मालिक ! तबाह हो गए । घर उजड़ गया । आप का ग़ुलाम हूँ, अब आप के सिवा कौन उसकी मिट्टी पार लगाएगा । हमारे हाथ में तो जो कुछ था, वह सब तो दवा-दारू में उठ गया । सरकार ही की दया होगी तो उसकी मिट्टी उठेगी । आप के सिवा किस के द्वार पर जाऊँ ?"

ज़मींदार साहब दयालु थे । मगर घीसू पर दया करना काले कम्बल पर रंग चढ़ाना था । जी में तो आया, कह दें, "दूर हो यहां से । यों तो बुलाने से भी नहीं आता, आज जब गरज़ पड़ी तो आकर ख़ुशामद कर रहा है । हरामख़ोर कहीं का, बदमाश ।" लेकिन यह क्रोध या दण्ड का अवसर नहीं था । जी में कुढ़ते हुए दो रुपये निकाल कर फेंक दिए । मगर सान्त्वना का एक शब्द भी मुंह से न निकला । उसकी तरफ़ ताका तक नहीं । जैसे सिर का बोझ उतारा हो ।

जब ज़मींदार साहब ने दो रुपये दिए, तो गांव के बनिए महाजनों को इनकार का साहस कैसे होता ? घीसू ज़मींदार के नाम का ढिंढोरा भी पीटना जानता था । किसी ने दो आने दिए, किसी ने चार आने । एक घंटे में घीसू के पास पांच रुपये की अच्छी रकम जमा हो गई । कहीं से अनाज मिल गया, कहीं से लकड़ी और दोपहर को घीसू और माधव बाज़ार से कफ़न लाने चले । इधर लोग बांस-वांस काटने लगे ।

गांव की नर्म दिल स्त्रियां आ-आकर लाश देखती थीं और उसकी बेकसी पर, दो बूंद आंसू गिराकर चली जाती थीं ।

(३)

बाज़ार में पहुंचकर घीसू बोला--- "लकड़ी तो उसे जलाने-

भर को मिल गई है, क्यों माधव !"

माधव बोला--- "हां, लकड़ी तो बहुत है, अब कफ़न चाहिए ।"

"तो चलो कोई हल्का सा कफ़न ले लें ।"

"हां, और क्या ? लाश उठते उठते रात हो जाएगी । रात को कफ़न कौन देखता है ?"

"कैसा बुरा रिवाज़ है कि जिसे जीते जी ढांकने को चीथड़ा भी न मिला, उसे मरने पर नया कफ़न चाहिए ।"

"कफ़न लाश के साथ ही तो जल जाता है ।"

"और क्या रखा रहता है ? यही पांच रुपये पहले मिलते तो कुछ दवा-दारू कर लेते ।"

दोनों एक दूसरे के मन की बात ताड़ रहे थे । बाज़ार में इधर-उधर घूमते रहे । कभी इस बज़ाज़ की दुकान पर गए, कभी उसकी दुकान पर । तरह-तरह के कपड़े, रेशमी और सूती देखे, मगर कुछ जंचा नहीं । यहां तक कि शाम हो गई । तब दोनों न जाने किस दैवी-प्रेरणा से एक मधुशाला के सामने आ पहुंचे, और जैसे किसी पूर्व-निश्चित व्यवस्था से अन्दर चले गए । वहां ज़रा देर तक दोनों असमंजस में खड़े रहे । फ़िर घीसू ने गद्दी के सामने जाकर कहा--- "साहु जी, एक बोतल हमें भी देना ।"

इस के बाद कुछ चिखौना आया, तली हुई मछलियां आईं और दोनों बरामदे में बैठकर शान्तिपूर्वक पीने लगे ।

कई कुज्जियां ताबड़तोड़ पीने के बाद दोनों सरूर में आ गए ।

घीसू बोला--- "कफ़न लगाने से क्या मिलता ? आख़िर जल ही तो जाता । कुछ बहू के साथ तो न जाता ।"

माधव आसमान की तरफ़ देख कर बोला, मानो देवताओं को अपनी निष्पापता का साक्षी बना रहा हो--- "दुनिया का दस्तूर है, नहीं लोग बांभनों को हज़ारों रुपये क्यों देते हैं ? कौन देखता है,

परलोक में मिलता है या नहीं !"

"बड़े आदमियों के पास धन है, फूकें ! हमारे पास फूँकने को क्या है ?"

"लेकिन लोगों को जवाब क्या दोगे ? लोग पूछेंगे नहीं, कफ़न कहाँ है ?"

घीसू हंसा--- "अबे, कह देंगे कि रुपये कमर से खिसक गए। बहुत ढूंढ़ा, मिले नहीं। लोगों को विश्वास तो न आयेगा, लेकिन फ़िर वही रुपये देंगे।"

माधव भी हंसा, इस अनपेक्षित सौभाग्य पर। बोला--- "बड़ी अच्छी थी बेचारी ! मरी तो खूब खिला-पिला कर।"

आधी बोतल से ज़्यादा उड़ गई। घीसू ने दो सेर पूड़ियां मंगाईं। चटनी, अचार, कलेजियां। शराबखाने के सामने ही दुकान थी। माधव लपक कर दो पत्तलों में सारे सामान ले आया। पूरा डेढ़ रुपया ख़र्च हो गया। सिर्फ़ थोड़े से पैसे बच रहे। दोनों इस वक्त शान से बैठे पूड़ियां खा रहे थे जैसे जंगल में कोई शेर अपना शिकार उड़ा रहा हो। न जवाबदेही का ख़ौफ़ था, न बदनामी की फ़िक्र। इन भावनाओं को उन्होंने बहुत पहले ही जीत लिया था।

घीसू दार्शनिक भाव से बोला--- "हमारी आत्मा प्रसन्न हो रही है, तो क्या उसे पुन्न न होगा ?"

माधव ने श्रद्धा से सिर झुका कर तसदीक़ की--- "ज़रूर-से-ज़रूर होगा। भगवान तुम अन्तर्यामी हो ! उसे बैकुण्ठ ले जाना। हम दोनों हृदय से आशीर्वाद दे रहे हैं। आज जो भोजन मिला वह कभी उम्र-भर न मिला था।"

एक क्षण के बाद माधव के मन में एक शंका जागी। बोला-- "क्यों दादा, हम लोग भी तो एक-न-एक दिन वहां जाएंगे ही ?"

घीसू ने इस भोले-भाले सवाल का कुछ उत्तर न दिया । वह परलोक की बातें सोच कर इस आनन्द में बाधा न डालना चाहता था ।

"जो वहां हम लोगों से पूछे कि तुम ने हमें कफ़न क्यों नहीं दिया तो क्या कहोगे ?"

"कहेंगे तुम्हारा सिर !"

"पूछेगी तो ज़रूर !"

"तू कैसे जानता है कि उसे कफ़न न मिलेगा ? तू मुझे ऐसा गधा समझता है ? क्या साठ साल दुनिया में घास खोदता रहा हूँ ? उसको कफ़न मिलेगा, और इससे बहुत अच्छा मिलेगा ।"

माधव को विश्वास न आया । बोला--- "कौन देगा ? रुपये तो तुम ने चट कर दिए । वह तो मुझ से पूछेगी । उसकी मांग में तो सेंदूर मैंने डाला था ।"

घीसू गर्म होकर बोला--- "मैं कहता हूँ, उसे कफ़न मिलेगा, तू मानता क्यों नहीं ?"

"कौन देगा, बताते क्यों नहीं ?"

"वही लोग देंगे, जिन्होंने अबकी दिया । हां, अबकी रुपये हमारे हाथ न आयेंगे ।"

ज्यों-ज्यों अंधेरा बढ़ता था और सितारों की चमक तेज़ होती थी, मधुशाला की रौनक भी बढ़ती जाती थी । कोई गाता था, कोई डींग मारता था, कोई अपने संगी के गले में लिपटा जाता था । कोई अपने दोस्त के मुंह में कुल्हड़ लगाए देता था ।

वहां के वातावरण में सरूर था, हवा में नशा । कितने तो यहां आकर एक चुल्लू में मस्त हो जाते थे । शराब से ज़्यादा यहां की हवा उन पर नशा करती थी । जीवन की बाधाएं यहां खींच लाती थीं और कुछ देर के लिए वे यह भूल जाते थे कि वे जीते हैं

या मरते हैं। या न जीते हैं, न मरते हैं।

और यह दोनों बाप-बेटे अब भी मज़े ले-लेकर चुसकियां ले रहे थे। सबकी निगाहें इन की ओर जमी हुई थीं। दोनों कितने fortunate भाग्य के बली हैं। पूरी बोतल बीच में है।

भरपेट खा कर माधव ने बची हुई पूड़ियों का पत्तल उठा कर एक भिखारी को दे दिया, जो खड़ा इनकी ओर भूखी आंखों से देख रहा था। और "देने" के गौरव, आनन्द और उल्लास का अपने जीवन में पहली बार अनुभव किया।

घीसू ने कहा--- "ले जा, खूब खा और आशीर्वाद दे। जिस की कमाई है, वह तो मर गई। मगर तेरा आशीर्वाद उसे ज़रूर पहुंचेगा। रोयें-रोयें से आशीर्वाद दे, बड़ी गाढ़ी कमाई के पैसे हैं।"

माधव ने फ़िर आसमान की तरफ़ देख कर कहा--- "वह बैकुण्ठ में जायगी दादा, बैकुण्ठ की रानी बनेगी।"

घीसू खड़ा हो गया और जैसे उल्लास की लहरों में तैरता हुआ बोला--- "हां बेटा, बैकुण्ठ में जाएगी। किसी को सताया नहीं, किसी को दबाया नहीं। मरते मरते हमारी ज़िन्दगी की सबसे बड़ी लालसा पूरी कर गई। वह न बैकुण्ठ में जायगी तो क्या यह मोटे-मोटे लोग जाएंगे, जो ग़रीबों को दोनों हाथों से लूटते हैं, और अपने पाप को धोने के लिए गंगा में नहाते हैं और मन्दिरों में जल चढ़ाते हैं?"

श्रद्धालुता का यह रंग तुरन्त ही बदल गया। अस्थिरता नशे की ख़ासियत है। दुःख और निराशा का दौरा हुआ।

माधव बोला--- "मगर दादा, बेचारी ने ज़िन्दगी में बड़ा दुःख भोगा। कितना दुःख झेल कर मरी।"

वह आंखों पर हाथ रखकर रोने लगा, चीखें मार-मार कर।

घीसू ने समझाया--- "क्यों रोता है बेटा, ख़ुश हो कि वह माया-जाल से मुक्त हो गई, जंजाल से छूट गई । बड़ी भाग्यवान थी, जो इतनी जल्दी माया-मोह से बन्धन तोड़ दिये ।" और दोनों खड़े हो कर गाने लगे---

"ठगिनी, क्यों नैना झमकावे ! ठगिनी--- !"

पियक्कड़ों की आंखें इन की ओर लगी हुई थीं और यह दोनों अपने दिल में मस्त गाए जाते थे । फिर दोनों नाचने लगे । उछले भी, कूदे भी । गिरे भी, मटके भी । भाव भी बताये, अभिनय भी किये । और आखिर नशे से मदमस्त होकर वहीं गिर पड़े ।

Points to Note and Prepare for in the Lesson

कफ़न

I. GRAMMATICAL NOTES AND CONSTRUCTIONS

1. Abilitative Construction

The passive is very commonly used to express ability in Hindi-Urdu.

मुझसे नहीं चला जाता   I am not able to walk

Two points must be noted here:
1. This is almost always used in the negative.
2. Unlike the usual passive which employs essentially transitive verbs, the abilitative construction uses both transitive and intransitive verbs.

मुझसे नहीं दौड़ा जाता (Intr.)   I am not able to run
मुझसे नहीं खाया जाता (Tr.)   I am not able to eat

It is also to be noted that the intransitive verbs that can occur in this abilitative construction are generally non-stative intransitive verbs like दौड़ना, चलना, बैठना (as opposed to stative intransitive verbs like कटना, फटना, टूटना, etc.).

मुझसे नहीं बैठा जाता   I am not able to sit

There is no sentence like *धान नहीं कटा जाता.

The transitive verbs that can occur in this abilitative construction, especially those that are self-directed (verbs of perception, feeling) always imply the meaning "cannot do this" in the sense "cannot bear to do this," "cannot bring myself to do this:"

मुझसे नहीं देखा जाता।	I cannot bring myself to watch this.
मुझसे नहीं सुना जाता।	I cannot bring myself to listen to this.
मुझसे उसका तड़पना और हाथ-पांव पटकना नहीं देखा जाता।	I cannot bring myself to watch her tossing in pain.

1.A. Translate the following sentences into Hindi; all of them have the abilitative function:

1. I am no longer able to do household chores because of old age.
2. I am not able to eat; I have a bad tooth-ache.
3. I cannot even move because of fatigue.
4. It seems you are not able to run today. Are you feeling allright? Other children are running fast.

2. Compound Verb हो जाना

हो जाना is a compound verb with an inchoative meaning used to express "to become." As such, it is used to express the result of an action or the final stage of a situation. The most common use is in the sense of 'become' as in:

ख़राब खाना खाने से वह बीमार हो गया।	He has become sick by eating bad food.
इस बार के चुनाव में बुश राष्ट्रपति हो गये।	Mr. Bush became President in (as a result of) this election.

Another use of this compound verb is to express what has come about or how the situation finally is. In this meaning हो जाना is very commonly used to express passage of time:

दो घंटे हो गए।	Two hours have passed.
	It has been two hours.
रात हो गई।	Lit., It has become night, i.e. night has fallen.

Similarly:

एकाएक अंधेरा हो गया।	It has become dark suddenly.
चलते-चलते दोपहर हो गया।	It got to be afternoon by the time I got there.
सारा दिन दौड़ते हो गया।	The whole day has been used up just running around.

It is also used to express the total or final cost of a transaction:

पांच रुपये हो गये।	It has come to five rupees.

2.A. Translate into Hindi the following sentences using the compound verb हो जाना :

1. It has come to twenty-five dollars.
2. The entire day has been used up just doing house-hold chores. I haven't been able to study at all.
3. It was (became) five o'clock by the time I got there.
4. It was (became) morning still I had not finished the book.
5. It has been five hours (five hours have elapsed) since I have been waiting for him.

3. <u>Compound Verb in V-e जाना</u>

This compound verb expresses the idea of continuing to do something:

वह हैं कि दिये जाते हैं।

...and they are the kind of people who just go on giving.

अपनी नग्नता को ढांके हुए जिये जाते हैं।

...they go on living covering their nakedness (somehow).

वह खाना बनाये जा रही थी।

She went on cooking (non-stop).

दुकानदार साड़ियां एक के बाद एक बेचे जा रहा था।

The shopkeeper kept on selling saris one after another.

4. <u>Time Adverbials</u> using season names. They are generally used in the plural.

जाड़ों की रात थी।

It was a winter night.

गर्मियों में मैं पहाड़ पर जाती हूं।

In the summer I go to the mountains.

सर्दियों में मैं भारत जाती हूं।

In the winter I go to India.

5. <u>Adverbial Expressions:</u> तक तो

This construction expresses the limit of a situation with a sense of a mild desperation.

अब तक तो उसे आ जाना चाहिये था।

He should have been here, of course, by this time.

यहां तक तो ठीक है।

It is OK up to this point.

6. Adverbial Expression: यहां तक कि

This construction involving तक is idiomatically used to express an undesirable or an extreme limit of a situation and can very often be translated as "so much so that":

रात बहुत बीत चुकी थी। सब बच्चे सो गये थे, यहां तक कि सयानों को भी नींद आ रही थी।

- It was very late at night. All the children had fallen asleep. It was pretty late, so much so that even the adults were dozing off.

माधव और घीसू ने कफ़न के लिए तरह-तरह के कपड़े, रेशमी और सूती देखे, मगर कुछ जंचा नहीं। यहां तक कि शाम हो गई।

- Madhav and Ghisu looked for different kinds of material-- silk and cotton-- for the shroud, but they did not like any of them. It had become quite late, so much so that it became evening.

II. VOCABULARY

1. Idioms and Expressions

रह-रह कर
to do something over and over again at short intervals

- बुधिया दर्द के मारे रह-रह कर कराहने लगी।

मुट्ठी भर
handful

- उसके यहां मुट्ठी भर चावल भी खाने को नहीं था।

क़सम खाना
to take a vow

- मैं क़सम खाकर कहता हूं कि अबसे मैं ऐसा नहीं करूंगा।

काम करने की क़सम होना — to vow against doing something

- उसे काम करने की क़सम थी।

डर लगना — to be afraid of

- कुत्ते से मुझे बहुत डर लगता है।

बेड़ा पार लगाना — to help someone in dire circumstances; lit., to help a ferry get across

- ऐसे समय में ईश्वर ही बेड़ा पार लगा सकता है।

रोक-टोक करना — to interfere and impose restriction

- आप हमारे काम में बहुत रोक-टोक करते हैं।

मज़ा लेना — to enjoy the taste

- सब लोग रसेदार मुर्ग़ी का मज़ा लेने लगे।

मन की बात ताड़ जाना — to speculate one's mind

- उसका मित्र तुरन्त ही उसके मन की बात ताड़ गया।

काले कम्बल पर रंग चढ़ाना — to waste one's time; lit., to color a black blanket

- ज़मींदार ने कहा कि घीसू को अच्छी बातें कहना काले कम्बल पर रंग चढ़ाना था।

ढिंढोरा पीटना — lit., to beat the drums; to announce or claim something publicly and loudly

- घीसू ज़मींदार के नाम का ढिंढोरा पीटना जानता था।

किफ़ायत सूझना — to think of economizing

- घरवाली को तो हर बात पर किफ़ायत सूझती है।

1.A. Use the idioms given above appropriately in sentences of your own and translate them into idiomatic English as far as possible.

2. Co-ordinate Compounds

These show semantically paired words:

हाथ-पांव
दस-पांच
रोक-टोक
मार-काट
रोना-धोना
भून-भान
बाप-बेटा
छोटे-बड़े
लड़ना-झगड़ना

3. Translation Compounds

Here both parts mean the same thing:

शादी-ब्याह
क्रिया-कर्म
दवा-दारू

4. Word Derivation

श्रद्धा f	reverence
श्रद्धालु Adj	reverent, devotional
श्रद्धालुता f	devotion
दया f	kindness
दयालु Adj	kind
दयालुता f	kindheartedness
स्थिर Adj	stable
अस्थिर Adj	unstable
अस्थिरता f	unstability

5. Synonyms

देहान्त m	= मृत्यु f	death
शादी f	= विवाह, ब्याह m	marriage
मरना V.int	= गुज़रना V.int	to die
यद्यपि conj	= हालांकि conj	although

III. TEXTUAL COMPREHENSION AND EXERCISES

III.A. Translate and explain the significance of the following expressions:

1. माधव की शादी से उनके जीवन में व्यवस्था की नींव पड़ी।
2. बटोरने में तो कमी नहीं है, हां, ख़र्च में किफ़ायत सूझती है।
3. जिसे जीते जी ढांकने को चीथड़ा भी न मिला उसे मरने पर नया कफ़न चाहिये।

III.B Answer the following questions:

1. माधव के परिवार में कौन-कौन थे?
2. बुधिया घीसू की क्या लगती थी?
3. घीसू को कफ़न के पैसे कहां से मिले?
4. कहानी का शीर्षक उपयुक्त है या नहीं? इस पर अपना विचार लिखिये।
5. बुधिया के क्रिया-कर्म के लिए जो पैसे मिले थे उसे बाप-बेटे ने कैसे ख़र्च किया?
6. कफ़न न ख़रीदने के लिए बाप-बेटे के लिए क्या जवाब था? किस तरह उन्होंने अपने को समझाने की कोशिश की?
7. "जिसे जीते जी ढांकने को चीथड़ा भी न मिला, उसे मरने पर नया कफ़न चाहिये।"-- इस कथन के द्वारा प्रेमचंद क्या कहना चाहते हैं? इस तरह के विचार आपने किसी और कहानी में भी पढ़े हैं?

Chandradhar Sharma Guleri
"Usne Kahā Thā"

"Usne Kahā Thā" involves a very sensitive love story. The main character Lahna Singh is a soldier in the British Indian Army who fights in the battlefields of France and Belgium in World War I and gets killed while trying to save his commanding officer. As part of his duty he would have tried to save his commanding officer anyway, but does so because of another sense of duty too. He had given his word of honor to the commanding officer's wife.

As he was leaving for his war duties he made a stop at his commanding officer's home to accompany him. It turned out that the commanding officer's wife knew him. Twenty-five years earlier Lahna Singh had saved this woman from a traffic accident when she was a young girl in Amritsar. Thereafter they kept running into each other. He teased her innocently a few times about her marriage possibilities which made her bashfully respond in the negative. But one day, when she responded in the affirmative to the teasing he suddenly realized that he had fallen in love with her unknowingly. The word of honor given to this old love of his-- namely, to protect her husband and her son-- further strengthened his sense of duty as a soldier.

The story is told in almost a stream-of-consciousness style in which Lahna Singh is reminded of the various episodes related to this girl as he lies dying. "Usne Kahā Thā" is a very early modern Hindi story. Among the story's other strengths, Guleri's masterly style made this story a landmark in modern Hindi literature. In fact, one may even say that Guleri has found a permanent place in Hindi literature, basically because of just one story.

Chandradhar Sharma Guleri was born in 1883 and died in 1920. He was a contemporary of Premchand and both of them gained recognition through the publication of their stories in the Hindi literary journal *Saraswatī*. *Saraswatī* was a very powerful literary journal in Hindi which was started in 1900 under the editorship of Mahavir Prasad Dvivedi. After this journal, Guleri edited *Samālochnā* , a very famous historical journal of his own. Guleri was a profound scholar and rich in language. He produced various articles in literature, grammar, history and archaeology. Besides these, he wrote three original stories: 1) Sukhmay Jīvan, 2) Buddhu Ka Kāṃṭa, 3) Usne Kahā Thā. "Usne Kahā Thā" brought him a lot of fame in Hindi literature even though he lived for only 37 years. His story "Usne Kahā Thā" was made into a Hindi film some time ago.

उसने कहा था

पण्डित चंद्रधर शर्मा गुलेरी

(१)

बड़े-बड़े शहरों के इक्के-गाड़ीवालों की जबान के कोड़ों से जिनकी पीठ छिल गई है और कान पक गए हैं, उनसे हमारी प्रार्थना है कि अमृतसर के बम्बूकार्टवालों की बोली का मरहम लगावें। जब बड़े-बड़े शहरों की चौड़ी सड़कों पर घोड़े की पीठ को चाबुक से धुनते हुए इक्केवाले कभी घोड़ों की नानी से अपना निकट सम्बन्ध स्थिर करते हैं, कभी राह-चलते पैदलों की आँखों के न होने पर तरस खाते हैं, कभी उनके पैरों की अँगुलियों के पोरों को चींथकर अपने ही को सताया हुआ बताते हैं और संसार भर की ग्लानि, निराशा और क्षोभ के अवतार बने नाक की सीध चले जाते हैं, तब अमृतसर में उनकी बिरादरीवाले, तंग, चक्करदार गलियों में, हरएक लड्ढीवाले के लिए ठहरकर सब्र का समुद्र उमड़ाकर 'बचो खालसा जी', 'हटो भाई जी', 'ठहरना भाई', 'आने दो लालाजी', 'हटो बाछा', कहते हुए सफेद फेंटों, खच्चरों और बत्तकों, गन्ने, खोमचे और भारेवालों के जंगल में राह खेते हैं। क्या मजाल है कि 'जी' और 'साहब' बिना सुने किसी को हटना पड़े। यह बात नहीं कि उनकी जीभ चलती ही नहीं; चलती है, पर मीठी छुरी की तरह महीन मार करती हुई। यदि कोई बुढ़िया बार-बार चितौनी देने पर भी लीक से नहीं हटती तो उनकी वचनावली के ये नमूने हैं-- 'हट जा, जीणे जोगिए; हट जा, करमा वालिए; हट जा, पुत्तां प्यारिए; बच जा, लम्बी वालिए।' समष्टि में इसके अर्थ हैं कि तू जीने योग्य है, तू

भाग्योंवाली है, पुत्रों को प्यारी है, लम्बी उमर तेरे सामने है, तू क्यों मेरे पहिए के नीचे आना चाहती है ? बच जा।

ऐसे बम्बूकार्टवालों के बीच में होकर एक लड़का और एक लड़की चौक की एक दूकान पर आ मिले। उसके बालों और इसके ढीले सुथने से जान पड़ता था कि दोनों सिख हैं। वह अपने मामा के केश धोने के लिए दही लेने आया था और यह रसोई के लिए बड़ियाँ। दुकानदार एक परदेशी से गुथ रहा था, जो सेर भर गीले पापड़ों की गड्डी को गिने बिना हटता न था।

'तेरे घर कहाँ हैं ?'

'मगरे में,-- और तेरे ?'

'माँझे में,-- यहाँ कहाँ रहती है ?'

'अतरसिंह की बैठक में, वे मेरे मामा होते हैं।'

'मैं भी मामा के यहाँ आया हूँ, उनका घर गुरु बाज़ार में है।'

इतने में दुकानदार निबटा और इनका सौदा देने लगा। सौदा लेकर दोनों साथ-साथ चले। कुछ दूर जाकर लड़के ने मुस्कराकर पूछा-- 'तेरी कुड़माई हो गई ?' इस पर लड़की कुछ आँखें चढ़ाकर 'धत्' कहकर दौड़ गई और लड़का मुँह देखता रह गया।

दूसरे तीसरे दिन सब्जीवाले के यहाँ, दूधवाले के यहाँ, अकस्मात् दोनों मिल जाते। महीना भर यही हाल रहा। दो-तीन बार लड़के ने फिर पूछा, 'तेरी कुड़माई हो गई ?' और उत्तर में वही 'धत्' मिला। एक दिन जब फिर वैसे ही हँसी में चिढ़ाने के लिए पूछा तो लड़की, लड़के की सम्भावना के विरुद्ध, बोली-- 'हाँ, हो गई।'

'कब ?'

'कल, देखते नहीं यह रेशम से कढ़ा हुआ सालू ?'

लड़की भाग गई। लड़के ने घर की राह ली। रास्ते में एक लड़के को मोरी में ढकेल दिया, एक छाबड़ीवाले की दिन भर की कमाई खोई, एक कुत्ते पर पत्थर मारा और एक गोभीवाले के ठेले में दूध उड़ेल दिया। सामने नहाकर आती हुई किसी वैष्णवी से टकराकर अन्धे की उपाधि पाई। तब कहीं घर पहुँचा।

(२)

'राम-राम, यह भी कोई लड़ाई है। दिन-रात खन्दकों में बैठे हड्डियाँ अकड़ गईं। लुधियाने से दस गुना जाड़ा और मेंह और बरफ ऊपर से। पिंडलियों तक कीचड़ में धँसे हुए हैं। गनीम कहीं दिखता नहीं, घण्टे दो घंटे में कान को फाड़नेवाले धमाके के साथ सारी खन्दक हिल जाती है और सौ-सौ गज़ धरती उछल पड़ती है। इस गैबी गोले से बचे तो कोई लड़े। नगरकोट का ज़लज़ला सुना था, यहाँ दिन में पच्चीस ज़लज़ले होते हैं। जो कहीं खन्दक से बाहर साफा या कुहनी निकल गई तो चटाक से गोली लगती है। न मालुम बेईमान मिट्टी में लेटे हुए या घास की पत्तियों में छिपे रहते हैं।'

'लहनासिंह, और तीन दिन हैं। चार तो खन्दक में बिता ही दिये। परसों 'रिलीफ' आ जायगी और फिर सात दिन की छुट्टी। अपने हाथों झटका करेंगे और पेट भर खाकर सो रहेंगे। उसी फिरंगी मेम के बाग में-- मखमल का-सा हरा घास है। फल और दूध की वर्षा कर देती है। लाख कहते हैं, दाम नहीं लेती। कहती है, तुम राजा हो, मेरे मुल्क को बचाने आए हो।'

'चार दिन तक पलक नहीं झँपी। बिना फेरे घोड़ा बिगड़ता है और बिना लड़े सिपाही। मुझे तो संगीन चढ़ाकर मार्च का हुक्म

मिल जाय। फिर सात जर्मनों को अकेला मार कर न लौटूँ तो मुझे दरबार साहब की देहली पर मत्था टेकना नसीब न हो। पाजी कहीं के, कलों के घोड़े-- संगीन देखते ही मुँह फाड़ देते हैं और पैर पकड़ने लगते हैं। यों अँधेरे में तीस-तीस मन का गोला फेंकते हैं। उस दिन धावा किया था-- चार मील तक एक जर्मन नहीं छोड़ा था। पीछे जनरल साहब ने हट आने का कमान दिया, नहीं तो--'

'नहीं तो सीधे बर्लिन पहुँच जाते। क्यों ?' सूबेदार हजारासिंह ने मुसकराकर कहा-- 'लड़ाई के मामले जमादार या नायक के चलाए नहीं चलते। बड़े अफसर दूर की सोचते हैं। तीन सौ मील का सामना है। एक तरफ बढ़ गए तो क्या होगा ?'

'सूबेदार जी, सच है' लहनासिंह बोला-- 'पर करें क्या ? हड्डियों-हड्डियों में तो जाड़ा धँस गया है। सूर्य निकलता नहीं और खाई में दोनों तरफ से चम्बे की बावलियों के-से सोते झर रहे हैं। एक धावा हो जाय तो गरमी आ जाय।'

'उदमी, उठ, सिगड़ी में कोले डाल। वजीरा, तुम चार जने बाल्टियाँ लेकर खाई का पानी बाहर फेंको। महासिंह, शाम हो गई है, खाई के दरवाजे का पहरा बदला दे।' यह कहते हुए सूबेदार सारी खन्दक में चक्कर लगाने लगे।

वजीरासिंह पलटन का विदूषक था। बाल्टी में गंदा पानी भरकर खाई के बाहर फेंकता हुआ बोला-- 'मैं पाधा बन गया हूँ। करो जर्मनी के बादशाह का तर्पण।' इस पर सब खिलखिला पड़े और उदासी के बादल फट गए।

लहनासिंह ने दूसरी बाल्टी भरकर उसके हाथ में देकर कहा-- 'अपनी बाड़ी के खरबूजों में पानी दो। ऐसा खाद का पानी पंजाब भर में नहीं मिलेगा।'

'हाँ, देश क्या है, स्वर्ग है। मैं तो लड़ाई के बाद सरकार से दस घुमा जमीन यहाँ माँग लूँगा ओर फलों के बूटे लगाऊँगा।'

'लाड़ी होराँ को भी यहाँ बुला लोगे ? या वही दूध पिलानेवाली फिरंगी मेम--'

'चुप कर। यहाँवालों को शरम नहीं।'

'देस-देस की चाल है। आज तक मैं उसे समझा न सका कि सिख तम्बाखू नहीं पीते। वह सिगरेट देने में हठ करती है, ओठों में लगाना चाहती है और मैं पीछे हटता हूँ तो समझती है कि राजा बुरा मान गया, अब मेरे मुलक के लिए लड़ेगा नहीं।'

'अच्छा, अब बोधासिंह कैसा है ?'

'अच्छा है।'

'जैसे मैं जानता ही न होऊँ। रात भर तुम अपने कम्बल उसे उढ़ाते हो और आप सिगड़ी के सहारे गुजर करते हो। उसके पहरे पर आप पहरा दे आते हो। अपने सूखे लकड़ी के तख्तों पर उसे सुलाते हो, आप कीचड़ में पड़े रहते हो। कहीं तुम माँदे न पड़ जाना। जाड़ा क्या है मौत है और 'निमोनिया' से मरनेवालों को मुरब्बे नहीं मिला करते।'

'मेरा डर मत करो। मैं तो बुलेल खड्ड के किनारे मरूँगा। भाई कीरतसिंह की गोदी पर मेरा सिर होगा और मेरे हाथ के लगाए हुए आँगन के आम के पेड़ की छाया होगी।'

वजीरासिंह ने त्योरी चढ़ाकर कहा-- 'क्या मरने मराने की बात लगाई है। मरे जर्मनी और तुरक। हाँ भाईयो, कैसे--

दिल्ली शहर ते पिशौर नुँ जांदिए,
कर लेणा लौंगो दा बपार मंडिये,
कर लेणा नाड़े दा सौदा अड़िये--

(ओय) लाणा चटका कदुए नुँ।
कद्ध वणाया वे मजेदार गोरिये।
हुण लाणा चटका कदुए नुँ॥

कौन जानता था कि दाढ़ियोंवाले, घरबारी सिख ऐसा लुच्चों का गीत गाएँगे। पर सारी खंदक इस गीत से गूँज उठी और सिपाही फिर ताजे हो गये, मानों चार दिन से सोते और मौज ही करते रहे हों।

(३)

दो पहर रात गई है। अँधेरा है। सन्नाटा छाया हुआ है। बोधासिंह खाली बिसकुटों के तीन टीनों पर अपने दोनों कम्बल बिछाकर और लहनासिंह के दो कम्बल और एक बरानकोट ओढ़कर सो रहा है। लहनासिंह पहरे पर खड़ा हुआ है। एक आँख खाई के मुख पर है और एक बोधासिंह के दुबले शरीर पर। बोधासिंह कराहा।

'क्यों बोधासिंह भाई, क्या है ?'

'पानी पिला दो।'

लहनासिंह ने कटोरा उसके मुँह से लगाकर पूछा-- 'कहो कैसे हो ? पानी पीकर बोधा बोला-- 'कँपनी छूट रही है। रोम-रोम में तार दौड़ रहे हैं। दाँत बज रहे हैं।'

'अच्छा, मेरी जरसी पहन लो।'

'और तुम?'

'मेरे पास सिगड़ी है और मुझे गर्मी लगती है, पसीना आ रहा है!'

'ना, मैं नहीं पहनता, चार दिन से तुम मेरे लिए--'

'हाँ, याद आई। मेरे पास दूसरी गरम जरसी है। आज सबेरे ही आई है। विलायत से मेमें बुन-बुनकर भेज रही हैं। गुरू उनका भला करे।' यों कहकर लहना अपना कोट उतारकर जरसी उतारने लगा।

'सच कहते हो ?'

'और नहीं झूठ ?' यों कहकर नाहीं करते बोधा को उसने जबरदस्ती जरसी पहना दी और आप खाकी कोट और जीन का कुरता भर पहनकर पहरे पर आ खड़ा हुआ। मेम की जरसी की कथा केवल कथा थी।

आधा घंटा बीता। इतने में खाई के मुँह से आवाज आई-- 'सूबेदार हजारासिंह !'

'कौन लपटन साहब ? हुकुम हुजूर' कहकर सूबेदार तनकर फौजी सलाम करके सामने हुआ।

'देखो, इसी समय धावा करना होगा। मील भर की दूरी पर पूरब के कोने में एक जर्मन खाई है। उसमें पचास से जियादह जर्मन नहीं हैं। इन पेड़ों के नीचे-नीचे दो खेत काटकर रास्ता है। तीन-चार घुमाव हैं। जहाँ मोड़ है वहाँ पंद्रह जवान खड़े कर आया हूँ, तुम यहाँ दस आदमी छोड़कर सबको साथ ले उनसे जा मिलो। खन्दक छीनकर वहीं, जब तक दूसरा हुक्म न मिले, डटे रहो; हम यहाँ रहेगा।'

'जो हुक्म।'

चुपचाप सब तैयार हो गये। बोधा भी कम्बल उतारकर चलने लगा। तब लहनासिंह ने उसे रोका। लहनासिंह आगे हुआ तो बोधा के बाप सूबेदार ने उँगली से बोधा की ओर इशारा किया। लहनासिंह समझकर चुप हो गया। पीछे दस आदमी

कौन रहें, इस पर बड़ी हुज्जत हुई । कोई रहना न चाहता था । समझा-बुझाकर सूबेदार ने मार्च किया । लपटन साहब लहना की सिगड़ी के पास मुँह फेरकर खड़े हो गए और जेब से सिगरेट निकालकर सुलगाने लगे । दस मिनट बाद उन्होंने लहना की ओर हाथ बढ़ाकर कहा--

'लो तुम भी पियो ।'

आँख मारते-मारते लहनासिंह सब समझ गया । मुँह का भाव छिपाकर बोला-- 'लाओ, साहब ।' हाथ आगे करते ही उसने सिगड़ी के उजाले में साहब का मुँह देखा । बाल देखे । तब उसका माथा ठनका । लपटन साहब के पट्टियोंवाले बाल एक दिन में कहाँ उड़ गए और उनकी जगह कैदियों के से कटे हुए बाल कहाँ से आए ?

शायद साहब शराब पिए हैं, और उन्हें बाल कटवाने का मौका मिल गया है ? लहनासिंह ने जाँचना चाहा । लपटन साहब पाँच वर्ष से उनके रेजीमेंट में थे ।

'क्यों साहब, हम लोग हिन्दुस्तान कब जायँगे ?'

'लड़ाई खत्म होने पर । क्यों, क्या यह देश पसन्द नहीं ?'

'नहीं साहब, शिकार के वे मजे यहाँ कहाँ ? याद है, परसाल नकली लड़ाई के पीछे हम आप जगाधरी के जिले में शिकार करने गए थे-- 'हाँ, हाँ'-- वही जब आप खोते पर सवार थे और आपका खानसामा अब्दुल्ला रास्ते के एक मंदिर में जल चढ़ाने को रह गया था । -- बेशक पाजी कहीं का-- सामने से वह नीलगाय निकली कि ऐसी बड़ी मैंने कभी भी न देखी थी । और आपकी एक गोली कन्धे में लगी और पुट्ठे से निकली । ऐसे अफसर के साथ शिकार खेलने में मजा है । क्यों साहब, शिमले में तैयार होकर उस नीलगाय का सिर आ गया था न ? आपने

कहा था कि रेजिमेंट की मेस में लगायेंगे । --'हाँ, पर मैंने विलायत भेज दिया'-- 'ऐसे बड़े-बड़े सींग ! दो-दो फुट के तो होंगे ?'

'हाँ लहनासिंह, दो फुट चार इंच के थे । तुमने सिगरेट नहीं पिया ?'

'पीता हूँ साहब, दियासलाई ले आता हूँ'-- कहकर लहनासिंह खंदक में घुसा । अब उसे सन्देह नहीं रहा था । उसने झटपट निश्चय कर लिया कि क्या करना चाहिए ।

अँधेरे में किसी सोनेवाले से वह टकराया ।

'कौन ? वजीरासिंह ?'

'हाँ, क्यों लहना ? क्या कयामत आ गई ? जरा तो आँख लगने दी होती ?'

(४)

'होश में आओ । कयामत आ गई और लपटन साहब की वर्दी पहनकर आई है ।'

'क्यों ?'

'लपटन साहब या तो मारे गए या कैद हो गए हैं । उनकी वर्दी पहनकर यह कोई जर्मन आया है । सूबेदार ने इसका मुँह नहीं देखा । मैंने देखा और बात की है । सौहरा साफ उर्दू बोलता है, पर किताबी उर्दू । और मुझे पीने को सिगरेट दिया है ।'

'तो अब ?'

'अब मारे गए । धोखा है । सूबेदार होराँ कीचड़ में चक्कर काटते फिरेंगे और यहाँ खाई पर धावा होगा । उधर उन पर खुले में धावा होगा । उठो, एक काम करो । पल्टन के पैरों के निशान देखते-देखते दौड़ जाओ । अभी बहुत न गए होंगे । सूबेदार से

कहो कि एकदम लौट आवें। खन्दक की बात झूठ है ! चले जाओ, खन्दक के पीछे से निकल जाओ। पत्ता तक न खड़के। देर मत करो।'

'हुकुम तो यह है कि यहीं--'

'ऐसी-तैसी हुकुम की ! मेरा हुकुम-- जमादार लहनासिंह जो इस वक्त यहाँ सबसे बड़ा अफसर है उसका हुकुम है। मैं लपटन साहब की खबर लेता हूँ।'

'पर यहाँ तो तुम आठ ही हो।'

'आठ नहीं, दस लाख। एक-एक अकालिया सिख सवा लाख के बराबर होता है। चले जाओ।'

लौटकर खाई के मुहाने पर लहनासिंह दीवार से चिपक गया। उसने देखा कि लपटन साहब ने जेब से बेल के बराबर तीन गोले निकाले। तीनों को जगह-जगह खन्दक की दीवारों में घुसेड़ दिया और तीनों में एक तार सा बाँध दिया। तार के आगे सूत की एक गुत्थी थी, जिसे सिगड़ी के पास रखा। बाहर की तरफ जाकर एक दियासलाई ज़लाकर गुत्थी पर रखने--

बिजली की तरह दोनों हाथों से उल्टी बन्दूक को उठाकर लहनासिंह ने साहब की कुहनी पर तान कर दे मारा। धमाके के साथ साहब के हाथ से दियासलाई गिर पड़ी। लहनासिंह ने एक कुन्दा साहब की गर्दन पर मारा और साहब 'ऑख ! मीन गाट्ट' कहते हुए चित्त हो गए। लहनासिंह ने तीनों गोले बीनकर खन्दक के बाहर फेंके और साहब को घसीटकर सिगड़ी के पास लिटाया। जेबों की तलाशी ली। तीन-चार लिफाफे और एक डायरी निकालकर उन्हें अपनी जेब के हवाले किया।

साहब की मूर्छा हटी। लहनासिंह हँसकर बोला-- 'क्यों लपटन साहब ? मिज़ाज कैसा है ? आज मैंने बहुत बातें सीखीं।

यह सीखा कि सिख सिगरेट पीते हैं। यह सीखा कि जगाधरी के जिले में नीलगायें होती हैं और उनके दो फुट चार इंच के सींग होते हैं। यह सीखा कि मुसलमान खानसामा मूर्तियों पर जल चढ़ाते हैं और लपटन साहब खोते पर चढ़ते हैं। पर यह तो कहो, ऐसी साफ उर्दू कहाँ से सीख आए ? हमारे लपटन साहब तो बिना 'डेम' के पाँच लफ्ज भी नहीं बोला करते थे।'

लहना ने पतलून के जेबों की तलाशी नहीं ली थी। साहब ने मानो जाड़े से बचने के लिए, दोनों हाथ जेबों में डाले।

लहनासिंह कहता गया-- 'चालाक तो बड़े हो पर माँझे का लहना इतने बरस लपटन साहब के साथ रहा है। उसे चकमा देने के लिए चार आँखें चाहिए। तीन महीने हुए एक तुरकी मौलवी मेरे गाँव में आया था। औरतों को बच्चे होने की ताबीज बाँटता था और बच्चों को दवाई देता था। चौधरी के बड़ के नीचे मंजा बिछाकर हुक्का पीता रहता था और कहता था जर्मनीवाले बड़े पंडित हैं। वेद पढ़कर उसमें से विमान चलाने की विद्या जान गए हैं। गौ को नहीं मारते। हिन्दुस्तान में आ जायँगे तो गौहत्या बन्द कर देंगे। मंडी के बनियों को बहकाता था कि डाकखाने से रुपये निकाल लो, सरकार का राज्य जानेवाला है। डाक बाबू पोल्हूराम भी डर गया था। मैंने मुल्लाजी की दाढ़ी मूँड़ दी थी और गाँव से बाहर निकालकर कहा था कि जो मेरे गाँव में अब पैर रक्खा तो--

साहब के जेब में से पिस्तौल चला और लहना की जाँघ में गोली लगी। इधर लहना की हैनरी मार्टिन के दो फायरों ने साहब की कपाल-क्रिया कर दी। धड़ाका सुनकर सब दौड़ आये।

बोधा चिल्लाया-- 'क्या है ?'

लहनासिंह ने उसे तो यह कहकर सुला दिया कि 'एक हड़का हुआ कुत्ता आया था, मार दिया', और, औरों से सब हाल कह दिया । सब बन्दूकें लेकर तैयार हो गए । लहना ने साफा फाड़कर घाव के दोनों तरफ पट्टियाँ कसकर बाँधीं । घाव मांस में ही था । पट्टियों के कसने से लहू निकलना बन्द हो गया ।

इतने में सत्तर जर्मन चिल्लाकर खाई में घुस पड़े । सिक्खों की बन्दूकों की बाढ़ ने पहले धावे को रोका । दूसरे को रोका । पर यहाँ थे आठ (लहनासिंह तक-तककर मार रहा था-- वह खड़ा था, और लेटे हुए थे) और वे सत्तर । अपने मुर्दा भाइयों के शरीर पर चढ़कर जर्मन आगे घुसे चले आते थे । थोड़े से मिनटों में वे--

अचानक आवाज आई-- 'वाह गुरूजी की फतह ! वाह गुरूजी का खालसा !!' और धड़ाधड़ बन्दूकों के फायर जर्मनों की पीठ पर पड़ने लगे । ऐन मौके पर जर्मन दो चक्की के पाटों के बीच में आ गए । पीछे से सूबेदार हजारासिंह के जवान आग बरसाते थे और सामने लहनासिंह के साथियों के संगीन चल रहे थे । पास आने पर पीछेवालों ने भी संगीन पिरोना शुरू कर दिया ।

एक किलकारी और-- 'अकाल सिक्खाँ दी फौज आई ! वाह गुरूजी दी फतह ! वाह गुरूजी दा खालसा !! सत श्री अकाल पुरुष !!!' और लड़ाई खतम हो गई । तिरसठ जर्मन या तो खेत रहे थे या कराह रहे थे । सिक्खों में पन्द्रह के प्राण गये । सूबेदार के दाहिने कन्धे में से गोली आर-पार निकल गई । लहनासिंह की पसली में एक गोली लगी । उसने घाव को खन्दक की गीली मिट्टी से पूर लिया और बाकी का साफा कसकर कमरबन्द की तरह लपेट लिया । किसी को खबर न हुई कि लहना को दूसरा घाव-- भारी घाव-- लगा है ।

लड़ाई के समय चाँद निकल आया था, ऐसा चाँद, जिसके

प्रकाश से संस्कृत कवियों का दिया हुआ 'क्षयी' नाम सार्थक होता है और हवा ऐसी चल रही थी जैसी- कि बाणभट्ट की भाषा में 'दन्तवीणोपदेशाचार्य' कहलाती। वजीरासिंह कह रहा था कि कैसे मन-मन भर फ्रांस की भूमि मेरे बूटों से चिपक रही थी, जब मैं दौड़ा-दौड़ा सूबेदार के पीछे गया था। सूबेदार लहनासिंह से सारा हाल सुन और कागजात पाकर उसकी तुरत-बुद्धि को सराह रहे थे और कह रहे थे कि तू न होता तो आज सब मारे जाते।

इस लड़ाई की आवाज तीन मील दाहिनी ओर की खाई वालों ने सुन ली थी। उन्होंने पीछे टेलीफोन कर दिया था। वहाँ से झटपट दो डाक्टर और दो बीमार ढोने की गाड़ियाँ चलीं, जो कोई डेढ़ घण्टे के अन्दर-अन्दर आ पहुँचीं। फील्ड अस्पताल नजदीक था। सुबह होते-होते वहाँ पहुँच जायँगे, इसलिए मामूली पट्टी बाँधकर एक गाड़ी में घायल लिटाए गए और दूसरी में लाशें रक्खी गईं। सूबेदार ने लहनासिंह की जाँघ में पट्टी बँधवानी चाही। पर उसने यह कह कर टाल दिया कि थोड़ा घाव है, सबेरे देखा जायगा। बोधासिंह ज्वर में बर्रा रहा था। वह गाड़ी में लिटाया गया। लहना को छोड़कर सूबेदार जाते नहीं थे।

यह देख लहना ने कहा--

'तुम्हें बोधा की कसम है और सूबेदारनी जी की सौगन्ध है जो इस गाड़ी में न चले जाओ।'

'और तुम ?'

'मेरे लिए वहाँ पहुँचकर गाड़ी भेज देना और जर्मन मुर्दों के लिए भी तो गाड़ियाँ आती होंगी। मेरा हाल बुरा नहीं। देखते नहीं मैं खड़ा हूँ ? वजीरासिंह मेरे पास है ही।'

'अच्छा पर--'

'बोधा गाड़ी पर लेट गया ? भला। आप भी चढ़ जाओ।

सुनिए तो, सूबेदारनी होराँ को चिट्ठी लिखो तो मेरा मत्था टेकना लिख देना । और जब घर जाओ तो कह देना कि मुझसे जो उसने कहा था वह मैंने कर दिया ।'

गाड़ियाँ चल पड़ी थीं । सूबेदार ने चढ़ते-चढ़ते लहना का हाथ पकड़कर कहा-- 'तैने मेरे और बोधा के प्राण बचाए हैं । लिखना कैसा ? साथ ही घर चलेंगे । अपनी सूबेदारनी को तू ही कह देना । उसने क्या कहा था ?'

'अब आप गाड़ी पर चढ़ जाओ । मैंने जो कहा वह लिख देना और कह भी देना ।'

गाड़ी के जाते ही लहना लेट गया । 'वजीरा, पानी पिला दे और मेरा कमरबन्द खोल दे । तर हो रहा है ।'

(५)

मृत्यु के कुछ समय पहले स्मृति बहुत साफ हो जाती है । जन्म-भर की घटनाएँ एक-एक करके सामने आती हैं । सारे दृश्यों के रंग साफ होते हैं; समय की धुन्ध बिलकुल उनपर से हट जाती है ।

×   ×   ×

लहनासिंह बारह वर्ष का है । अमृतसर में मामा के यहाँ आया हुआ है । दहीवाले के यहाँ, सब्जीवाले के यहाँ, हर कहीं उसे एक आठ वर्ष की लड़की मिल जाती है । जब वह पूछता है, तेरी कुड़माई हो गई ? तब 'धत्' कहकर वह भाग जाती है । एक दिन उसने वैसा ही पूछा तो उसने कहा-- 'हाँ, कल हो गई, देखते नहीं यह रेशम के फूलोंवाला सालू !' सुनते ही लहनासिंह को दुःख

हुआ। क्रोध हुआ। क्यों हुआ ?
'वजीरासिंह पानी पिला दे।'

×　　　　×　　　　×

पच्चीस वर्ष बीत गये। अब लहनासिंह नं० ७७ राइफ़ल्स में जमादार हो गया है। उस आठ वर्ष की कन्या का ध्यान ही न रहा। न मालूम वह कभी मिली थी या नहीं। सात दिन की छुट्टी लेकर जमीन के मुकदमे की पैरवी करने वह अपने घर गया। वहाँ रेजिमेंट के अफसर की चिट्ठी मिली कि फौज लाम पर जाती है। फौरन चले आओ। साथ ही सूबेदार हजारासिंह की चिट्ठी मिली कि मैं और बोधासिंह भी लाम पर जाते हैं। लौटते हुए हमारे घर होते जाना। साथ चलेंगे। सूबेदार का गाँव रास्ते में पड़ता था और सूबेदार उसे बहुत चाहता था। लहनासिंह सूबेदार के यहाँ पहुँचा।

जब चलने लगे, तब सूबेदार बेड़े में से निकलकर आया। बोला-- 'लहना, सूबेदारनी तुमको जानती हैं। बुलाती हैं, जा मिल आ।' लहनासिंह भीतर पहुँचा। सूबेदारनी मुझे जानती हैं। कब से ? रेजिमेंट के क्वार्टरों में तो कभी सूबेदार के घर के लोग रहे नहीं। दरवाजे पर जाकर 'मत्था टेकना' कहा, असीस सुनी। लहनासिंह चुप।

'मुझे पहचाना ?'
'नहीं।'
'तेरी कुड़माई हो गई ? धत्, कल हो गई-- देखते नहीं रेशमी बूटोंवाला सालू-- अमृतसर में--'
भावों की टकराहट से मूर्छा खुली। करवट बदली। पसली

का घाव बह निकला।

'वजीरा, पानी पिला'-- 'उसने कहा था।'

× × ×

स्वप्न चल रहा है। सूबेदारनी कह रही है-- 'मैंने तेरे को आते ही पहचान लिया। एक काम कहती हूँ। मेरे तो भाग फूट गए। सरकार ने बहादुरी का खिताब दिया है, लायलपुर में जमीन दी है, आज नमकहलाली का मौका आया है। पर सरकार ने हम तीमियों की एक घँघरिया पलटन क्यों न बना दी जो मैं भी सूबेदारजी के साथ चली जाती ? एक बेटा है। फौज में भर्ती हुए उसे एक ही बरस हुआ। उसके पीछे चार और हुए, पर एक भी नहीं जिया।' सूबेदारनी रोने लगी-- 'अब दोनों जाते हैं ! मेरे भाग ! तुम्हें याद है, एक दिन टाँगेवाले का घोड़ा दहीवाले की दुकान के पास बिगड़ गया था। तुमने उस दिन मेरे प्राण बचाये थे। आप घोड़ों की लातों में चले गए थे और मुझे उठाकर दुकान के तख्ते पर खड़ा कर दिया था। ऐसे ही इन दोनों को बचाना। यह मेरी भिक्षा है। तुम्हारे आगे मैं आँचल पसारती हूँ।'

रोती-रोती सूबेदारनी ओबरी में चली गई। लहना भी आँसू पोंछता हुआ बाहर आया।

'वजीरासिंह पानी पिला'-- 'उसने कहा था।'

× × ×

लहना का सिर अपनी गोद में रक्खे वजीरासिंह बैठा है। जब माँगता है, तब पानी पिला देता है। आध घंटे तक लहना चुप रहा,

फिर बोला--

'कौन ? कीरतसिंह ?'

वजीरा ने कुछ समझकर कहा-- 'हाँ।'

'भइया, मुझे और ऊँचा कर ले। अपने पट्टे पर मेरा सिर रख ले।' वजीरा ने वैसा ही किया।

'हाँ, अब ठीक है। पानी पिला दे। बस अबके हाड़ में यह आम खूब फलेगा। चाचा भतीजा दोनों यहीं बैठकर आम खाना। जितना बड़ा तेरा भतीजा है, उतना ही यह आम है। जिस महीने उसका जन्म हुआ था उसी महीने में मैंने इसे लगाया था।'

वजीरासिंह के आँसू टप-टप टपक रहे थे।

× × ×

कुछ दिन पीछे लोगों ने अखबारों में पढ़ा-- 'फ्रांस और बेलजियम-- ६८वीं सूची-- मैदान में घावों से मरा-- नं० ७७ सिख राइफल्स, जमादार लहनासिंह !'

Points to Note and Prepare for in the Lesson

उसने कहा था

I. GRAMMATICAL NOTES AND CONSTRUCTIONS

1. Stative-Transitive Verbal Forms

In Hindi-Urdu there are some grammatical constructions in which the transitive verbs in the past participle form do not take the ने subject. For example:

लड़के ने शराब पी है ।	The boy drank alcohol.
लड़का शराब पिये (हुए) है ।	The boy is drunk.
शायद साहब शराब पिये हैं ।	The Lieutenant is probably drunk (as in the text).

The second and the third sentences above indicate a "state." A transitive verb of this kind is used (generally in a construction with होना) to indicate a state. It occurs in the oblique case and there is no agreement with the subject. For example:

लड़का शराब पिये हुए है ।	The boy is drunk.
लड़की शराब पिये हुए है ।	The girl is drunk.
लड़के शराब पिये हुए हैं ।	The boys are drunk.
लड़का कोट पहने हुए है ।	The boy is wearing a coat.
लड़की कोट पहने हुए है ।	The girl is wearing a coat.
लड़की कोट पहने हुए थी ।	The girl was wearing a coat.

A second use of this stative-transitive verbal form is also to express the idea of 'having had the experience' or 'to be in the state of having had the experience.' For example:

उसे कुछ तीता नहीं लगता; वह हिन्दुस्तानी खाना खाये हुए है ।	Nothing is too hot for him; he has (had the experience of having) eaten Indian food.
आपके होंठ इतने लाल हैं कि लगता है कि आप पान खाये हुए हैं ।	Your lips are so red that it seems you have (had the experience of having) eaten 'paan.'

A third use of this construction is to express the idea of having undergone an experience or training. For example:

वह अंग्रेज़ी पढ़े हुए हैं ।	He is educated in English; or, he is an English-educated person.

-- Note that this construction cannot be used in expressing a fact, such as--

someone has read the newspaper: उन्होंने अख़बार पढ़ा है ।

Thus, it would be incorrect to state (using this stative-transitive verbal form): वह अख़बार पढ़े हुए हैं । because it does not express either an experience or a state but simply an event.

1A. Note the stative-transitive constructions in Hindi and try to translate them into English as closely as possible:

1. आप ख़ूब सुंदर लग रही थीं उस दिन; ज़रुर ही अच्छी तरह make-up लगाए हुए थीं ।
   (make-up लगाना - to wear make-up)
2. मैं एक दावत में निमंत्रित था । जब मैं वहां पहुंचा तो पता चला कि भोजन मांसाहारी (non-vegetarian) है । मैं

पहले मांस खाये हुए था इसलिए मुझे कोई परेशानी न हुई ।

3. कल रौबिन (Robin) भारतीय सम्मेलन में अवश्य ही साड़ी पहने होगी। आज क्लास में शायद युरोपीय कपड़े पहने हो ।

1B. **Translate into Hindi**

1. The girl kept listening to me with head bowed.
   (सिर झुकाना)
2. The girl came to me with a metal plate in her hand.
3. I am sure the girl had (the experience / taste of having) पान before.

2. <u>Verbs Used to Express Kinship Relation</u>

The verbs लगना, होना (as well as the usual है) are used to express kinship relation.

ये मेरे मामा होते हैं ।

ये मेरे मामा लगते हैं ।   -- He is my maternal uncle.

ये मेरे मामा हैं ।

The first two can also be used to express, in addition to direct kinship, indirect kinship. Indirect kinship relation is an extended family set-up.

ये मेरे मामा लगते हैं ।   He is related to me as a maternal uncle.

Kinship relation is also expressed as an 'inalienable' possession by using the invariant post-position के .

उसके एक बेटा है ।   He has a son.

उसके एक बेटी है ।   He has a daughter.

उसके तीन बेटियां हैं ।   He has three daughters.

As you can see, the के is invariant and does not agree for the number or gender.

-- Note that के पास cannot be used in this construction. For example, it would be incorrect to say:

*उसके पास एक बेटा है ।
*उसके पास एक बेटी है ।
*उसके पास एक भाई है ।

However, it would be correct to say:

मेरे पास एक अच्छा शब्दकोश (dictionary) है ।

This is because शब्दकोश, पेंसिल are items of possession by acquiring them. They are 'alienable' possessions. Thus one can say:

आजकल मेरे पास कोई   I do not have a boy (servant)
लड़का नहीं है ।   these days.

But if the word लड़का is used in the sense of a son, this sentence would be unacceptable. Thus one cannot say:

मेरे पास लड़का नहीं है ।   I have no son.

Note that English has many constructions which look like constructions of possessions such as-- 'I have a son;' 'I have a book;' 'I have a cold;' 'This room has a lot of junk in it.' These are treated as different kinds of possessions in Hindi and are expressed through different types of constructions. ' Inalienable' possession as in 'I have a son' and 'alienable' possession as in 'I have a book' have already been explained above. Constructions that express a physical condition such as-- 'I have a cold / temperature / headache / pain' are expressed by using the postposition को. For example:

मुझको सर्दी / बुख़ार / सरदर्द है ।

A construction like 'This room has a lot of junk in it' is generally expressed as :

There is a lot of junk in this room.
  –इस कमरे में बहुत कबाड़ा है ।

This city has a lot of pollution.
  –इस शहर में बहुत गंदगी है ।

This house has a lot of problems.
  –इस घर में बहुत समस्याएं हैं ।

A sentence like 'He has a lot of problems ' is expressed by a construction that uses the postposition के साथ:

उसके साथ बड़ी परेशानियां हैं ।

2A. Translate the following sentences into Hindi:

1. Madhav has four sisters.
2. You are my grandmother.
3. Are you his paternal uncle?
4. He has no money.
5. How many books does he have?
6. Have you any children?
7. My father has a headache.
8. Do you have a cold?
9. This village has a lot of problems.
10. He has a lot of difficulties.

3. Nominal Use of Some Participials

Verbal nouns in Hindi are essentially in the infinitive forms as in चलाना, खाना, देखना, etc. However there are some fixed indiomatic expressions in which the past participle is used in the nominal function as in:

मेरा कहा मानो = मेरा कहना मानो	-lit. = listen to my saying; idiom. = listen to what I say.

Also, for example:

वह जाया चाहता है	=	वह जाना चाहता है
वह किया चाहता है	=	वह करना चाहता है

This particular usage is possible, but is considered archaic. As in the text:

लड़ाई के मामले जमादार या नायक के चलाए नहीं चलते । बनाए नहीं बनता ।	The affairs of the war will not run either by the Jamadar or the Nayak trying to run them. It would not work even if you try to make it work.

More examples:

यह बच्चा मेरे खिलाए नहीं खाता।	This child does not eat even when I try to feed him.
मेरे किये यह नहीं होगा ।	This will not happen by my trying to effect it.

It is also possible to have semantically relevant verbs in this construction even when they are not quite transitive-intransitive pairs.

For example:

मेरे बुलाए वह नहीं आयेगा । = मेरे बुलाने से भी वह नहीं आयेगा ।	He will not come even if I asked him.

II. VOCABULARY

1. Idioms and Expressions

कान पकना	to be tired of hearing something
चेतावनी देना	to give a warning
पलक झँपना	to be able to sleep
हड्डी अकड़ना	to become stiff
(नींद) नसीब होना	to be on the verge of, to be destined to have (sleep)
दूर की सोचना	to think ahead
क्या मज़ाल है (कि)	to express an impossible situation
बुरा मानना	to dislike, to get offended
जीभ चलना	to talk a lot (irresponsibly)
तरस खाना	to have pity on someone
चकमा देना	to deceive
चार आंखें	to be extra watchful
बात न सुनना	to not listen to someone
राह लेना	to go one's own way
त्योरी चढ़ाना	to show displeasure, to scowl

हिम्मत होना	to have courage
माथा ठनकना	to become suddenly aware of something unforeseen
उड़ जाना	to disappear
ख़बर लेना	to take someone to task
गुज़र करना	to manage
की ऐसी-तैसी	expression of disparagement; also used to express a lack of desire to do something

IA. Note the italicized idioms as they are used in context. Translate them idiomatically into English as far as possible.

उनकी बात सुनते-सुनते मेरे *कान पक गए* । हर समय वे मुझे *चेतावनी देते* रहते हैं । लेकिन रात तो मुझे उनके यहां बितानी ही होगी । शायद मेरी *पलक भी न झंपे* । बैठे-बैठे मेरी *हड्डी अकड़* जाऐगी । नींद भी न *नसीब होगी* । मैं हमेशा बहुत *दूर की सोचती* हूं । क्या *मज़ाल है* कि वे मेरी *बात मान* लें । मेरी उनसे नहीं पटी । उनकी *जीभ कैंची की तरह चलती* रहती है । मुझ पर ज़रा *तरस खाइये* ।

IB.

1. उन्होंने ऐसी *त्योरी चढ़ाई* कि मुझे कुछ कहने की *हिम्मत ही न हुई* ।
2. यदि मैं आपके घर खाना खाने न आऊँ तो आप *बुरा मानेंगे* ? खाने *की ऐसी-तैसी* । मैं तो कुछ भी खाकर *गुज़र कर लूंगी* ।
3. भई, मेरी इससे नहीं पट सकती । इसकी *जीभ* तो हमेशा कैंची की तरह *चलती रहती* है ।
4. लपटन साहब की बात सुनकर मेरा *माथा ठनका* । मुझे

शक होने लगा। मैंने वज़ीरासिंह को बताना चाहा। अरे, वज़ीरासिंह कहां *उड़ गये* ? अब मैं लपटन साहब की *ख़बर कैसे लूं* ?

5. लहनासिंह बोला, "लपटन साहब को मैं अच्छी तरह पहचान गया था; यह जर्मन आया लपटन की वर्दी में मुझे *चकमा देने* ।" लहना को चकमा देने के लिए *चार आंखें* चाहिये।

6. तुम्हें इस कैम्पस (campus) से बाहर कर दूंगा। यहां फिर पैर न रखना। इसकी *बात न सुनिये* इसे अपने घर *की राह लेने* दीजिये।

2. Verbs of Special Usage:

दौड़ना (v. int)	to run
भागना (v. int)	to run away
ढकेलना (v. t)	to shove
ठेलना (v. t)	to push, to move
उड़ेलना (v. t)	to upturn a pot of liquid
गिराना (v. t)	to drop, to pour (used with a noun denoting liquid)
टकराना (v. int)	to collide
छूना (v. t)	to touch
के साथ पटना (v. int)	to be compatible with someone
पटना (v. t)	to manage to make somone think or behave according to one's own wishes

3. Collocationally Appropriate Verbs:

दाढ़ी / सर मूड़ना	to shave off one's beard / head

III. TEXTUAL COMPREHENSION EXERCISES

IIIA. Answer the following questions

1. लहनासिंह और सूबेदारनी की उम्र क्या थी जब वे पहली बार मिलते हैं ?

2. सूबेदारनी बोधासिंह की क्या होती है ? लहनासिंह सूबेदारनी के लिए सब कुछ करने को क्यों तैयार है ?

3. लपटन साहब की वर्दी में कौन आया? लहनासिंह का माथा क्यों ठनका ?

4. कहानी का शीर्षक "उसने कहा था" है; यह क्यों महत्वपूर्ण है ?

IIIB. Read the following passage about Guleri and use it as a basis to write a paragraph in Hindi on Guleri as a writer. (You are not being asked to translate this passage).

Chandradhar Sharma Guleri was born in 1883 and died in 1920. He was an important writer. He did not write numerous plays, stories and novels. He was not a poet either. He wrote just three stories and became famous. 'Usne Kaha Tha' is a beautiful composition. The suspense in this story is retained until the end. It is considered one of the best stories ever written in Hindi. In fact, Guleri's name in Hindi literature became immortal just on the basis of this one story.

Nirala
"Toṛatī Patthar"

Nirala is the pen name of the poet Suryakant Tripathi. He was born in 1898 and died in 1961. He is one of the major poets of modern Hindi literature and belongs to a literary movement of great importance called "Chāyāvād." The decades of the 1920's and 1930's were the most significant for this literary movement which was characterized by extreme subjectivity and symbolic modes of expression. He was the first poet in modern Hindi to introduce free and unrhymed verse. The poem 'Toṛatī Patthar' is an example of that.

तोड़ती पत्थर

सूर्यकान्त त्रिपाठी निराला

वह तोड़ती पत्थर
देखा उसे मैंने इलाहाबाद के पथ पर--
वह तोड़ती पत्थर ।

नहीं छायादार
पेड़ वह जिसके तले बैठी हुई स्वीकार,
श्याम तन, भर बंधा यौवन,
नत नयन, प्रिय-कर्म-रत-मन,
गुरु हथौड़ा हाथ,
करती बार बार प्रहार,--
सामने तरु-मालिका अट्टालिका, प्राकार ।

चढ़ रही थी धूप
गर्मियों के दिन,
दिवा का तमतमाता रूप,
उठी झुलसाती हुई लू,
रूई ज्यों, जलती हुई भू,
गर्द चिनगी छा गई ।
प्रात हुई दुपहर--
वह तोड़ती पत्थर ।

देखते देखा, मुझे तो एक बार
उस भवन की ओर देखा, छिन्न तार

तोड़ती पत्थर

देख कर कोई नहीं,
देखा मुझे उस दृष्टि से,
जो मार खा रोई नहीं,
सजा सहज सितार,
सुनी मैंने वह नहीं जो थी सुनी झंकार ।

एक छन के बाद वह कांपी सुघर,
ढुलक माथे से गिरे सीकर,
लीन होते कर्म में फिर ज्यों कहा--
                    "मैं तोड़ती पत्थर ।"

[Handwritten annotations: from her eyes; complaint didn't give; Complaint was in her eyes but she didn't utter, just like a low tone sitar he couldn't hear; arranged low tone; Sitar was arranged in low tone jingling, sitar sound; to fall down ढुलक गिरना compound verb; moment; shiver tremble; beautiful elegant; forehead fell; drops of sweat; absorbed immersed; work reality bearing]

Mohan Rakesh
"Aṇḍe ke Chilke"

"Aṇḍe ke Chilke" is a pleasant light-hearted one-act play which brings out an aspect of the clash between tradition and change. The story-line deals with a familiar situation in an orthodox Hindu family where drinking, smoking, and even reading cheap novels or eating eggs are frowned upon by the older generation but are not so frowned-upon by the younger generation. However, there is no rebellion involved, but rather a spirit of accommodation on the part of both generations. The mother in the story, Jamuna, is a devout Hindu lady whose grown-up sons Shyām, Gopāl, and Mādhav indulge in some of these minor vices and whose daughters-in-law Vīna and Rādhā go along. But all of them try to hide these indiscretions, the younger ones from the older ones, and all of them from the mother so as not to hurt her sensibilities. What they do not realize is that the older ones including the mother know all about their failings, but are gracious enough to accept them in a good-natured way without making anyone feel terribly guilty. However, things cannot be kept a secret entirely. The shells of the egg used to make an omelette cannot be hidden or swallowed and become symbolic of the hard truth that will not go away. Of course, what no one realizes is that the mother would kind-heartedly choose to ignore the evidence even if she found it. In a way, the play represents the Indian approach to change, not through confrontation but through accommodation.

Mohan Rakesh is one of the leading figures of post-independence Hindi fiction. He died at the early age of forty-seven in 1972 but published about sixty short stories, several plays, and three novels. He was a prominent member of the "nayī kahānī" (new story) movement of the fifties and sixties which was characterized by avoidance of over-stylized modes of Hindi expression and by dealing with the situations of modern life in realistic language. The "nayī kahānī" movement went beyond prose fiction and affected the Hindi stage also. Rakesh's plays are an example of that. His celebrated play "Ādhe Adhūre" (Imperfection) is regarded as a reference point for a new era in the Hindi theater.

Mohan Rakesh was born in Lahore in pre-partitioned Punjab. He had a hard life and held many jobs to support himself and his uprooted family. His writings in general portray the life and the realities of the urban middle class in post-independence India.

One of his most celebrated works is "Ākhirī Chattān Tak," a short travelogue which is not merely descriptive but is a record of his emerging awareness of his own self and his surroundings.

अण्डे के छिलके

मोहन राकेश

×××

पात्र

married

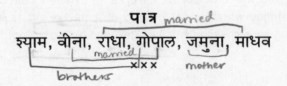

श्याम, वीना, राधा, गोपाल, जमुना, माधव

married

×××

brothers mother

पर्दा उठने पर गैलरी वाला दरवाज़ा खुला दिखायी देता है। बायीं ओर के दरवाज़े के आगे परदा लटक रहा है जिससे पता नहीं चलता कि दरवाज़ा खुला है या बंद। कमरे में कोई नहीं है।

श्याम सीटी बजाता गैलरी से आता है, पतलून कमीज़ के ऊपर बरसाती पहने। सिर भीगा है। बरसाती से पानी निचुड़ रहा है।

अंदर आकर वह इधर-उधर नज़र दौड़ाता है।

श्याम : अरे! कमरा खाली! न भैया न भाभी! (पुकार कर) भाभी!

दूसरे कमरे से वीना की आवाज़ :

वीना : कौन ?... श्याम ?... क्या बात है ?

श्याम : इधर आओ, तो बताऊँ क्या बात है।

वीना उधर से आती है।

वीना : तुम्हें भी आकर इस तरह आवाज़ देने की ज़रूरत पड़ती है ? इस तरह पुकार रहे थे जैसे किसी पराये घर में आये हो।

श्याम : others पराया घर तो लगता ही है, भाभी। तुमने आते ही वह

नक़्शा बदला है इस कमरे का कि मेरा अन्दर पैर रखने
का हौसला ही नहीं पड़ता । पहले तो इस कमरे की वही
हालत रहती थी जो आजकल मेरे कमरे की है । जूते को
छोड़कर हर चीज़ या चारपाई पर या मेज़ पर । अब तो
मुझे इस कमरे में सिर्फ़ वही एक कोना गोपाल भैया का
नज़र आता है जहाँ पतलूनें और कोट एक-दूसरे के ऊपर
टंगे हैं । बाक़ी कमरे की सरकार ही बदल गयी है । भैया
की टेबल भी क्या याद करती होगी कि किसी का हाथ
लगा है । आजकल ऐसे चमकती है जैसे नयी- नयी
पालिश होकर आयी हो ।

वीना ः खड़े गाँव से आये हो जो खड़े खड़े ही बात करोगे ?
बरसाती बाहर रख दो, सारा कमरा भिगो रहे हो । फिर
बैठ कर आराम से बात करो । अभी तुम्हारे भैया आते हैं
तो तुम्हें चाय बना देती हूँ ।

श्याम ः सिर्फ़ चाय ? ग़लत बात । ऐसे सुहाने मौसम में सूखी
चाय नहीं पी जा सकती । हरगिज़ नहीं ।

> उसके सिर पर हाथ रख कर
> उसका मुँह बाहर की तरफ़ कर
> देती है ।

वीना ः यह सुहाना मौसम पहले गैलरी में छोड़ आओ । सारा फ़र्श
गीला कर रहे हो ।

> फिर पीछे से खुद ही उसकी
> बरसाती उतारने लगती है ।

लाओ, उतार दो बरसाती । मैं ही बाहर रख आती हूँ ।

> श्याम उतारते उतारते जैसे कुछ
> ध्यान आ जाने से फिर से

बरसाती पहन लेता है ।

श्याम : भाभी, एक बात कहता हूँ ।

वीना : क्या बात ? बरसाती तुमने फिर से पहन ली ? मैं कहती हूँ तुम तो बस... ।

श्याम : भाभी, बात तो सुन लो । मैं कहता हूँ कि बरसाती आकर एक ही बार उतारूँ । चाय के साथ खाने के लिए भाग कर कोई चीज़ ले आऊँ । सूखी चाय का मज़ा नहीं आएगा । इस वक़्त पानी ज़रा थमा है, फिर ज़ोर से बरसने लगेगा ।

वीना : फिर वही खाने की बात ? कोई ऐसा भी वक़्त होता है जब तुम्हें खाने की बात नहीं सूझती ?... अच्छा जाओ, मगर लाओगे क्या ?

श्याम : तुम जो कहो ले आऊँ । इस वक़्त गर्म-गर्म कचौरी और समोसे भी मिल जाएँगे और... ।

वीना : और क्या ?

श्याम : और... और... कहो तो कोई और अच्छी चीज़ भी मिल सकती है... ।

वीना : बरसते पानी में जाओगे तो अच्छी चीज़ ही लाओ । समोसे कचौरी क्या खाओगे ?

श्याम : अच्छी चीज़... अं... अं... तो अच्छी चीज़ हो सकती है... अं... ।

वीना : जाओ, चार-छः अण्डे ले आओ । मैं तुम्हें अण्डे का हलुआ बना देती हूँ ।

श्याम : शिव, शिव, शिव ! किसी और चीज़ का नाम लो, भाभी । इस घर में अण्डे का नाम ले रही हो ? जाओ जल्दी से जाकर कुल्ला कर लो । मुँह भ्रष्ट हो गया होगा ।

वीना : क्या बात करते हो ? **(दबे स्वर में)** यहाँ रोज़ सुबह अंडे का नाश्ता होता है। तुम्हारे भाई साहब ने यह बिजली का स्टोव किस लिए ला कर रखा है ? माँ जी से तो कहा था कि सुबह बेड-टी लेनी होती है, रसोईघर से बना कर लाने में ठंडी हो जाती है, इसलिए ये सोलह रुपये खर्च किये हैं। माँ जी भी भोली हैं, झट मान जाती हैं, मगर यह फ़्राइंग पेन किस लिए लाये हैं ? इसमें क्या दूध गर्म होता है ?

श्याम : संयम, संयम, संयम ! ज़रा संयम से काम लो, भाभी। चार दिन जो अण्डे खा लिये हैं वे छिलकों समेत वसूल हो जाएँगे। अम्माँ के कान में भनक भी पड़ गयी तो सारे घर का गंगा इश्नान हो जायेगा। और तुम देख ही रही हो कि बादलों का दिन है। किसी को कुछ हो-हवा गया तो... ।

वीना : भई, तुम लोगों की यह बात मेरी समझ में बिल्कुल नहीं आती। अगर खाना ही है तो उसमें छिपाने की क्या बात है ? सबके सामने खाओ। माँ जी नहीं खातीं, इसलिये रसोईघर की बजाय यहाँ कमरे में बना लेते हैं। और अण्डे में जीव कहाँ होता है ? जैसे दूध, वैसे अंडा।

श्याम : हरि, हरि, हरि ! फिर वही नाम ! भाभी, आज इस बरसते पानी में तुम जान निकलवाओगी। तुमसे कोई कुछ नहीं कहेगा। अम्माँ मेरे सिर हो जाएँगी कि सब तेरी ही करनी है। तुम खाओ, बनाओ, जो चाहे करो। मगर इस चीज़ का नाम मुँह पर मत लाओ। ...लाओ, पैसे निकालो। मैं तुम्हारे रिस्क पर ले आता हूँ। चोरी पकड़े जाने पर अगर मेरा नाम लिया कि यह लाया है तो मैं साफ़ मुकर जाऊँगा और बेड-टी के साथ फ़्राइंग पेन का रिश्ता अम्माँ को अच्छी तरह समझा दूँगा। कितने ले आऊँ-- चार कि

छः ?... एकाध मेरे कमरे में भी रखा होगा।

वीना : अच्छा, तो यह बात है। आप अपने कमरे में...।

श्याम : **(बात काट कर)** फिर कहता हूँ भाभी कि नाम मत लो। अपने कमरे में न फ़्राइंग पेन है न स्टोव जो कोई चीज़ साबित की जा सके। कच्चा लाते हैं और कच्चा खाते हैं। इसीलिए सुबह दूध की तलब कमरे में होती है। रखने-रखाने का इन्तज़ाम पक्का है। मगर तुम कहो कि अम्माँ के सामने भी यह बात ज़ाहिर कर दें तो हरगिज़ नहीं। हमें अपनी अम्माँ से भी प्यार है और अपनी खुराक से भी।

वीना : बहुत अच्छी बात है न ! अम्माँ की रसोई के बरतन रोज़ भ्रष्ट करते हो, यह अच्छा प्यार है ! देख लेना, कल से तुम्हारा दूध का गिलास अलग न रखवा दिया तो...।

श्याम : अच्छी बात है। तुम हमारा दूध का गिलास अलग रखवा देना और हम यह फ़्राइंग पेन यहाँ से उठवा देंगे। वैसे चाहो तो अब भी समझौता हो सकता है। तुम ज़बान से खाने का काम लो, शोर मचाने का नहीं, और मैं अभी जाकर आधी दर्जन वह जो तुम कह रही थीं, लाये देता हूँ। इस समझौते की खुशी में पैसे भी अपनी जेब से ख़र्च किये देता हूँ। मंजूर ? अच्छा, टा-टा !

गैलरी की तरफ़ चल देता है।

वीना : साथ थोड़ी किशमिश भी ले आना।

श्याम : ओ० के०। तुम इस बीच चाय का पानी रख दो। आते ही एक प्याली पीऊँगा।

चला जाता है। वीना खूंटी की तरफ़ जाकर वहाँ टँगे हुए कपड़े

उतारने और नहाने लगती है।

वीना : मैं भी इस घर में आकर बस यहाँ की-सी हुई जा रही हूँ। दो दिन से कपड़े ही प्रेस नहीं किये। ...साहब के कपड़ों का यह ढेर तो कभी ठीक ही नहीं होगा। मैं टाइयाँ और कपड़े अब कुर्सियों के पीछे नहीं टाँगने देती, इसलिए हर चीज़ खूँटी पर।

कपड़े उतारते हुए मोज़े का एक जोड़ा नीचे जा गिरता है।

लो, यह पुराना मोज़ा भी खूँटी पर लटकाने की चीज़ है!

कपड़े संदूक पर रख कर मोज़ा उठा लेती है। मोज़ा कुछ भारी लगता है, इसलिए उसे हाथ से मल कर देखती है।

तो यह बात है। कल और परसों के छिलके साहब ने मोज़े में भर कर यहाँ लटका रखे हैं। इनकी यह कैसी आदत है, यह मेरी समझ में नहीं आता। छिलके नाली में डाल दिये जायें, गंदगी दूर हो। मगर नहीं। हफ़्ता भर छिलके इकट्ठे करेंगे, फिर डिब्बे में भर कर बाहर ले जाएँगे, जैसे किसी के लिए सौगात ले जा रहे हों।

मोज़ा कोने में डाल देती है।

अच्छा, श्याम के आने तक चाय का पानी तो रख दूँ।

केतली उठा कर बायीं ओर के दरवाज़े की तरफ़ जाती है। पर्दा उठाने पर दरवाज़ा बन्द मिलता है। किवाड़ खटखटाती है।

राधा जीजी! ...राधा जीजी! इतनी देर में दरवाज़ा बंद

करके क्यों पड़ गयीं ? ज़रा खोलना, मुझे अन्दर नल से पानी लेना है।

कुछ क्षणों के बाद दरवाज़े की कुंडी खुलती है।

वीना : क्या बात है, जीजी ? अभी संझा भी नहीं हुई और तुम दरवाज़े बन्द करके पड़ गयीं ? मैंने सोचा कि कहीं जेठ जी न आ गये हों...।

राधा दरवाज़े से निकल कर अंगड़ाई लेती है, जैसे सचमुच बिस्तर से उठी हो।

राधा : आज दोपहर से ही शरीर कुछ टूट-सा रहा था। मैंने कहा कि थोड़ी देर लेट लूँ, फिर उठ कर रोटी-वोटी का धंधा करना होगा।

वीना : यह लेटने का वक़्त थोड़े ही है, बीबी ? बैठो, मैं चाय बना रही हूँ, अभी सब लोग चाय पियेंगे। ये भी दफ़्तर से आने वाले ही होंगे। बैठो, मैं उधर से पानी ले कर आती हूँ।

अन्दर चली जाती है। राधा अनमनी-सी खड़ी रहती है। क्षण भर बाद अन्दर से वीना के हँसने का स्वर सुनायी देता है। राधा चौंक कर उधर देखती है।

राधा : क्या बात है वीना ? अपने आप ही हँस रही हो ?

वीना एक हाथ में पानी की केतली और दूसरे हाथ में एक किताब लिये हँसती हुई उधर से

आती है।

वीना : हँसने की बात नहीं है, जीजी ? ...यह तुम्हारी चंद्रकान्ता... ।

राधा झपट कर किताब उसके हाथ से छीनना चाहती है, मगर वीना उसे झाँसा दे कर उसके पास से निकल जाती है। केतली मेज़ पर रख कर वह किताब पीछे छिपा लेती है। राधा पास आकर किताब उससे छीनने का प्रयत्न करती है।

छीनाझपटी में नहीं दूँगी, जीजी ! ऐसे माँग लो तो दे दूँगी। मगर इसमें इस तरह छिपा कर पढ़ने की क्या बात है ? मैंने तो चन्द्रकान्ता, चन्द्रकान्ता संतति और भूतनाथ सब पढ़ रखी हैं। जब हम मिडिल में थीं तो स्कूल की लाइब्रेरी से लेकर पढ़ी थीं। इसमें ऐसा तो कुछ भी नहीं हैं कि उसे तकिये के नीचे छिपाकर रखा जाय और दरवाज़े बन्द करके पढ़ा जाय।

राधा : न भइया न ! हम माँजी के सामने ऐसी चीज़ कभी नहीं पढ़ सकते। कोई ख़राब बात चाहे न हो मगर माँजी देखेंगी तो क्या सोचेंगी कि रामायण नहीं, महाभारत नहीं, दिन भर बैठकर ऐसे किस्से ही पढ़ा करती हैं। और हम पढ़ते भी कहाँ हैं ? हमको तो कौशल्या भाभी ने ज़बर्दस्ती दे दी तो हम उठा लाये, नहीं हम तो ऐसी चीज़ कभी नहीं पढ़ते। घर के कामधंधे से फ़ुरसत लगे, तो कुछ पढ़ें भी। और हमारे पास अपनी गुटका रामायण है,

कभी-कभी उसमें से ही थोड़ा-बहुत बाँच लेते हैं। तुम जानो इस घर में ये सब पढ़ेंगे तो जान नहीं निकाल दी जाएगी ? यह तो कौशल्या भाभी हमारे पीछे पड़ गयीं कि जरूर पढ़ो नहीं तो क्या... ।

वीना : यह तो मैं भी कहती हूँ, जीजी, कि ज़रूर पढ़ो। बहुत ही इंट्रेस्टिंग किताब है। ज़रा बचकाना टेस्ट की ज़रूर है, मगर... ।

राधा : (चिढ़कर) हाँ भाई, हम तुम्हारी तरह पढ़े-लिखे तो हैं नहीं... ।

वीना : मेरा यह मतलब थोड़े ही है, जीजी ! मेरा मतलब तो यह है कि तुम रामायण महाभारत पढ़ने वाली हो, तुम्हें यह किताब ज़रा बचकाना टेस्ट की मालूम होगी।

राधा : वह बात तो है ही। ...मगर सच कहें वीना, तो इसमें भी तो शूरवीरता की ही कहानी है। जिस तरह भगवान राम सीता के लिए वन-वन में मारे-मारे फिरते हैं, उसी तरह कुँअर वीरेन्द्र सिंह चन्द्रकान्ता के लिए तिलिस्म के अन्दर घूमता-फिरता है और... ।

वीना : (हँसती हुई) और जिस तरह भगवान राम समुद्र लाँघ कर सीता का उद्धार करते हैं, उसी तरह कुँअर वीरेन्द्र सिंह तिलिस्म तोड़ कर चन्द्रकान्ता का उद्धार करते हैं। तिलिस्म तोड़ना बल्कि समुद्र लाँघने से ज़्यादा मुश्किल काम है।

राधा : (उत्सुकतापूर्वक) अच्छा, एक बात तो बताओ, वीना। तुमने तो सारी किताब पढ़ी है। अन्त में जाकर वनकन्या का क्या होता है ? कुँअर वीरेन्द्र सिंह के साथ उसका ब्याह हो जाता है कि नहीं ? मेरा दिल तो कहता है कि

हो जाता है ।

वीना : हाँ, हाँ, ज़रूर हो जाता है ।

राधा : और चन्द्रकान्ता के साथ ?

वीना : उसके साथ भी हो जाता है ।

राधा : दोनों के साथ ही हो जाता है ?

वीना : हाँ भी और नहीं भी ।

राधा : हाँ भी और नहीं भी, यह कैसे ?

वीना : यही बता दिया तो फिर पढ़ना क्या रह गया ? जब पढ़
लोगी तो अपने आप पता चल जाएगा, (किताब देती
हुई) यह किताब ले लो । मगर अभी से दरवाज़ा बन्द
करके नहीं पढ़ने दूँगी । रात को जब सब लोग सो जाएँगे
तो मोमबत्ती जला कर पढ़ना । मैं भी कई दिनों से सोचती
थी कि रात को तुम मोमबत्ती जला कर क्या करती रहती
हो । ...अभी यहाँ बैठो ।

उसे बाँह पकड़ कर पलँग पर
बैठा देती है और दी हुई किताब
भी उसके हाथ से लेकर पलँग
पर फेंक देती है ।

राधा : अच्छा वीना, ये बाबा जी महाराज कौन हैं ?

वीना : कौन से बाबा जी महाराज ?

राधा : वही जो वीरेन्द्र सिंह को आत्महत्या से रोकते हैं ।

वीना : तुम अभी तक उसी दुनिया में घूम रही हो, जीजी ? अब
थोड़ी देर के लिए तो तिलिस्म से बाहर निकल आओ ।

केतली स्टोव पर रख कर स्विच
ऑन कर देती है । बाहर से
गोपाल आता है । वर्षा की

फ़ुहार से उसके कपड़े ज़रा-ज़रा भीग रहे हैं।

गोपाल : वाह, आज केतली पहले से ही रखी हुई है ! बहुत सही अंदाज़ा है वक़्त का।

वीना : इस ग़लतफ़हमी में मत रहिए कि आपके लिए चाय का पानी रखा गया है। यह केतली श्याम के लिए रखी गयी है। आप आ गये हैं इसलिए एक प्याली आपको भी मिल जाएगी।

गोपाल : क्या बात है, आजकल श्याम पर बहुत मेहरबान हो रही हो ? सुना है देवर भाभी का रिश्ता बहुत ख़तरनाक होता है।

वीना : बस सुना ही सुना है ? जीजी बैठी हैं, ये तो मुझसे ज़्यादा जानती होंगी।

गोपाल : देखो, हमारी भाभी के लिए कुछ मत कहना। हमारी भाभी देवी की प्रतिमा हैं, तुम्हारी तरह नहीं हैं। तुम तो दिन भर बैठी 'सन्ज़ एण्ड लवर्ज़' पढ़ती रहती हो और भाभी पढ़ती हैं रामायण, महाभारत।

वीना : **(शरारत के लहज़े में)** सच ?

गोपाल : सच नहीं तो क्या ? क्यों भाभी ?

राधा : **(खिसियायी-सी)** भई, हम नहीं कुछ भी पढ़ते। हमें दिन भर काम से फुरसत मिलती है जो पढ़ें पढ़ायें ? कभी दस मिनट मिल गये तो चार अक्षर बाँच लिये।

गोपाल : वक़्त न मिले, यह और बात है। पर पढ़ने के लिए तुमने गुटका रामायण रख तो छोड़ी है ? मन में भावना होनी चाहिए।

वीना : आज जीजी की गुटका रामायण मैं इधर उठा लायी हूँ।

जीजी तो लाने ही न देती थीं। अभी-अभी आपके आने से पहले मैं इनसे समुद्र लंघन की कथा सुन रही थी।

गोपाल : यह तो बहुत ही अच्छी बात है। तुमने बी० ए० पास तो किया है, मगर जो विद्या तुम्हें भाभी से मिल सकती है, वह स्कूलों-कालेजों में नहीं पढ़ायी जाती। क्यों भाभी ?

राधा : भैया, हम किसी को क्या पढ़ाएँगे ? हम तो आप ही अनपढ़ हैं। हम तो वीना के पास इसीलिए आ बैठते हैं कि दो चार अच्छे अक्षर इससे सीख जायें।

गोपाल : तुम, और इससे सीखोगी ? यह उल्टी रीत यहाँ नहीं चल सकती, भाभी ! दस्तूर यही है कि बड़ा बड़े की जगह और छोटा छोटे की जगह...। **(जेब से सिगरेट की डिब्बी निकालता हुआ)** इजाज़त हो तो... अ... अ... यह जरा... यह एक सिगरेट सुलगा लूं। बहुत देर से नहीं पी। **(सिगरेट सुलगाता हुआ)** बारिश का दिन है, इसलिए तबीयत नहीं मानती।

वीना : आप तो कहते थे कि आप घर में किसी के सामने नहीं पीते।

गोपाल : बस सिर्फ़ भाभी के सामने पी लेता हूँ। वह भी इसलिए कि भाभी ने एक बार गैलरी में छिप कर पीते हुए देख लिया था। जब चोरी पकड़ ही ली गयी तो हमने इकबाल कर लिया। उसके बाद से भाभी की इतनी मेहरबानी रही कि जब-जब ज़रूरत पड़ती थी, इनके कमरे में छिप कर पी लेते थे। आज पाँच बरस हो गये मगर मजाल है कि जो भाभी के अलावा किसी को पता तक चला हो।

वीना : हाँ, हाँ, क्यों पता चला होगा ? बीबी ने जेठ जी को

बताया थोड़े ही होगा ?

राधा : हमसे कोई कसम उठवा ले जो हमने बताया हो । हमारी यह आदत नहीं है कि इधर की बात उधर और उधर की बात इधर लगाते फिरें । जब एक बार हमने कह दिया कि किसी से नहीं कहेंगे, तो किसी से नहीं कहा । दिल में रखने की बात हम दिल में ही रखते हैं ।

गोपाल : और क्या ? दिल में रखने की बात दिल में रखनी ही चाहिए । ...पानी खौल गया कि नहीं ?

वीना : बस अभी हुआ जाता है । उतनी देर में श्याम भी आ जाएगा ! ...

> श्याम बरसाती की जेबों में हाथ डाले हुए बाहर से आता है ।

श्याम : लो भाभी, ले आया । अब तुम जानो और तुम्हारा काम ।

> राधा को देख कर ज़रा असमंजस में पड़ जाता है ।

अरे, बड़ी भाभी भी यहाँ पर हैं ? तब तो... ।

> गला साफ़ करता हुआ चुप कर जाता है ।

वीना : यह अपनी बरसाती तो बाहर उतार दो । अभी तक इससे पानी टपक रहा है ।

श्याम : वह बात तो ठीक है भाभी, मगर... ।

वीना : मगर क्या ?

श्याम : मगर यह कि भाभी वह जो... वह जो तुमने कहा था, वह... ।

वीना : लाये नहीं ?

श्याम : ल-लाया तो ज़रूर हूँ, म-मगर... ।

वीना : मगर जीजी से डर लगता है, यही न ? डरने की कोई

बात नहीं, जीजी किसी से नहीं कहेंगी। लाओ, निकालो।

श्याम : (ज़रा खंखार कर) और अगर बाद में...।

वीना : नहीं, बाद में कुछ नहीं होता। लाओ, निकालो।

गोपाल : क्या चीज़ है जिसके लिए इतनी हील-हुज्जत हो रही है?

वीना : कुछ नहीं, आधा दर्जन अण्डे मँगवाये हैं। कह रहा था कि सूखी चाय नहीं पीऊँगा, तो मैंने कहा कि अण्डे का हलुआ बनाये देती हूँ।

गोपाल : अण्डे का हलुआ? यह तुम्हें क्या सूझी है? मैंने तुम्हें अच्छी तरह समझा दिया था, फिर भी तुम...?

वीना : (श्याम से) तुम क्यों काठ से वहाँ खड़े हो? अण्डे मुझे दे दो, और बरसाती उतार कर बाहर रख दो। (गोपाल से) आपको जब दीदी से सिगरेट का छिपाव नहीं है, तो अण्डे का छिपाव रखने की क्या ज़रूरत है? (श्याम से) लाओ श्याम, दो मुझे।

श्याम क्षण भर की हिचकिचाहट के बाद दोनों जेबों से हाथ निकालता है। उसके एक-एक हाथ में तीन-तीन अण्डे हैं। वीना अण्डे उससे ले लेती है और वह बरसाती उतार कर गैलरी में छोड़ आता है।

गोपाल : (अन्यवस्थित-सा) देखो वीना... मैंने तुमसे कहा था कि घर में... घर में यह चीज़ ठीक नहीं है। आदमी बाहर जा कर खा ले, वह और बात है। मगर घर में...!

वीना : घर में घर के आदमी देख लेंगे, इतनी ही तो बात है न? तो जीजी से तो किसी बात का पर्दा है नहीं। ये आज न

देखतीं तो किसी और दिन देख लेतीं। जब रोज़ सवेरे...।

गोपाल : अलललललल, क्या बक रही हो ? कुछ होश की दवा करो...।

राधा : सच पूछो गोपाल तो हमें इस चीज़ का पहले से ही पता है।

श्याम मुस्कराता है। गोपाल बेकस-सा आराम कुर्सी पर पड़ जाता है।

गोपाल : किस चीज़ का पता है ?

राधा : इस चीज़ का कि रोज सवेरे चाय के साथ तुम्हारे कमरे में क्या बनता है। तलने की आवाज़ तो छोड़ो, तुम जानो ख़ुशबू भी तो उधर जाती है।

गोपाल : किस चीज़ की ख़ुशबू जाती है ?

राधा : जो चीज़ बनती है, उसी की ख़ुशबू आती है, और किस चीज़ की आएगी ?

वीना : लीजिए, और छिपाइए। जीजी तो ख़ुशबू से यह भी पहचान लेती होंगी कि किस दिन आमलेट बनता है और किस दिन अण्डे फ्राई होते हैं।

राधा : ज़रूर जान लेते हैं। आज सवेरे तुमने आमलेट बनाये थे। बनाये थे कि नहीं ?

वीना : जीजी, जब तुम ख़ुशबू पहचानती हो, तब तो ज़रूर तुम भी...।

राधा : (बात काटकर) न। हम कभी नहीं खाते। चाहे हमें किसी की कसम दिला लो। ख़ुशबू तो तुम जानो हर चीज़ की अलग ही होती है। खाया नहीं तो क्या...!

श्याम : सूंघा भी नहीं है ? ...बड़ी भाभी, तुम्हारी नाक बहुत तेज़

read to here

है।

वीना इस बीच अण्डे एक कप में तोड़ने लगती है और छिलके मेज़ पर रखती जाती है।

राधा : बड़ी भाभी की नाक ही नहीं, आँखें भी बहुत तेज़ हैं। तुम अपने कमरे में जो करतूत करते हो, बड़ी भाभी को उसका भी सब पता है।

श्याम : **(चौंककर)** हैं ? मेरी किस करतूत का तुम्हें पता है ?

राधा : रहने दो, चुप ही रहो तो अच्छा है। मैंने माँ जी से तो नहीं कहा, मगर तुम्हारा दूध वाला गिलास मैंने मेहरी से अलग रखवा रखा है और उसे अलग से ही मँजवाती हूँ। और सर्दियों में जो तुम दो चम्मच बुख़ार-मिक्स्चर बीच में मिलाया करते थे, उसका भी मुझे पता है।

वीना : बुख़ार-मिक्स्चर ? क्या सर्दियों में इसे बुख़ार हो गया था ?

राधा : इसी से पूछो जो मिक्स्चर पिया करता था। अलमारी में किताबों के पीछे शीशी लाकर रख रखी थी, पन्द्रह रुपये वाली।

गोपाल : **(कुछ हैरान होकर)** पन्द्रह रुपये वाली ?

राधा : और नहीं तो क्या ? पूछ लो इससे।

श्याम कानों पर हाथ रखकर सिर झुका लेता है।

वीना : मगर जीजी, वह शीशी पन्द्रह रुपये वाली थी और चौदह रुपये वाली नहीं, इसका तुम्हें कैसे पता चला ? यह भी क्या सूंघ कर ही ?...

राधा : **(खिसियानी पड़ कर)** हमें सूंघने की क्या ज़रूरत है ?

हम तो ऐसी चीज़ के पास भी नहीं जाते । हमारे भैया को एक बार डॉक्टर ने बतायी थी, सो वे पन्द्रह रुपये में लाये थे ।

गोपाल : (वीना से) क्यों तुम भाभी को ख़ामख़ाह परेशान करती हो ? भाभी बेचारी तो अनजाने भी हमारा हित ही करती हैं । (राधा से) देखो भाभी, अब तुम्हें सब मालूम ही है, मगर भैया को नहीं बताना । उनका स्वभाव तो तुम जानती ही हो । माफ़ कर दें तो बड़ी-बड़ी बात माफ़ कर दें । और नाराज़ हो जायें तो बस छोटी से छोटी बात पर... ।

राधा : वे नाराज़ होते हैं तो किसी बात पर ही नाराज़ होते हैं । मगर तुम कहते हो कि उन्हें न बताऊँ, तो मैं नहीं बताऊँगी । मगर यह बात ठीक नहीं कि सब दरवाज़े खुले हैं और तुम यहाँ अण्डे बना रहे हो । कोई बाहर से आ गया तो हमारा कहना न कहना सब बराबर है ।

केतली में पानी खौलने लगता है । वीना अण्डे फेंटती है ।

गोपाल : यह बात तुम ठीक कह रही हो, भाभी । मैंने कितनी ही बार इससे कहा है कि कुछ बनाना ही हो तो सब दरवाज़े बंद कर लिया करो । श्याम, बाहर का दरवाज़ा बंद कर दे ।

वीना : श्याम, पहले ज़रा यह केतली स्टोव से उतार कर उधर रख दे और मुझे घी का डिब्बा पकड़ा दे । मैं झट से हलुआ बना दूँ । बनने में तो दो एक मिनट ही लगेंगे ।

श्याम उस तरफ़ चला जाता है और उसका काम करने लगता

है ।
अलमारी से प्लेटें भी निकाल लो । (राधा से) जीजी,
थोड़ा-सा हलुआ तो तुम भी लोगी न ?

> फ़्राइंग पेन स्टोव पर रखकर
> उसमें घी डालती है ।

राधा : (अनमने स्वर में) भैया, हमने कह दिया कि हमने न
कभी खाया है और न ही कभी खा सकते हैं । पास बैठे
हैं, इसलिए चाय की एक प्याली ज़रूर ले लेंगे ।

> वीना अण्डे का घोल चीनी
> मिलाकर फ़्राइंग पेन में डाल देती
> है और जल्दी-जल्दी हिलाने
> लगती है । श्याम प्लेटें निकाल
> कर लाता है ।

वीना : तुमसे कहा था साथ किशमिश भी लाना, लाये हो ?

श्याम : किशमिश तो भूल ही गया, भाभी । कहो तो अब जा
कर... !

वीना : अब रहने दो । मुझसे यह नहीं कहना कि हलुआ अच्छा
नहीं बना । बग़ैर किशमिश के अण्डे का हलुआ... !

> दूर से जमुना देवी की आवाज़
> सुनायी देती है :

जमुना : वीना ! ओ वीना ! गोपाल अभी आया है कि नहीं... ?

गोपाल : (दबे हुए स्वरों में) श्याम ! तुमसे कहा था दरवाज़ा
बन्द कर दो और तुम... !

श्याम : अभी कर रहा हूँ ।

> जल्दी से जाकर दरवाज़े के
> किवाड़ मिला देता है और वहीं

खड़ा हो जाता है ।

राधा : माँ जी आ रही हैं, अब जल्दी से कुछ इन्तज़ाम करो।

गोपाल : हाँ, हाँ, जल्दी कुछ इन्तज़ाम करो। यह छिलके... यह हलुआ... ।

जल्दी से वीना का जम्पर उठाकर छिलकों पर डाल देता और चीनी की एक प्लेट लेकर फ़ाइंग पेन को उससे ढँक देता है ।

जमुना : वीना ! ...वीना !

दरवाज़े के पास आकर दरवाज़े को धकेल कर खोलती है । श्याम कंधे हिला कर के पास से हट जाता है ।

जमुना : क्या बात है, इस तरह दरवाज़ा बन्द क्यों कर रखा था ? श्याम तो दरवाज़े के आगे ऐसे खड़ा था जैसे अन्दर किसी और को रोक रखा हो। क्या बात है, सब लोग इस तरह चुपचाप क्यों हो गये हो ?

गोपाल : कु-कुछ नहीं, माँ ! तु-तुम अ-आओ। दरवाज़ा खुला ही था। श्याम तो ऐसे ही वहाँ खड़ा था। आओ, बैठो।

जमुना : आज दो घंटे से मेरे कमरे की छत चू रही है । मैंने कितनी बार कहा था कि लिपाई करा दो, नहीं तो बरसात में तकलीफ़ होगी। मगर मेरी बात तो तुम सब लोग सुनी-अनसुनी कर देते हो। कुछ भी कहूँ, बस हाँ माँ, कल करा देंगे माँ, कहकर टाल देते हो। अब देखो चलकर कैसे हर चीज़ भीग रही है। ...क्या बात है, सब लोग गुमसुम क्यों हो गये हो ? ...वीना, तू इस वक़्त यह

चम्मच लिए क्यों खड़ी है ? और गोपाल, तू वहाँ क्या कर रहा है कोने में ?

गोपाल : कु-कुछ नहीं माँ, यह... वह... वह वहाँ पर... क्या नाम है उसका... वह... वह... वीना का हाथ ज़रा जल गया था। मैं इसके लिए मरहम ढूँढ रहा था।

जमुना : हाथ जल गया ? कैसे ? मैं देखूँ तो।

पास जाकर वीना के दोनों हाथ पकड़कर देखती है।

वीना : नहीं माँजी, ऐसा कुछ नहीं जला है। ये तो बस यूँ ही... यूँ ही चिन्ता करने लगते हैं। बस ज़रा-सा ही था। हाथ से मल दिया, ठीक हो गया।

गोपाल : हाँ, वैसे तो बिल्कुल ठीक हो गया। मगर मैंने कहा कि मरहम मिल जाए तो फिर भी लगा दूँ। कभी वक़्त पर पता नहीं चलता और बाद में तकलीफ़ बढ़ जाती है। कहते हैं कि प्रिवेंशन इज़ बैटर दैन क्योर, मतलब कि बाद में इलाज करने से पहले एहतियात बरतना ज़्यादा अच्छा है। इसलिए मैंने सोचा कि एहतियात के तौर पर थोड़ी मरहम लगा दूँ।

जमुना : मगर इसका हाथ जला कैसे ? इस वक़्त यह ऐसा क्या काम कर रही थी ?

गोपाल : कुछ नहीं, कुछ नहीं। कर कुछ नहीं रही थी। श्याम ने कहा था ज़रा चाय बना दो तो उसके लिए चाय बना रही थी। यूँ चाय बनाने में हाथ जलना नहीं चाहिए, मगर बाज़ वक़्त होता है। जलना था, सो जल गया। वैसे चिन्ता की कोई बात नहीं। मैं अभी मरहम लगा देता हूँ। और मरहम नहीं भी मिलता तो कोई बात नहीं। अपने

आप ठीक हो जाएगा। बिल्कुल मामूली-सा भी क्या, यही समझो कि जला ही नहीं है। अब तो महसूस भी नहीं होता होगा। क्यों वीना ?

वीना : जी हाँ, बिल्कुल महसूस नहीं होता।

गोपाल : और क्या ? महसूस होने की कोई बात नहीं थी। तुम नाहक फिक्र कर रही हो, अम्माँ, फिक्र करने की कोई बात ही नहीं है। तुम खुद देख रही हो, हाथ बिल्कुल ठीक हो गया है।

जमुना : मैं पहले ही कह रही थी कि यह मरदूद बिजली का चूल्हा घर में न लाओ। मगर माँ की बात किसी के कान में जाती हो तो न ! यह मरदूद हाथ नहीं जलाएगा, तो करंट मारेगा, करंट नहीं मारेगा तो हाथ जलाएगा। हमारे ज़माने में किसी ने ऐसी चीज़ों का नाम भी नहीं सुना था ...यह इसके ऊपर क्या रखा है ?

गोपाल : यह स्टोव के ऊपर ? यह... यह... अम्माँ फ़्राइंग पेन है... फ़्राइंग पेन... मतलब तलने की वह... क्या कहते हैं, वह... ।

जमुना : तलने की क्या ? क्या बहू यहाँ अलग से तुम्हें चीज़ें तल-तल कर खिलाती है ? लगता है इसमें कोई चीज़ बनाकर रखी है। (पास जाती हुई) मैं भी तो देखूँ कि नयी बहू क्या-क्या बना कर खिलाती है।

फ़्राइंग पेन से प्लेट उठाने लगती है। गोपाल जाकर उसे बीच में ही रोक देता है।

गोपाल : न न न न न न अम्माँ, इसे हाथ मत लगाना, हाथ मत लगाना। तु-तुम आप ही कह रही थीं कि यह हाथ नहीं जलाएगा तो करंट मारेगा, और करंट नहीं मारेगा तो हाथ

जलाएगा । ऐसी मरदूद चीज़ का कुछ पता थोड़े ही है, अम्माँ ! मैं तो पछता रहा हूँ कि क्यों इसे घर में ले आया । वह वापस ले ले तो मैं अभी जाकर इसे वापस कर दूँ । मुझे पता थोड़े ही था कि इसकी वजह से... ।

> श्याम इस बीच चारपाई से चन्द्रकान्ता उठाकर उसके पन्ने पलटने लगता है । एक बार राधा की ओर देखकर वह थोड़ा खखारता है । राधा गम्भीर मुद्रा बनाए बैठी रहती है ।

जमुना : मगर यह तो बुझा हुआ है । यह बुझा हुआ भी करंट मारता है क्या ?

गोपाल : हाँ अम्माँ, कभी-कभी यह बुझा हुआ भी करंट मार देता है । इसका कोई भरोसा थोड़े ही है ? ऐसी चीज़ से दूर ही रहा जाए तो अच्छा है । कहीं तुम्हारा भी हाथ जल-जला गया तो मुसीबत होगी ।

जमुना : अच्छा नहीं हाथ लगाती । मगर बता तो सही कि इस पर छोटी बहू तेरे लिए बनाती क्या-क्या है । इस वक़्त भी तो कुछ बना रखा है ।

गोपाल : कुछ नहीं अम्माँ, इसमें कुछ ख़ास चीज़ नहीं है । वह श्याम ज़रा कह रहा था, तो उसके लिए... ।

श्याम : (सहसा चौंककर जैसे सफ़ाई देता हुआ) भैया, मैंने कहाँ कहा था ? वह तो खुद भाभी का ही ख़याल था । क्यों भाभी ?

वीना : हाँ, हाँ, मैं कब कहती हूँ कि मैंने नहीं कहा था ? ठीक है, मैंने ही तुमसे कहा था... !

राधा सहसा उठकर पास आ जाती है।

राधा : वीना ने भी नहीं, बल्कि हमने कहा था... !

गोपाल : **(जैसे आसमान से गिरकर)** भाभी !

राधा : हाँ, हाँ, ठीक बात तो है। हमीं ने वीना से ज़ोर देकर कहा था कि पुलटिस बनाकर श्याम के बाँध दो। इसे अपने तन-बदन की होश तो रहती नहीं। क्रिकेट खेलने में कहीं टखने पर गेंद लग गयी है। दो दिन से कह रहा है कि चलने में ज़ोर पड़ता है। हमने कहा कि ठंड का दिन है, कहीं दर्द बढ-बढ़ा गया तो बैठकर दो दिन हमीं से मालिश करवाते रहेंगे। वीना ने पुलटिस बना दिया है। अभी बाँध देंगे तो रात तक ठीक हो जाएगा।

गोपाल कृतज्ञता के भाव से राधा की तरफ़ देखता है।

गोपाल : यही तो मैं कह रहा था। यह लड़का अपनी सेहत का ज़रा ख़्याल नहीं रखता। बाद में जब ज़्यादा बिगाड़ हो जाता है तो मुसीबत घर वालों की होती है। **(श्याम को आँख से इशारा करके)** अब पुलटिस बँधवा कर चुपके से लेट रहना। समझे ?

जमुना : लाओ मैं ही पुलटिस बाँध देती हूँ। कोई पुराना कपड़ा-वपड़ा हो तो दो। कहीं कोई नयी धोती न फाड़ देना। ...यह देखो, नये कपड़ों का क्या हाल कर रखा है ? यह रेशमी जम्पर मेज़ पर क्यों डाल रखा है ? यह मेज़ साफ़ करने के लिए है ?

मेज़ से जम्पर उठाना चाहती है। मगर गोपाल फिर बीच में आकर

रोक देता है।

गोपाल : रहने दो, रहने दो अम्माँ, क्या गज़ब करती हो ? ये काम तुम्हारे करने के हैं जो तुम कर रही हो ? मैला कपड़ा है, खूंटी से मेज़ पर गिर गया होगा। अभी वीना उठाकर रख देगी।

जमुना : यह मैला कपड़ा है ? और वहाँ उतनी दूर खूंटी से कूदकर यहाँ मेज़ पर आ गया ? तुम लोगों के लच्छन ज़रा भी मेरी समझ में नहीं आते। नया जम्पर है, अभी दो बार भी नहीं पहना होगा, और इस तरह यहाँ गिरा रखा है। हटो, तुम लोग घर उजाड़ने पर तुले हो, तो मुझे तो घर की चिन्ता है। इतने कपड़े इधर- उधर बिखरे पड़े हैं, इनमें टिड्डियाँ लग जाएँगी तो ?

फिर जम्पर उठाने लगती है, मगर गोपाल उसे कंधे से पकड़ कर पलँग की तरफ़ ले चलता है।

गोपाल : अम्माँ, नहीं लगेंगी टिड्डियाँ। तुम तो ख़ामख़ाह चिन्ता करती हो। यहाँ पलँग पर बैठो और थोड़ी देर आराम करो। बैठो, बैठो... यह इस तरफ़... !

उसे दोनों कंधों से पकड़कर पलँग पर बिठा देता है।

जमुना : हाँ, हाँ, बैठकर आराम करूँ और मेरी जगह काम कोई दूसरा करेगा। घर में करने को इतने काम पड़े हैं। इसे पुलटिस बाँध दूँ तो जाऊँ। दूसरों की मुसीबत कर देता है और आप किताबें पढ़ता रहता है। ...ला, मुझे दे यह किताब और यहाँ आकर लेट जा।

उठकर श्याम के हाथ से किताब

ले लेती है।

यह कौन-सी किताब है ?

श्याम : यह किताब ? ...यह अम्माँ... यह मेरे कोर्स की... मतलब मेरे कोर्स की किताब नहीं है यह... शायद यह भाभी की किताब है...।

वीना : यह जीजी की गुटका रामायण है, माँजी ! जीजी पढ़ती-पढ़ती यहाँ ले आयी थीं।

श्याम : हाँ, हाँ, हाँ ! भाभी की गुटका रामायण ही तो है। मैं कह रहा था कि लगती तो गुटका रामायण जैसी ही है।

जमुना : मगर गुटका रामायण तो बहुत छोटी होती है। यह तो इतनी बड़ी किताब है।

श्याम : हाँ अम्माँ, पहले यह छोटी थी, अब यह... मेरा मतलब है अम्माँ कि इसका पहला एडीशन छोटा था, मगर जो नया एडीशन आया है, वह पहले से बड़ा है। इनके साइज़ बदलते रहते हैं, यह कोई खास बात नहीं है। चलो अम्माँ, तुम्हें बहुत काम है, मैं तुम्हें तुम्हारे कमरे में पहुँचा दूँ गैलरी में अँधेरा है, कहीं पैर उल्टा-सीधा पड़ गया तो और मुसीबत होगी।

चलने को तैयार हो जाता है।

जमुना : पाँव मेरा उल्टा पड़ेगा या तेरा जिसे चोट लगी है ? मैं कह रही हूँ लेट जा, और वह मुझे कमरे में छोड़ने जाएगा।

श्याम : अरे हाँ ! मेरे तो पाँव में चोट लगी है। मैं यह बात भूल ही गया था। मैं भाभी से पुलटिस बँधवाता हूँ। गोपाल भैया तुम्हें छोड़ आते हैं।

गोपाल : हाँ, अम्माँ, चलो मैं छोड़ आता हूँ।

जमुना : मगर मैं कहती थी कि मैं इसे पुलटिस बाँध देती...।

गोपाल : उसकी तुम चिन्ता न करो, अम्माँ। बीना बहुत अच्छी तरह बाँध देगी। आओ, मेरा हाथ पकड़कर साथ-साथ आ जाओ। गैलरी में वाकई बहुत अँधेरा है।

बाँह पकड़कर उसे साथ ले चलता है। उसके बाहर निकलते ही श्याम फ़ाइंग पेन पर झपट पड़ता है।

श्याम : भाभी, मैं ज़रा जल्दी से यह पुलटिस निगल लूँ। अगर बड़े भैया भी आ गये तो कहीं सचमुच ही इसे टख़ने पर न बँधवाना पड़े।

वीना : ठहरो, ज़रा सब्र से काम लो, उन्हें भी आ जाने दो।

श्याम : ग़लत बात है।

चम्मच भर-भर कर हलुआ मुँह में डालने लगता है।

भाभी, सच कहता हूँ कि बगैर किशमिश के भी इतना मज़ेदार बना है, इतना मज़ेदार बना है कि जितनी तारीफ़ करूँ थोड़ी है।

गोपाल घबराया-सा जल्दी-जल्दी आता है।

गोपाल : इस पुलटिस को जल्दी से इधर-उधर करो, भैया आ रहे हैं।

श्याम : पुलटिस की तो आप ज़रा चिन्ता न करें। इसे तो मैं अभी साफ़ किए देता हूँ, आप छिलकों के इन्तज़ाम की सोचें।

जल्दी-जल्दी खाता है। गोपाल जम्पर उठाकर वीना को देता है।

गोपाल : इस जम्पर को उधर रखो और ये छिलके... इन्हें तुम

जल्दी से मेरे किसी मोज़े में डाल दो ।

वीना : मगर आपके सब मोज़े तो पहले ही पुराने छिलकों से भरे हुए हैं ।

गोपाल छिलके मेज़ से उठा लेता है और उन्हें हाथों में लिए हुए असमंजस में इधर-उधर देखता है ।

गोपाल : तो और किस चीज़ में डाल दें ? मेरा टोप ही ले आओ, या जल्दी से मेरे कोट की जेब में भर दो ।

सहसा माधव गैलरी से अन्दर आ जाता है ।

माधव : क्यों भाई, क्या भर रहे हो कोट की जेबों में ? कोई मेरे न देखने की चीज़ तो नहीं ?

गोपाल : (हताश भाव से) आइए, आइए भैया । आ जाइए, आ जाइए । मैं यूँ ही ज़रा इन लोगों से मज़ाक कर रहा था ।

माधव : मज़ाक कर रहे थे कि छिलके तुम्हारी जेब में छिपा दिये जायें ।

हँसता हुआ स्टोव की तरफ़ जाता है ।

गोपाल : जी हाँ... जी नहीं... मज़ाक नहीं... मेरा मतलब यह है कि...!

माधव : तुम्हारा मतलब मैं समझता हूँ । और तुम क्या खाकर मुँह पोंछ रहे हो श्याम बाबू ?

श्याम : मैं ? मैं भैया... यह मेरे लिए... मेरे लिए भाभी ने पुलटिस बनायी थी... ।

माधव : पुलटिस बनायी थी ? और तुम वह पुलटिस गले से नीचे

उतार गए ! (हँस कर) खूब ! तो आजकल पुलटिस खाने के काम भी आने लगी । भला यह तो बताओ कि किस चीज़ की पुलटिस थी ? जिस चीज़ के यह छिलके हैं, उसी की या... ?

श्याम बिल्कुल घबरा जाता है ।

श्याम : भैया, थी तो यह पुलटिस ही, मगर जल्दी में मैंने... मेरा मतलब है कि मैंने जल्दी में... ।

माधव : तुमने जल्दी में सोचा कि इसे खा डाला जाय ! (फिर हँस कर) बहुत अच्छा किया । बनी हुई चीज़ का कोई तो इस्तेमाल होना ही चाहिए । और तुम गोपाल, तुम ये छिलके जेब में क्यों भरते हो ? बाहर जाकर इन्हें नाली में डाल दो । आगे से डिब्बे में भरकर बाहर ले जाने की ज़रूरत नहीं... ।

गोपाल : मगर भैया... !

माधव : भैया सब जानते हैं, राजा ! वे यह भी जानते हैं कि तुम्हारे बायें हाथ की उँगलियाँ किस तरह पीली हुई हैं । यह भी जानते हैं कि श्याम बाबू का दूध कमरे में क्यों जाता है । और यह भी जानते हैं कि उनके सो जाने पर उनकी बीबी मोमबत्ती जलाकर कौन-सी किताब पढ़ा करती है ।

सबके मुँह से आश्चर्य से तरह-
तरह के शब्द निकलते हैं ।
माधव हँसता रहता है ।

गोपाल : भैया, अब आप से क्या छिपाना है, आप तो सब कुछ जानते हैं । मगर देखिए, अम्माँ से नहीं कहिएगा । अम्माँ को पता चल गया तो बस किसी की खैर नहीं... ।

माधव : अम्माँ से न कहूँ ? (हँसकर) तुम समझते हो कि अम्माँ

यह सब नहीं जानतीं ?

श्याम और गोपाल : ऐं ? अम्माँ भी जानती हैं ?

माधव : क्यों नहीं जानतीं ? अम्माँ तो शायद मेरी वे बातें भी
जानती हैं जो मैं समझता हूँ कि वे नहीं जानतीं ।
(हँसकर) आज से छिलके नाली में डाल दिया करो,
इनके लिए डिब्बा रखने की ज़रूरत नहीं । ...और जहाँ
तक अम्माँ का सवाल है, अम्माँ इन्हें नाली में पड़े हुए भी
नहीं देखेंगी ।

हल्की-हल्की हँसी हँसता रहता
है ।

Points to Note and Prepare for in the Lesson

अण्डे के छिलके

I. GRAMMATICAL NOTES AND CONSTRUCTIONS

1. कहीं...न

The कहीं...न construction in Hindi is used to express apprehension.

देखिये, बच्चा मुंडेरे के पास खड़ा है, ध्यान रखिये कहीं गिर न जाये।	Look, the child is standing near the parapet. Watch out, he might fall down.

It is to be noted that the verb form in this construction is in the subjunctive. This construction, in fact, can use any of the several 'indefinite' pronouns, such as, **कोई, कुछ, कभी,** to express fear about something unpleasant that is about to happen.

कोई आ न जाये	(I am afraid) someone might come in
कुछ हो न जाये	(I am afraid) something might happen
कभी सुन न ले	(I am afraid) he might hear it sometime

-- See Sheela Verma's *Intermediate Hindi Text Book* (मध्यवर्ती हिन्दी पाठ्यपुस्तक) for more details.

1A. Translate the following sentences into English

1. मुझे लगा कहीं बारिश न हो जाये।
2. अरे, उस बच्चे को उठा लो कहीं वह खाट से गिर न जाये।
3. जल्दी रेलगाड़ी के अंदर जाकर बैठ जाइये, कहीं रेलगाड़ी छूट न जाये। (छूटना = to leave)
4. आप यूंही अनमनी-सी क्यों खड़ी हैं, जाकर जल्दी तैयार हो जाइये पार्टी के लिए; कहीं सब अतिथि पहुंच न जायें।
5. अरे, दूध चूल्हे पर चढ़ा कर आप कहां चली गईं? कहीं दूध उबल कर गिरने न लगे।

2. *अपना; अपने आप*

2A. अपना is the reflexive form of the possessive pronoun in any person. There is nothing like this in English.

मैं *अपनी* किताब पढ़ रहा हूं।	I am reading *my* book.
तुम *अपनी* किताब पढ़ रहे हो।	You are reading *your* book.
वह *अपनी* किताब पढ़ रहा है।	He is reading *his* book.

As can be seen Hindi uses only अपना for the English 'my,' 'your,' 'his,'in the above sentences. This is because whenever a possessive pronoun like 'my,' 'his' etc. occurs in the same clause as the subject like 'I,' 'he' to which it refers, the Hindi counterpart will always be अपना. For example, a sentence like 'Ram reads his book' will be translated in two different ways in Hindi depending on whether 'his book' refers to Ram's book or to someone else's book.

राम ने *अपनी* किताब पढ़ी	...his own book
राम ने *उसकी* किताब पढ़ी	...someone else's book

2B. When the possessive pronoun is within the same noun phrase then **अपना** is not used.

My brother and I... — **मैं और मेरा भाई**

and not — **मैं और अपना भाई** .

2C. In sentences in which there is no subject, **अपना** is interpreted as the generic possessive 'one's own.'

अपना बच्चा प्यारा होता है। — One's own child is lovable ('to everyone).

2D. Sometimes the possessive pronouns **मेरा, तुम्हारा,** and **उसका,** as well as the possessive reflexive **अपना** are used as part of the same phrase. **अपना** then serves as an emphatic particle in the same way as 'own' can be used in English for emphasis.

मेरा *अपना* घर मुझे बहुत पसंद है। — I like *my* own house.

उसका अपना काम कभी ख़तम ही नहीं होता है। — *His own* work is never done.

In sentences using a causative verb or a verb with a causative implication, **अपना** could refer to either the main subject or to the secondary subject.

राम ने सीता को अपने कमरे में भेज दिया। — Ram sent Sita to his/her room.

राम ने सीता को अपने कमरे में जाने को कहा। — Ram asked Sita to go to his/her room.

अपने आप

अपने आप is used to mean essentially "all by itself," "all by himself," "all by myself," etc. depending on the subject it refers to.

दरवाज़ा अपने आप खुल गया।	The door opened all by itself.
मैं अपने आप खा लूंगा।	I can manage to eat by myself.

2F. Translate the following sentences:

1. Did Shyam like his new raincoat?
2. I should have met you in my house and not in your house.
3. The teacher asked her to go to her room.
4. Don't wash your clothes by yourself.
5. She wrote her own letter as well as her friend's.
6. Are your friends going back to their respective countries?
7. I shall give you back your money.
8. I shall give you my book.
9. Veena laughs by herself.

3. <u>Compound Verb in V_1-e V_2</u>

One variation on the usual $V_1 V_2$ compound verb is the V_1-e V_2 compound. This simply adds the meaning of intensity.

मैं ख़र्च *किये देता* हूं।	I am going to go and *spend* it.
इसको मैं अभी *साफ़ किये देता* हूं।	I am going to clean it right away.

The selection of the V_2 obeys the usual restrictions.

इस तरह की गर्मी मुझे *मारे डाल* रही है।	This kind of hot weather is absolutely killing me.

Generally the V_1 in the V_1-e V_2 compound is a transitive verb. In the case of intransitive verbs (generally process or action intransitive verbs) the intensive compounds have the form V_1-ā V_2.

सब कुछ पानी में *बहा जा* रहा है।	Everything is being absolutely washed away.

The V_1-ā in this compound is a perfective participle and therefore shows the agreement.

मेरी जान निकली जा रही है।	Life is absolutely ebbing out of me.
जल्दी पीजिये आपकी चाय ठंडी हुई जा रही है।	Drink your tea, it is getting cold.
बस अभी हुआ जाता है।	Consider it absolutely done.

II. VOCABULARY

1. Idioms and Expressions

ज़रूरत पड़ना — for the need to arise unexpectedly

– मुझे हर वक्त उस किताब की ज़रूरत पड़ती है।

पता चलना — to come to know

– जब उसे पता चला कि मैं शाकाहारी हूं और अण्डे तक नहीं

खाती तो उसे बहुत ही दुःख हुआ।

हाथ लगाना   to handle or manipulate
- इस कमरे की शकल बदल गई है, ऐसा लगता है कि वीणा का हाथ लगा है इसे ठीक-ठाक करने में।

कान में भनक पड़ना   to hear about something, to get wind of something (lit., 'for a faint ringing to fall in the ear')
- आपलोग क्यों छुप-छुप कर अण्डे खा रहे हैं? यदि अम्मा के कान में भनक पड़ गई तो वह बहुत नाराज़ हो जायेंगी।

नज़र आना   to be caught sight of·
- वो देखिये, इतनी भीड़ में भी श्याम नज़र आ ही गया।

मुकर जाना   to deny
- वह कभी आपकी बात नहीं मानेंगे, हमेशा मुकर जायेंगे।

शोर मचाना   to make noise
- बच्चो! यहां से भाग जाओ। क्यों इतना शोर मचा रहे हो?

काम धंधा करना   to do chores
- घर के काम-धन्धे से फ़ुर्सत हो तभी न पढ़ाई करूं?

पीछे पड़ना   to get after someone/to pester someone
- तुम यदि हमेशा इस तरह मेरे पीछे पड़ती रहोगी तो मैं कुछ भी न कर सकूंगी।

मारा-मारा फिरना — to wander around helplessly, without purpose

- घीसू और माधव दिन भर इधर-उधर मारा-मारा फिरते थे।

तबीयत न मानना — not to resist

- मैं सिगरेट ज़रूर ही पीऊंगा। मेरी तबीयत नहीं मान रही है।

बात सुनी-अनसुनी करना — to pay no attention

- तुम हमेशा मेरी बात सुनी-अनसुनी कर देते हो। कभी तो सुना करो।

गुमसुम होना — to be quiet

- आज सबलोग इतने गुमसुम क्यों हो गए हैं? सब ख़ैरियत तो है न?

पैर उल्टा पड़ना — to take a wrong step

- अरे, अंधेरे में कहीं तुम्हारा पैर उल्टा पड़ गया तो मुसीबत हो जायेगी।

गलतफ़हमी में रहना — to delude oneself

- तुम गलतफ़हमी में न रहो; अम्मा तुम्हारे बारे में सबकुछ जान गई हैं।

जान निकलना — to be harassed

- मेरी तो जान ही निकल गई जब मुझे बर्फ़ में दौड़ना पड़ गया।

1A. Choose the right idiomatic expressions from the parenthesis below and translate them into Hindi:

1. The girl was making a lot of noise.

2. The boy was wandering around helplessly in the sun.
3. Veena began doing household chores quickly.
4. It was very hot. I almost died when I went out.
5. She never pays attention to what I say.
6. Shyam brought eggs in the house. I alse heard about it.
7. I came to know that the train would arrive late in the evening.
8. I have a lot of fun when I eat Indian food.

(काम में भनक पड़ना, बात सुनी-अनसुनी करना, जान निकलना, धंधा करना, मारा-मारा फ़िरना, शोर मचाना, मज़ा आना, पता चलना)

2. <u>Verb Compounds</u>

Among the various kinds of lexical compounds one of the important ones is a verb compound which uses two verbs of related stems. The second verb in such a compound is generally the causative form of the first stem, such as देखना-दिखाना, रखना-रखाना. Such compounds generally have the implication of thoroughness of action.

लड़की *देखने-दिखाने* में अच्छी है।	As far as looks go the girl is nice.
मुझसे इन चीज़ों का अब *रखना-रखाना* नहीं होता।	I cannot now take care of keeping these things systematically.
सब काम *कर-कराने* में मुझे देर हो गई।	I got delayed in finishing all the chores.

These verb-compounds of related stems can occur in the infinitive form as above and also in the participial form.

यह सब मेरा *करा-कराया* है।	I am fully experienced in doing these things.
बना-बनाया काम बिगड़ गया।	Something which was fully perfected is now spoiled.

3. <u>Expressions in Conversational Strategy</u>

As in English and other languages, Hindi also has numerous expressions which are employed very productively in the interactive use of the language. They will thus appear in actual conversation but also in written prose such as plays, where conversation is implied.

गोली मारिये	Ignore it; Let it go (lit., shoot it)
अब रहने दो	Stop it; Let it be; Leave it alone
भला यह पूछने की बात है	It is quite obvious (lit., one doesn't need to ask a question)
छोड़िये जाने दीजिये	Let it go; Ignore it
और नहीं तो क्या	Absolutely; what else
हरगिज़ नहीं	Absolutely not
मुझे ख़ामख़ाह परेशान करती हो	You pester me uselessly
मैं यूंही मज़ाक कर रहा था	I was just joking
गाड़ी चल रही है	Life is getting along more or less satisfactorily; I am getting along
ज़िंदगी कट रही है	life is going on somehow

For more expressions see Sheela Verma's *Intermediate Hindi Text Book* (मध्यवर्ती हिन्दी पाठ्य पुस्तक)

III. IDIOMATIC COLLOCATIONS WITH THE VERB *लगाना*

लगाना

लगाना (as also its intransitive counterpart लगना) is a very productive verb in Hindi which collocates in many contexts which may not be possible in English. The basic meaning of this verb is "to apply" or "bring into context" with extended meanings in various contexts.

A. In the sense of 'smearing' generally used with nouns denoting liquid, dust, color.

दवा/ मरहम/ तेल लगाना	to rub medication or oil
मिट्टी/धूल लगना	to be smeared with dust
रंग/स्याही लगना	to be smeared with color or ink
साबुन लगाना	to soap oneself
पान लगाना	to prepare 'paan' by smearing the condiments

B. In the sense of 'planting' of trees, flowers, bushes etc.

पेड़/ पौधा/ फूल लगाना	to plant

C. In the sense of 'passage of time' with time nouns

इसमें बहुत देर लगी
आपने बहुत समय लगाया
आपने घंटों लगा दिये

D. To denote attaching of small objects to larger objects

मैंने दीवार पर तस्वीर लगाई।	I hung a picture on the wall.
मैंने कमीज़ में बटन लगाया।	I stitched a button on the shirt.
मैंने दरवाज़े पर ताला लगा दिया।	I locked the door.

E. In the sense of cost or investing of money

इसमें बहुत पैसा लगा।	It has cost me a lot of money.
इस ख़त को भेजने में कितना टिकट लगा?	How many stamps will this letter require?

F. In the sense of setting up things, especially furniture

मैं बिस्तर लगा रही हूँ।	I am making the bed.
मैं मेज़ लगा रही हूँ।	I am setting the dinner table.
मैं खाना लगा रही हूँ।	I am setting (the food on) the dinner table.
मैं मच्छरदानी लगा रही हूँ।	I am hanging the mosquito net.

G. In the sense of mental application

दिमाग लगाना	to apply one's mind
मन लगाना	to be interested (lit., to apply one's heart)
ध्यान लगाना	to apply concentration

H. In the sense of 'cosmetic application'

टीका/तिलक लगाना	to put a 'tilak' on one's forehead
विग लगाना	to wear a wig
चश्मा लगाना	to wear glasses
लिपस्टिक लगाना	to wear lipstick

I. In the sense of being affected by emotions or physical sensations

शर्म लगना	to feel abashed; to feel shy; also to have a sense of shame
डर/भय लगना	to be scared
बुरा लगना	to mind
भूख/प्यास लगना	to be hungry/thirsty
गर्मी/ठंड लगना	to feel hot/cold
चोट लगना	to feel hurt; to get injured

J. Miscellaneous

आग लगना/लगाना	to catch fire/to set fire
नौकरी लगना	to get a job
हाथ लगाना	to start doing something
हाथ लगाना	to touch something
हवा लगना	to catch the ways

IV. **TEXTUAL COMPREHENSION AND EXERCISES**

Answer the following questions

1. गोपाल अण्डे खाने के लिए क्या बहाना बनाता था और श्याम कैसे छिप कर अण्डे खाया करता था?
2. इस घर में किस-किस चीज़ पर प्रतिबंध (restriction) हैं? ये प्रतिबंध किसने लगाये?
3. इस एकांकी (one act play) में जिस घर का वर्णन है उसमें मां जी को छोड़ कर सभी लोगों को अण्डे खाना पसंद है। पर सभी मां जी से छुपा कर अण्डे खाते हैं, क्यों?
4. अम्मा घर में जो कुछ भी हो रहा है उसे जानते हुए भी अनजान क्यों बनी रहती हैं?
5. इस नाटक के पात्रों को अण्डे खाने में उतनी दिक्कत नहीं है जितनी कि अण्डे के छिलकों को संभालकर फेंकने में। इस तथ्य से क्या पता चलता है?
6. इस एकांकी में स्वगीर्य (late) मोहन राकेश भारतीय परामपरागत (traditional) मूल्यों (values) के बारे में क्या कहना चाहते हैं?

Bharatbhushan Agarwal
"Videh"

Bharatbhushan Agarwal is a modern poet. He is the author of more than twenty books which include poems, short stories, novels etc. He has translated extensively from Bengali and English fiction, poetry and plays. A number of his works have been translated into Marathi, Gujarati, Punjabi as well as English and German. He received a Sahityakademi Award for his collection of poems in 1973. He would be classed among the 'Prayogvādi' or experimental poets of the post-Chāyāvādī era.

विदेह

भारतभूषण अग्रवाल

आज जब घर पहुंचा शाम को
तो बड़ी अजीब घटना हुई
मेरी ओर किसी ने भी कोई ध्यान ही न दिया
चाय को न पूछा आके पत्नी ने
बच्चे भी दूसरे ही कमरे में बैठे रहे
नौकर भी बड़े ढीठ ढंग से झाड़ू लगाता रहा
मानो मैं हूं ही नहीं--
तो क्या मैं हूं ही नहीं ?

और तब बोध के ही साथ यह विस्मय मन में जगा :
अरे ! मेरी देह आज कहां है ?
रेडियो चलाने को हुआ-- हाथ गायब हैं
बोलने को हुआ-- मुंह लुप्त है
दृष्टि है परंतु हाय ! आंखों का पता नहीं
सोचता हूं पर सिर शायद नदारद है--
तो फिर-- तो फिर मैं भला घर कैसे आया हूं ?

और तब धीरे-धीरे ज्ञान हुआ--
भूल से मैं सिर छोड़ आया हूं दफ्तर में
हाथ बस में ही टंगे रह गये
आँखें ज़रूर आज फ़ाइलों में बन्द हैं
मुंह टेलीफोन से ही चिपटा-सटा होगा
और पैर हो-न-हो क्यू में रह गये हैं--

bodiless

तभी तो मैं आज घर आया हूं विदेह ही । that's why I came home bodiless

bodiless life imagination, thought
philosophy substance, essence
weariness included
bodiless grab, snatch

देह-हीन जीवन की कल्पना तो
भारतीय संस्कृति का सार है
पर क्या उसमें यह थकान भी शामिल है
जो मुझ अंगहीन को दबोचे ही जाती है ?

the essence of Indian culture is to get away from body

but if I am w/o body, then why this weariness still holding me though I am bodiless

detachment from society - alienation
common modern lit, urban theme
desperation - his body isn't attached - fear
not from yoga or renunciation - from modern life
this isn't moksha
detachment from family
modern relationships
focus on devotion to work, not to god
love his imagery - alienation + urban world - desperation, confusion
existentialism

Upendranath "Ashk"
"Adhikār kā Rakṣak"

Upendranath "Ashk" was born in 1910 in Jallundhar in Punjab and began his literary career writing in Urdu. He was educated in Lahore and started most of his writings from 1925. Among Premchand's contemporaries, other short story writers who deserve mention are Chandradhar Sharma Guleri, Jaishankar Prasad, as well as others. In the generation that came after Premchand, major figures include Yashpal, Agyeya and Upendranath "Ashk". Ashk became a prolific writer of plays, novels and stories. His writings deal with the various everyday problems of the middle class, and he adds a psychological touch.

Among Marxist story-tellers, Ashk occupies a place second only to Yashpal's. Just as the stories written by psychological writers are different from one another in respect of their approach and style, the Marxist stories are different in the same way. Ashk is very different from Yashpal. The plot-constructions of the stories he wrote around 1937 allow him to be included among "progressive" story-writers. In his stories and plays the narration progresses gently through social settings, and there is a touch of reality in the events that occur. Whereas Yashpal uses the natural setting merely as a brief background of the story, Ashk makes it a part of the story.

After partition Ashk settled down in Allahabad and started writing plays for the stage and All India Radio. He was himself a good actor and an expert organizer of stage production. Most of his one-act plays are very suited to staging. His plays have a great deal of depth and perception of the anomalies and ironies of life, and he expresses this with subtle sarcasm. For example: in the play you will read, there is a scene in which the main character is shown mistreating his wife and his servants, and later is shown as being associated with the movement for the uplifting of women and the down-trodden.

"Adhikār kā Rakṣak" is a satirical play. The author concentrates on illustrating the hypocritical nature of some politicians, here represented by Śrī Seṭh, an elected member of a legislative assembly. As the play begins, election time is drawing near and Seṭh is attempting to muster support from various groups and associations by using any promise or pledge possible. To the representatives of the groups he portrays himself as a tireless, selfless servant of the disadvantaged. This is contrasted sharply with his actual conduct, shown in his relations with his family and employees.

The primary characters of this play are Śrī Seṭh; his wife, Śrīmatī Seṭh; their child, Balrām; Rāmlakhan, the household servant; Bhagvatī, the woman sweeper; the editor of Śrī Seṭh's newspaper, and others who solicit the politician's spoils. The Hindi of this play accurately illustrates a harsh and severe spoken style.

अधिकार का रक्षक

उपेन्द्रनाथ "अश्क"

टेलीफ़ोन की घंटी बजती है ।
श्री० सेठ समाचार-पत्र ट्रे में
फेंककर चोंगा उठाते हैं ।

श्री० सेठ : हेलो ! ......(ज़रा और ऊँचे) हेलो ! ......हाँ, हाँ, मैं ही
बोल रहा हूँ । घनश्यामदास । आप...... अच्छा अच्छा,
रलाराम जी मन्त्री हरिजन सभा हैं ! नमस्ते, नमस्ते ।
(ज़रा हँसते हैं) सुनाइए महाराज, कल के जलसे की कैसी
रही ? ......अच्छा ! आप के भाषण के बाद हवा पलट
गयी । सब हरिजन मेरे पक्ष में प्रचार करने को तैयार हो
गये ? हिं हिं...... हिं हिं...... ठीक ठीक ! आपने ख़ूब
कहा, ख़ूब कहा आपने ! हिं हिं...... हिं हिं...... वास्तव में
मैंने अपना समस्त जीवन पीड़ितों, पददलितों और गिरे
हुओं को ऊपर उठाने में लगा दिया है । बच्चों को ही
लीजिए ! हमारे घरों में उनकी दशा कैसी शोचनीय है ?
उनके लालन-पालन और शिक्षा-दीक्षा की पद्धति कितनी
पुरानी, ऊल-जलूल और दकयानूसी है ? उनके स्वास्थ्य
की ओर कितना कम ध्यान दिया जाता है और अनुचित-
दबाव में रख कर उन्हें कितने डरपोक और भीरु बनाया
जाता है ? उन्हें......

छोटा बच्चा बलराम भीतर आता
है ।

बलराम : बाबू जी, बाबू जी, हमें मेले......

श्री० सेठ : (पूर्ववत् टेलीफ़ोन पर बातें कर रहे हैं, पर

आवाज़ तनिक ऊँची हो जाती है) हाँ, हाँ, मैं कह रहा हूँ
कि मैंने बच्चों के लिए, उनकी शिक्षा-दीक्षा के लिए
उनके स्वास्थ्य......

बलराम : (और समीप आकर कुर्ते का छोर पकड़ कर)
बाबू जी......

श्री० सेठ : (चोंगे से मुह हटाकर, क्रोध से) ठहर ठहर
कमबख़्त ! देखता नहीं मैं टेलीफ़ोन पर बात......
बच्चा रोने लगता है ।

श्री० सेठ : (टेलीफ़ोन पर) मैं आप से अभी एक सेकेंड में बात
करता हूँ, इधर ज़रा शोर हो रहा है ।
चोंगा खट से मेज़ पर रख देते
हैं ।

--- : (बच्चे से) चल, निकल यहाँ से । सूअर ! कमबख़्त !!
कान पकड़कर उसे दरवाज़े की
तरफ़ घसीटते हैं, बच्चा रोता
हुआ बैठ जाता है ।

--- : (नौकर को आवाज़ देते हैं) ओ रामलखन, ओ
रामलखन !

रामलखन : (बाहर से) आये रहे बाबू जी ।
भागता हुआ भीतर आता है ।
साँस फूली हुई है ।

--- : जी बाबू जी ।

श्री० सेठ : (नौकर को पीटते हुए) सूअर ! हरामख़ोर ! पाजी !
क्यों इसे इधर आने दिया ? क्यों इधर आने दिया इसे ?

रामलखन : अब बाबू काहे मारत हो ? लिये तो जात रहे ?
लड़के का बाजू थामकर उसे

बाहर ले जाता है।

श्री० सेठ : और सुनो, किसी को इधर मत आने दो। कोई बाहर से आये तो पहले आकर ख़बर दो। समझे। नहीं तो मारकर खाल उधेड़ दूँगा।

नौकर और लड़के को बाहर निकालकर ज़ोर से किवाड़ लगा देते हैं।

--- : हुँ! अहमक़! मुफ़्त में इतना समय नष्ट कर दिया।

चोंगा उठाते हैं।

--- : **(तनिक कर्कश स्वर में)** हेलो!...... **(स्वर में तनिक विनम्रता लाकर)** अच्छा, अच्छा आप अभी हैं **(स्वर को कुछ और संयत करके)** तो मैं कह रहा था कि प्रांत में मैं ही ऐसा व्यक्ति हूँ जिसने उस अत्याचार के विरुद्ध आन्दोलन किया जो घरों और स्कूलों में छोटे छोटे बच्चों पर तोड़ा जाता है और फिर वह मैं ही हूँ, जिसने पाठशालाओं में शारीरिक दंड को तत्काल बन्द कर देने पर ज़ोर दिया। दूसरे अत्याचार-पीड़ित लोग, घरों में काम करने वाले भोले-भाले निरीह-नौकर हैं, जो क्रूर मालिकों के ज़ुल्म का शिकार बनते हैं। इस अत्याचार और अन्याय को जड़ से उखाड़ने के हेतु मैंने नौकर-यूनियन स्थापित की। इसके अतिरिक्त ब्राह्मण होते हुए भी मैंने हरिजनों का पक्ष लिया, उसके स्वत्वों की, उनके अधिकारों की रक्षा के लिए मैंने दिन-रात एक कर दिया है और अब भी यदि परमात्मा ने चाहा और यदि मैं धारा-सभा में गया तो......

दरवाज़ा खुलता है।

रामलखन : **(दरवाज़े से झांककर)** बाबू जी जमादारिन......

श्री० सेठ : **(टेलीफ़ोन पर बात जारी रखते हुए)** मैं वहाँ भी हरिजनों की सेवा करूँगा। आप अपनी हरिजन-सभा में इस बात की घोषणा कर दें।

रामलखन : **(ज़रा अन्दर आकर)** बाबू जी......

श्री० सेठ : **(क्रोध से)** ठहर पाजी, **(टेलीफ़ोन में)** नहीं नहीं, मैं नौकर से कह रहा था **(खिसियाने से होकर हँसते हैं)** हाँ, तो आप घोषित कर दें कि मैं असेम्बली में हरिजनों के पक्ष की हिमायत करूँगा और वे मेरे हक में प्रोपेगेंडा करें। ......हैं ......क्या ? ......अच्छा अच्छा ......मैं अवश्य ही जलसे में शामिल होने का प्रयास करूँगा। क्या करूँ अवकाश नहीं मिलता...... हिं हिं...... हिं हिं...... (हँसते हैं) अच्छा नमस्कार।

टेलीफ़ोन का चोंगा रख देते हैं।

--- : (नौकर से) तुझे तो कहा था, इधर मत आना।

रामलखन : आप ई तो कहे रहे कि कऊ आये तो इत्तला कर देई मुदा अब ई जमादारिन अपनी मजूरी मांगत......

श्री० सेठ : **(गुस्से से)** कह दे उससे, अगले महीने आये। मेरे पास समय नहीं। जा और किसी को मत आने दे !

भंगिन : **(दरवाज़े के बाहर से विनीत स्वर में)** महाराज, दूधो नहाओ, पूतों फलो। दो महीने हो गये हैं।

श्री० सेठ : कह जो दिया, फिर आना। जाओ। अब समय नहीं।

भगवती प्रवेश करता है।

भगवती : जयराम जी की बाबू जी।

श्री० सेठ : तुम इस समय क्यों आये हो भगवती ?

भगवती : बाबू जी, हमारा हिसाब कर दो।

श्री० सेठ : (बेपरवाही से) तुम देखते हो, आज-कल चुनाव के
कारण कुछ नहीं सूझता। कुछ दिन ठहर जाओ।

भगवती : बाबू जी, अब एक घड़ी भी नहीं ठहर सकते। आप
हमारा हिसाब चुका ही दीजिए।

श्री० सेठ : (ज़रा ऊँचे स्वर में) कहा जो है, कुछ दिन ठहर
जाओ। यहाँ अपना तो होश नहीं और तुम हिसाब हिसाब
चिल्ला रहे हो।

भगवती : जब आपकी नौकरी करते हैं तो खाने के लिए और
कहाँ माँगने जायँ ?

श्री० सेठ : अभी चार दिन हुये, दो रुपये ले गये थे।

भगवती : वे कहाँ रहे ? एक तो मार्ग में बनिये की भेंट हो गया।
दूसरे से मुश्किल से आज तक काम चला है।

श्री० सेठ : (जेब से रुपया निकालकर फ़र्श पर फेंकते हुए)
तो लो। अभी यह एक रुपया ले जाओ।

भगवती : नहीं बाबू जी, एक एक नहीं। आप मेरा सब हिसाब
चुका दीजिए। वेतन मिले तीन तीन महीने हो गये हैं।
एक-एक, दो- दो से कितने दिन काम चलेगा ? हमारे भी
आख़िर बीबी- बच्चे हैं; उन्हें भी खाने-ओढ़ने को
चाहिए। आप एक दिन के चाय-पानी में जितना खर्च
कर देते हैं, उतना हमारे एक महीने......

श्री० सेठ : (क्रोध से) क्या बक-बक कर रहे हो ! कह जो दिया,
अभी यह ले जाओ, बाकी फिर ले जाना।

भगवती : हम तो आज ही सब लेकर जायँगे।

श्री० सेठ : (उठकर, और भी क्रोध से) --क्या कहा ! आज ही
लोगे। अभी लोगे ! जा। नहीं देते। एक कौड़ी भी नहीं
देते। निकल जा यहाँ से, जा, जाकर पुलिस में रिपोर्ट कर

दे। पाजी, हरामखोर, सूअर ! आज तक, सब्जी में, दाल में, सौदा-सुलुफ में, यहाँ तक कि बाज़ार से आने वाली हर एक चीज़ में पैसे रखता रहा, हमने कभी कुछ न कहा और अब यों अकड़ता है। जा। निकल जा। जाकर अदालत में मामला चला दे। चोरी के अपराध में छै महीने के लिए जेल न भिजवा दूँ तो नाम नहीं।

भगवती : सच है बाबू जी, ग़रीब लाख ईमानदार हो तो भी चोर है, डाकू है और अमीर यदि आँखों में धूल झोंककर हज़ारों पर हाथ साफ़ कर जाय, चन्दे के नाम पर सहस्रों...... !

श्री० सेठ : (क्रोध से पागल होकर) तू जायगा या नहीं, (नौकर को आवाज़ देते हैं) रामलखन, रामलखन !

रामलखन : जी बाबू जी, जी बाबू जी !

भागता हुआ भीतर आता है।

श्री० सेठ : इसको बाहर निकाल दो।

रामलखन : (भगवती के बलिष्ट, चौड़े चकले शरीर को नख से शिख तक देख कर) ई को बाहर निकारि दें, ई हम सों कब निकसत, ई तो हमें निकारि दे......

श्री० सेठ : (बाजू से रामलखन को परे हटाकर) हट, तुझसे क्या होगा ? (भगवती को पकड़कर पीटते हुए बाहर निकालते हैं।)

--- : निकालो, निकालो।

भगवती : मार लें और मार लें। हमारे चार पैसे रखकर आप लखपती न हो जायँगे।

श्री० सेठ उसे बाहर निकालकर ज़ोर से दरवाज़ा बन्दकर देते हैं।

श्री० सेठ : (रामलखन से) तुम यहाँ क्या देख रहे हो ? निकलो ।

> रामलखन डर कर निकल जाता है । श्री० सेठ तक़्त पर लेट जाते हैं ।

--- : मूर्ख, नामाकूल !

> फिर उठकर कमरे में इधर उधर घूमते हैं, फिर सीटी बजाते हैं और घूमते हैं, फिर नौकर को आवाज़ देते हैं ।

--- : रामलखन, रामलखन !

रामलखन : (बाहर से) आये रहे बाबू जी !

> प्रवेश करता है ।

श्री० सेठ : समाचार-पत्र अभी आया है कि नहीं ।

रामलखन : आ गया बाबू जी, बड़े काका पढ़ि रहन, अभी लाये देत ।

श्री० सेठ : पहले इधर क्यों नहीं लाया ? कितनी बार तुझे कहा है, अख़बार पहले इधर लाया कर । ला भाग कर ।

> रामलखन भागता हुआ जाता है ।

श्री० सेठ : (घूमते हुए अपने आप) मेरा वक्तव्य कितना जोरदार था, छात्रों में हलचल मच गयी होगी, सब की सहानुभूति मेरे साथ हो जायगी ।

> टेलीफ़ोन की घंटी बजती है ।
> श्री० सेठ जल्दी से चोंगा उठाते हैं ।

--- : (टेलीफ़ोन पर, धीरे से) हेलो ! (ज़रा ऊँचा) हेलो !

...कौन साहब? ...मन्त्री होजरी-यूनियन ! अच्छा अच्छा, नमस्कार, नमस्कार। हिं हिं...... हिं हिं...... सुनाइए, आपके चुनाव-क्षेत्र का क्या हाल है ? ......क्या ? ......सब मेरे पक्ष में वोट देने को तैयार हैं। मैं कृतज्ञ हूँ। मैं आप का अत्यन्त कृतज्ञ हूँ......

......इस ओर से आप बिलकुल निश्चिन्त रहें। मैं उन लोगों में से नहीं जो कहते कुछ हैं और करते कुछ हैं। मैं जो कहता हूँ वही करता हूँ और जो करता हूँ वही कहता हूँ। आपने मेरी चुनाव-सम्बन्धी घोषणा नहीं पढ़ी। मैं असेम्बली में जाते ही मज़दूरों की अवस्था सुधारने का प्रयास करूँगा। उनकी स्वास्थ्य-रक्षा, सुख-आराम, पठन-पाठन और दूसरी माँगों के सम्बन्ध में विशेष बिल धारासभा में पेश करूँगा !......

....क्या ? हाँ... हाँ, इस ओर से भी मैं बेपरवाह नहीं। मैं जानता हूँ, इस सिलसिले में श्रम-जीवियों को किस मुसीबत का सामना करना पड़ता है। ये पूँजी-पति ग़रीब मज़दूरों के कई- कई महीनों के वेतन रोककर उन्हें भूखों मरने पर विवश कर देते हैं, स्वयं मोटरों में सैर करते हैं, शानदार होटलों में खाना खाते हैं, और जब ये ग़रीब दिन-रात परिश्रम करने के बाद-- लोहू पानी एक कर देने के बाद, अपनी मज़दूरी माँगते हैं तब उन्हें हाथ तंग होने का, कारोबार में हानि होने का अथवा कोई ऐसा ही दूसरा बहाना बनाकर टाल देते हैं। मैं असेम्बली में जाते ही एक ऐसा बिल पेश करूँगा जिससे वेतन के बारे में मज़दूरों की सब शिकायतें सरकारी तौर पर सुनी जायँ और जिन लोगों ने ग़रीब श्रमिकों के वेतन तीन महीने से

अधिक दबा रक्खे हों उनके विरुद्ध मामला चलाकर उन्हें दंड दिया जाय । .....हाँ, आपकी यह माँग भी सोलहो आने ठीक है । मैं असेम्बली में इस माँग का समर्थन करूँगा । सप्ताह में ४२ घंटे काम की माँग कोई अनुचित नहीं । आख़िर मनुष्य और पशु में कुछ तो अन्तर होना ही चाहिए । तेरह तेरह घंटे की ड्यूटी ! भला काम की कुछ हद भी है !

धीरे-धीरे दरवाज़ा खुलता है और सम्पादक महोदय भीतर आते हैं-- पतले-दुबले से, आँखों पर मोटे शीशे की ऐनक चढ़ी है । गाल पिचक गये हैं और ऐसा प्रतीत होता है जैसे आपको देर से प्रवाहिका का रोग है । धीरे से दरवाज़ा बन्द करके खड़े रहते हैं ।

श्री० सेठ : (सम्पादक से) आप बैठिये (टेलीफ़ोन पर) ये हमारे सम्पादक महोदय आये हैं । अच्छा तो फिर संध्या को आप की सभा हो रही है । मैं आने का प्रयास करूँगा । और कोई बात हो तो कहिए । नमस्कार !

चोंगा रख देते हैं ।

--- : (सम्पादक से) बैठ जाइए । आप खड़े क्यों हैं !

सम्पादक : नहीं, नहीं, कोई बात नहीं ।

तकल्लुफ़ के साथ कौच पर बैठते हैं । रामलखन समाचार-पत्र लिए आता है ।

रामलखन : बड़े काका तो देत नहीं रहन, मुदा जबरदस्ती लेई आए।

श्री० सेठ : (समाचार-पत्र लेकर) जा, जा, बाहर बैठ !

कुर्सी को तख़्त-पोश के पास सरका कर उस पर बैठते हैं, पाँव तख़्त-पोश पर टिका लेते हैं और समाचार-पत्र देखने लगते हैं।

सम्पादक : मैं..... ......मैं...

श्री० सेठ : (पत्र बन्द करके) हाँ, हाँ, पहले आप ही फर्माइए !

सम्पादक : (ओठों पर ज़बान फेरते हुए) बात यह है कि मेरी...... मेरा मतलब है...... कि मेरी आँखें बहुत खराब हो रही हैं।

श्री० सेठ : आपको डाक्टर से परामर्श करना चाहिए था। कहिए डाक्टर खन्ना के नाम रुक्का लिख दूँ।

सम्पादक : नहीं, यह बात नहीं, (थूक निगल कर) बात यह है कि मेरी आँखें इतना बोझ नहीं सहन कर सकतीं। आप जानते हैं, मुझे दिन के बारह बजे आना पड़ता है। बल्कि आज-कल तो साढ़े ग्यारह ही बजे आता हूँ। शाम को छः सात बजे जाता हूँ, फिर रात को नौ बजे आता हूँ फिर एक भी बज जाता है, दो भी बज जाते हैं, तीन भी बज जाते हैं।

श्री० सेठ : तो आप इतनी देर न बैठा करें। बस, जल्दी काम निबटा दिया......।

सम्पादक : मैं तो लाख चाहता हूँ, पर जल्दी कैसे निबट सकता है ? एक मैं हूँ और दो दूसरे आदमी हैं, जो न ठीक अनुवाद कर सकते हैं, न ठीक लेख लिख सकते हैं और पत्र बड़े बड़े आठ पृष्ठों का निकालना होता है। फिर भी

शायद काम जल्दी खत्म हो जाय, पर कोई समाचार रह गया तो आप नाराज़.....

श्री० सेठ : हाँ, हाँ, समाचार तो रहना चाहिए।

सम्पादक : और फिर यही नहीं, आपके भाषणों की रिपोर्ट की भी प्रतीक्षा करनी होती है। उन्हें ठीक करते-करते डेढ़ बज जाता है। अब आप ही बताइए पहले कैसे जा सकते हैं ?

श्री० सेठ : (बेज़ारी से) तो आख़िर आप चाहते क्या हैं ?

सम्पादक : मैंने पहले भी निवेदन किया था कि यदि एक और आदमी का प्रबन्ध कर दें तो अच्छा हो। दिन को वह आ जाया करे, रात को मैं और फिर प्रति सप्ताह बदली भी हो सकती है। इससे..

श्री० सेठ : मैं आप से पहले भी कह चुका हूँ, यह असम्भव है, बिलकुल असम्भव है। पत्र कोई बहुत लाभ पर नहीं चल रहा है। इस पर एक और सम्पादक के वेतन का बोझ कैसे डाला जा सकता है ? अगले महीने पाँच रुपये मैं आप के बढ़ा दूँगा।

सम्पादक : मेरा स्वास्थ्य आज्ञा नहीं देता। आख़िर आँखें कब तक बारह-बारह तेरह-तेरह घंटे काम कर सकती हैं ?

श्री० सेठ : कैसी मूर्खों की बातें करते हो जी। छः महीने में पाँच रुपया वृद्धि तो सरकार के घर में भी नहीं मिलती। यों आप काम छोड़ना चाहें तो शौक से छोड़ दें। एक नहीं दस आदमी मिल जायँगे, परन्तु...

रामलखन भीतर आता है।

रामलखन : बाहर द्वि लड़िका आप से मिलना चाहत रहन।

श्री० सेठ : कौन है ?

रामलखन : कोई सकटड़ी कहे रहन......

श्री० सेठ : जाओ, बुला लाओ । (सम्पादक से) आज के पत्र में
मेरा जो वक्तव्य प्रकाशित हुआ है, मालूम होता है, उसका
कालेज के लड़कों पर अच्छा प्रभाव पड़ा है ।

सम्पादक : (मुँह फुलाये हुए) अवश्य पड़ा होगा ।

श्री० सेठ : मैंने छात्रों के अधिकारों की हिमायत भी तो खूब की
है, छात्र संघ ने जो माँगें विश्वविद्यालय के सामने पेश की
हैं, मैंने उन सब का समर्थन किया है ।

> दो लड़के प्रवेश करते हैं । दोनों
> सूट पहने हुए हैं, एक ने टाई
> लगा रक्खी है, दूसरे के गले खुले
> कालर की कमीज़ है ।

दोनों : नमस्ते ।

श्री० सेठ : नमस्ते ?

> दोनों कौच पर बैठते हैं ।

श्री० सेठ : कहिये मैं आपकी क्या सेवा कर सकता हूँ ।

खुले कालर वाला : हमने आज आपका वक्तव्य पढ़ा है ।

श्री० सेठ : आपने उसे कैसा पसन्द किया ?

वही लड़का : छात्रों में सब ओर उसी की चर्चा है । बड़ा जोश
प्रकट किया जा रहा है ।

श्री० सेठ : आपके मित्र किधर वोट दे रहे हैं ?

वही लड़का : कल तक तो कुछ न पूछिए; लेकिन मैं आपको
निश्चय दिलाता हूँ कि आज ७५ प्रतिशत आपकी ओर हो
गये हैं । अभी हमारी सभा हुई थी । छात्रों का बहुमत
आपकी ओर था ।

श्री० सेठ : (प्रसन्नता से) और मैंने गलत ही क्या लिखा है ?

जिन लोगों का मन बूढ़ा हो चुका है वे नवयुवकों का प्रतिनिधित्व क्या खाक करेंगे ! युवकों को तो उस नेता की आवश्यकता है जो शरीर से चाहे बूढ़ा हो चुका हो, पर जिसके विचार न बूढ़े हों, जो रिफ़ार्म से खौफ न खाये, सुधारों से कन्नी न कतराये।

वही लड़का : हम अपने कालेज के प्रबन्ध में भी कुछ परिवर्तन चाहते थे। परन्तु कालेज के सर्वे-सर्वाओं ने हमारी बात ही नहीं सुनी।

श्री० सेठ : आपको प्रोटेस्ट करना चाहिये था।

वही लड़का : हमने हड़ताल कर दी है।

श्री० सेठ : आपने क्या माँगें पेश की हैं ?

वही लड़का : हम वर्तमान प्रिंसिपल नहीं चाहते। न वह ठीक तरह पढ़ा सकता है, न ठीक प्रबन्ध कर सकता है। कोई छींके तो जुर्माना कर देता है, कोई खाँसे तो बाहर निकाल देता है। छात्रों से उसका व्यवहार सर्वथा अनुचित और उनके नातेदारों से अत्यन्त अपमानजनक है।

श्री० सेठ : (कुछ उत्साह हीन होकर) तो आप क्या चाहते हैं ?

दोनों : हम योग्य प्रिंसिपल चाहते हैं।

श्री० सेठ : (गिरी हुई आवाज़ में) आपकी माँग उचित है, पर अच्छा होता यदि आप हड़ताल करने के बदले कोई वैधानिक रीति प्रयोग में लाते, प्रबन्धकों से मिल-जुलकर मामला ठीक करा लेते।

वही लड़का : हम सब कुछ करके देख चुके हैं।

श्री० सेठ : हूँ !

टाई वाला लड़का : बात यह है जनाब कि छात्र कई वर्षों से

वर्तमान प्रिंसिपल से असन्तोष प्रकट करते आ रहे हैं। व्यवस्थापकों ने भी परवाह नहीं की। कई बार आवेदन-पत्र कालेज की प्रबन्धक-कमेटी के पास भेजे गये, पर कमेटी के कानों पर जूँ तक भी नहीं रेंगी। हार कर हमने हड़ताल कर दी है। कठिनाई यह है कि कमेटी काफ़ी मज़बूत है, प्रेस पर उसका अधिकार है। हमारे विरुद्ध सच्चे-झूठे वक्तव्य प्रकाशित कराये जा रहे हैं, और हमारी खबर तक नहीं छापी जाती। आपने छात्रों की सहायता का, उनके अधिकारों की रक्षा का बीड़ा उठाया है। इसीलिए हम आपकी सेवा में उपस्थित हुए हैं।

श्री० सेठ : **(अन्यमनस्कता से)** मैं आपका सेवक हूँ! ये हमारे सम्पादक हैं, आप कल दफ़्तर में जाकर इनको अपना बयान दे दें। ये जितना उचित समझेंगे, छाप देंगे।

दोनों : **(उठते हुए)** जी बहुत अच्छा, कल हम सम्पादक जी की सेवा में उपस्थित होंगे। नमस्कार।

श्री० सेठ और सम्पादक : नमस्कार।

दोनों का प्रस्थान।

श्री० सेठ : **(सम्पादक से)** यदि कल ये आयें तो इनका वक्तव्य कदापि न छापिए। प्रिंसिपल हमारे कृपालु हैं और कमेटी के सदस्य हमारे मित्र!

सम्पादक : **(मुँह फुलाये हुए)** बहुत अच्छा।

श्री० सेठ : आप घबरायें नहीं, यदि आपको कुछ दिन ज़्यादा काम ही करना पड़ गया तो कौन सी आफ़त आ गयी। जब मैंने पत्र आरम्भ किया था मैं चौदह-चौदह, पन्द्रह-पन्द्रह घंटे काम किया करता था। यह महीना आप किसी न किसी तरह निकालिए, चुनाव हो ले, फिर कोई

प्रबन्ध कर दूँगा।

सम्पादक : (दीर्घ निःश्वास छोड़कर) बहुत अच्छा (मुँह फुलाकर) नमस्कार !

श्री० सेठ केवल सिर हिलाते हैं। सम्पादक महोदय चले जाते हैं। श्री० सेठ फिर समाचार-पत्र पढ़ना आरम्भ करते हैं। दरवाज़ा ज़ोर से खुलता है और बलराम का बाजू थामे श्रीमती सेठ बगूले की भाँति प्रवेश करती हैं।

श्रीमती सेठ : मैं कहती हूँ, आप बच्चों से कभी प्यार करना भी सीखेंगे। जब देखो, घूरते, झिड़कते, डाँटते नज़र आते हो, जैसे बच्चे अपने न हों, पराये हों। भला आज इस बेचारे से क्या अपराध हो गया जो पीटने लगे ? देखो तो सही अभी तक कान कितना लाल है।

श्री० सेठ : (पूर्ववत् समाचार-पत्र पर दृष्टि जमाये हुए) तुम्हें कभी बात करने का सलीका भी आयगा। जाओ। इस समय मेरे पास समय नहीं है।

श्रीमती सेठ : आपके पास हमारी बात सुनने के लिए कभी समय होता भी है ? मारने और पीटने के लिए जाने कहाँ से वक़्त निकल आता है ? इतनी देर से ढूँढ़ रही थी इसे। नाश्ता कब से तैयार था, बीसों आवाज़ें दीं, घर का कोना कोना छान मारा। जाकर देखा कि भूसे की कोठरी में बैठा सिसक रहा है। आख़िर क्या बात हो गयी थी ?

श्री० सेठ : (क्रोध से पत्र को तख़्त पर पटक कर) क्या बके जा रही हो ? बीस बार कहा है कि इन सबको सँभाल

कर रक्खा करो, आ जाते हैं सुबह दिमाग़ चाटने !

श्रीमती सेठ बच्चे के दो थप्पड़
लगाती हैं, बच्चा रोता है ।

श्रीमती सेठ : (बच्चे को पीटते हुए) तुझे कितनी बार कहा है,
इस कमरे में न आया कर । ये बाप नहीं, दुश्मन हैं ।
लोगों के बच्चों से प्रेम करेंगे, उन के सिर पर प्यार का
हाथ फेरेंगे, उनके स्वास्थ्य के लिए बिल पास करायेंगे,
उनकी उन्नति के लिए भाषण झाड़ते फिरेंगे और अपने
बच्चों के लिए भूलकर भी प्यार का एक शब्द ज़बान पर
न लायेंगे ।

बच्चे के एक और चपत लगाती
है ।

--- : तुझे कितनी बार कहा है, न आया कर इस कमरे में । मैं
तुझे नौकर के साथ मेला देखने भेज देती । (आवाज़
ऊँची होते होते रोने की हद को पहुँच जाती है) स्वयं
जाकर दिखा आती । तू क्यों आया यहाँ-- मार खाने,
कान तुड़वाने ?

श्री० सेठ : (क्रोध से पागल होकर, पत्नी को ढकेलते हुए)
--मैं कहता हूँ, इसे पीटना है तो उधर जाकर पीटो । यहाँ
इस कमरे में आकर क्यों शोर मचा दिया ? अभी कोई
आ जाय तो क्या हो ? कितनी बार कहा है, इस कमरे में
न आया करो । घर के अन्दर जाकर बैठा करो ।

श्रीमती सेठ : (तुनक कर खड़ी हो जाती हैं) आप कभी घर के
अन्दर आयें भी । आप के लिए तो जैसे घर के अन्दर
आना पाप करने के बराबर है । खाना इस कमरे में
खाओ, टेलीफ़ोन सिरहाने रख कर इसी कमरे में सोओ,

सारे दिन मिलने वालों का तांता लगा रहे । न हो तो कुछ लिखते रहो, लिखो न तो पढ़ते रहो, पढ़ो न तो बैठे सोचते रहो । अख़िर हमें कुछ कहना हो तो किस समय कहें ?

श्री० सेठ : कौन-सा मैंने उसका सिर फ़ोड़ दिया है, जो कुछ कहने की नौबत आ गयी ? ज़रा-सा उसका कान पकड़ा था कि बस आकाश सिर पर उठा लिया ।

श्रीमती सेठ : सिर फोड़ने का अरमान रह गया हो तो वह भी निकाल डालिए । कहो तो मैं ही उसका सिर फोड़ दूँ ।

उन्मादियों की भाँति बच्चे का सिर पकड़कर तख़्त पर मारती हैं । श्री० सेठ उसे तड़ातड़ पीटते हैं ।

श्री० सेठ : मैं कहता हूँ, तुम पागल हो गयी हो । निकल जाओ यहाँ से । इसे मारना है तो उधर जाकर मारो, पीटना है तो उधर जाकर पीटो, सिर फोड़ना है तो उधर जाकर फोड़ो । तुम्हारी नित्य की बकझक से तंग आकर मैं इधर एकान्त में आ गया हूँ । अब यहाँ आकर भी तुमने चीख़ना-चिल्लाना शुरू कर दिया है । क्या चाहती हो ? यहाँ से भी चला जाऊँ ?

श्रीमती सेठ : (रोते हुए) आप क्यों चले जायँ ? हम ही चली जायँगी ! (भर्राई हुई आवाज़ में नौकर को आवाज़ देती है) रामलखन, रामलखन !

रामलखन : जी बीबी जी ।

प्रवेश करता है ।

श्रीमती सेठ : जाओ । जाकर ताँगा ले आओ । मैं पीहर जाऊँगी ।

तेज़ी से बच्चे को लेकर चली

जाती है । दरवाज़ा ज़ोर से बन्द
होता है ।

श्री० सेठ : मूर्ख ।

आराम कुर्सी पर बैठ कर टाँगे
तख़्त-पोश पर रख लेते हैं और
पीछे को लेटकर अख़बार पढ़ने
लगते हैं । टेलीफ़ोन की घंटी
बजती है ।

श्री० सेठ : (वहीं से चोंगा उठाकर कर्कश स्वर में) हेलो !
हेलो ! ......नहीं, यह ३८१२ है, ग़लत नम्बर है ।

बेज़ारी से चोंगा रख देते हैं ।

--- : ईडियट्स ।

टेलीफ़ोन की घंटी फिर बजती
है ।

--- : (और भी कर्कश स्वर में) हेलो ! हेलो ! ......कौन ?
श्रीमती सरला देवी ! (उठ कर बैठते हैं । चेहरे पर
मृदुलता और स्वर में माधुर्य आ जाता है) माफ़
कीजिएगा, मैं ज़रा परेशान हूँ । सुनाइए तबीअत तो ठीक
है ? .....(दीर्घ निःश्वास छोड़कर) मैं आपकी कृपा से
अच्छा हूँ । सुनाइए आपके महिला-समाज ने क्या पास
किया है ? मैं भी कुछ आशा रक्खूँ या नहीं...... मैं
आपका अत्यन्त आभारी हूँ, अत्यन्त आभारी हूँ । आप
निश्चय रक्खें । मैं जी-जान से स्त्रियों के अधिकारों की
रक्षा करूँगा । महिलाओं के अधिकारों का मुझसे अच्छा
रक्षक आपको वर्तमान उम्मीदवारों में कहीं नज़र न
आयेगा ।......

पर्दा गिरता है ।

Points to Note and Prepare for in the Lesson

अधिकार का रक्षक

I. GRAMMATICAL NOTES AND CONSTRUCTIONS

1. Comparative Adverbs: यूं and यों

यूं and यों are used as adverbials to express the meaning-- "in this manner; in such a way"

श्री सेठ-- हमने कभी कुछ न कहा और अब यों अकड़ता है ।
- Mr. Seth-- I have never said anything to object to his ways and now he behaves so arrogantly.

श्री सेठ ने नौकर को यों देखा कि...
- Mr. Seth looked at the servant in such a way that...

As can be seen from the above examples यूं or यों have a slightly emphatic flavor and tend to be used in sentences expressing disapproval.

यों or यूं are also used in a completely separate function-- a sentence introduction to mean: "as it is; if it be the case; as a possible alternative; if that is suitable;" etc.

यों आप काम छोड़ना चाहें तो शौक से छोड़ दें ।
- If it suits you, please feel free to resign from your job.

Special expressions involving यूं are यूं तो and यूं ही. यूं तो is used in the sense "as it is;" and यूं ही is in the sense "for no particular reason; just like that "

यूं तो विदेश जाने में बहुत पैसा लगता है लेकिन फिर भी मैं जाने की सोच रहा हूं ।

- As it is, it costs a lot to travel abroad, never the less I plan to do so.

मैं यूं ही ज़रा बाज़ार चला गया था ।

- I just went to the bazaar, for no special reason.

2. वह / वो as an emphatic particle

In Hindi-Urdu वह / वो is used as an emphatic particle in the construction

वो...कि

मैंने उसे वो चांटा मारा कि वह बेहोश हो गया ।

- I gave him such a slap that he lost consciousness.

मैंने उसे वो सुनाया कि उसका मुंह बन गया ।

- I let him have it so that he looked helpless.

Please note that in this construction the other demonstrative ' यह' or ' ये' is not normally used.

In this construction ' वह' can be replaced by ऐसा'

मैंने उसे ऐसा चांटा मारा कि वह बेहोश हो गया ।

II. VOCABULARY

1. Idioms and Expressions

खाल उधेड़ना   to skin x alive; to beat the
                           hell out of x

- अगर तुमने मेरी बात न मानी तो तुम्हें मार कर खाल उधेड़ दूंगा ।

कान पर जूं न रेंगना — to have no effect at all (see glossary)

- एक बार नहीं लाखों बार मैंने उनसे कहा कि यह काम ठीक नहीं पर उनके कान पर जूं तक न रेंगी ।

दिमाग चाटना — to expect attention over inconsequential things

- लगे न आप मेरा दिमाग चाटने ?

हिसाब चुकाना/करना — to settle an account

- नौकर ने मालिक से गुस्से में कहा, "आप अभी-अभी मेरा हिसाब चुका दीजिये; मैं आपके यहां काम नहीं कर सकता ।"

कोना-कोना छान मारना — to search every nook and corner

- मैंने घर का कोना-कोना छान मारा, मुझे अपनी घड़ी कहीं न मिली; अवश्य ही किसी ने उसे चुरा लिया ।

आफ़त आना — to get into big trouble or calamity

- अरे, आप तो ऐसे घबरा रहे हैं जैसे कोई आफ़त आ गई हो । बस, आपको एक-दो घंटे और काम करना पड़ सकता है ।

बकबक करना — to talk nonsense; to gossip

- तुम तो हमेशा बकबक करते रहते हो । ज़रा चुप भी रहा करो ।

मुंह फुलाना — to be annoyed

- मेरी बात उन्हें अच्छी न लगी । देखिये, मुंह फुलाकर बैठे हुए हैं ।

ख़ौफ़ न खाना — not to be afraid of something

- तुम हुकूमत चलाते पर तुम्हारी हुकूमत से कोई भी ख़ौफ़ न खाता ।

ख़ाक करना — to ruin

- कल तुम्हारा इम्तहान है । और तुम इतनी देर से आये हो; पढ़ाई क्या ख़ाक करोगे ?

कन्नी कतराना — to avoid

- भई, तुम मुझसे क्यों कन्नी कतराते हो; मैं तो तुम्हारी भलाई की बात कर रहा था ।

लहू-पानी एक करना — to work excessively hard without regard to the effect on one's health

- मज़दूर लहू-पानी एक करके कड़ी मेहनत करते हैं और तब पैसे कमाते हैं ।

(x की) हद होना/करना — for something to reach the limit; used to express exasperation

- भई, तुम दिन-रात काम ही करते रहते हो; काम की भी हद होती है ।

बहाना बनाना — to make excuses

- जब भी मैं आपको अपने साथ चलने को कहता हूं आप बहाना बना देते हैं।

मुसीबत का सामना करना — to face difficulty

- हमारे ग़रीब किसान मुसीबत का सामना कर के ही खेती कर

पाते हैं ।

हाथ तंग होना — to be in a hardship

- आजकल हाथ तंग है इसलिए मकान का किराया मैं वक्त पर नहीं दे सकता ।

सोलह आने ठीक — "a hundred percent correct" lit., correct up to sixteen annas of an Indian rupee

- "आपकी मांग सोलह आने ठीक है," नेता ने बार-बार कहा ।

पैसे रखना/ मारना/ दबाना/ बनाना — to make money

- इस नौकर पर मुझे भरोसा नहीं; हर चीज़ में पैसा रख लेता है ।

हाथ साफ़ करना — to make an illegal profit

- गरीबों पर हाथ साफ़ करने से क्या फ़ायदा होगा ?

आकाश सिर पर उठा लेना — lit., to raise the sky onto one's own head

- क्यों इतना गुस्सा हो रही हो ? ज़रा-सा डपटा (to scold) और तुमने आकाश सिर पर उठा लिया ।

आंख में धूल झोंकना — to cheat

- जनता की आंखों में धूल झोक कर नेता बनने से क्या फ़ायदा होगा ?

आवाज़ देना/ लगाना — to call

- जब मैं उनके घर पहुंचा तो दरवाज़ा बंद था । मैंने ज़ोर-ज़ोर से आवाज़ देनी शुरु की ।

दूधो नहाओ, पूतों फलो — a kind of blessing; may God

make you so wealthy that you bathe in milk and be blessed with many sons.

- जब मैंने बुढ़िया को भर-पेट खिलाया तो उसने कहा, "दूधों नहाओ, पूतों फलो ।"

2. Expressions in Conversational Strategy

See lesson अण्डे के छिलके under conversational strategy.

- कल कैसा रहा?	How did it go yesterday?
- अगर हम ऐसा करें तो कैसा रहे?	How do you think it will work out if I did this?
- आपने ख़ूब कहा।	"What a thing to say!" or "That was well said."
- बच्चों को तो लीजिये	Take the case of the children (for consideration)
- देखो तो सही	Just look at this! (used to insist on the consideration of something, e.g. an action)
-खाइये तो सही	Why don't you have a taste of it first
- अच्छा मैं चलता हूं; इजाज़त दीजिये	This is an expression used in conversation for leave-taking
- तबियत तो ठीक है न?	I hope you are feeling well; you are feeling alright, aren't you? तबियत has a wide range of meaning in the sense of nature, habit, disposition, feeling or one's

	physical condition.
– इसमें मेरी तबियत नहीं लग रही है ।	I do not feel interested in this.
– वह शौकीन तबियत के आदमी थे ।	He was a man of fashionable disposition.
– ख़ैरियत तो है ?	Everything is OK, I hope.
– अपने घर पर सब-कुशल तो है ।	Everyone is fine and in good health in your family.
– बड़ी मेहरबानी	Thank you; lit., great kindness
– भगवान की कृपा है	Everything is alright by God's grace

2.A. Translate the following sentences: Use the appropriate verbs.

1. The bell rang after the class.
2. He tried to uplift the downtrodden.
3. He doesn't pay attention to his health.
4. He called somebody.
5. He raised his voice and spoke.
6. Why did you let him close the door?
7. Please inform him.
8. The students keep on going on a strike.
9. He chatters a lot.
10. The students don't want to waste time.
11. He keeps making excuses.
12. Let me finish my work.

3. Translation compounds

Here both parts mean the same thing.

मार-पीट

नज़दीक-समीप
जी-जान
पठन-पाठन
लालन-पालन
चलना-फिरना
मिलना-जुलना

4. <u>Co-ordinative Compounds</u>

They show semantically paired words.

शिक्षा-दीक्षा
चलना-फिरना
दिन-रात
खाना-पीना
चाय-पानी
सुख-आराम/ चैन
सच्चा-झूठा
इधर-उधर
आज-कल
लहू-पानी
हारे-जीते
बक-झक

5. <u>Echo Compounds</u>

They are used informally; second members usually rhyme.

चाय-वाय
ऊल-जलूल
भोला-भाला

6. Expressions of Insult

Expressions of insult in Hindi use, among other things, names of some animals, such as सूअर "pig," गधा "donkey," उल्लू "owl." It is to be noted that an owl in Hindi usage, unlike in English, is considered a stupid animal. A common way to use these insult words is to add the expression कहीं का

सूअर कहीं का
उल्लू कहीं का
गधा कहीं का

Other commonly used insult words are पाजी "wicked," कमबख़्त "unlucky," हरामख़ोर "one who survives on illegal or immoral gains."

7. Word Derivation

शोच-सोच N	thought
शोचनीय Adj.	deplorable, causing anxiety
शरीर N	body
शारीरिक Adj.	physical
रक्षा N	protection
रक्षक N	protector
जमादार N	sweeper
जमादारिन N (fem.)	female sweeper
शान N	glory

शानदार Adj.	glorious
रसा N	gravy
रसेदार Adj.	gravied
सुंदर Adj.	beautiful
सौन्दर्य N	beauty
मधुर Adj.	sweet
माधुर्य N	sweetness

8. Match the synonyms by selecting the appropriate word from the given list and writing in its number next to the words below:

प्रयास	(1) चश्मा
अवकाश	(2) ख़ून/रक्त
परिश्रम	(3) कोशिश
ऐनक	(4) मेहनत
लहू	(5) फ़ुर्सत
बर्बाद	(6) बचाना
रक्षा करना	(7) के अलावा
के अतिरिक्त	(8) नष्ट करना

TEXTUAL COMPREHENSION AND EXERCISES

Answer the following questions:

1. इस एकांकी का शीर्षक "अधिकार का रक्षक" उपयुक्त है या नहीं ? अपने उत्तर को उदाहरण के साथ समझाइये ।
2. "मैं उन लोगों में से नहीं जो कहते कुछ हैं और करते कुछ

हैं ।" श्री सेठ की बात कहां तक सच है ?

3. श्री सेठ महिला समाज के अधिकार के रक्षक हैं ? कैसे ? उत्तर दीजिये ।

4. नौकर युनियन बनाने में श्री सेठ ने मदद की ? क्यों यह बहुत हास्यप्रद (humorous) है ?

5. इस कहानी को पढ़कर आपको नौकरों और मज़दूरों की हालत के बारे में क्या पता चलता है ?

6. श्री सेठ विभिन्न वर्गों के अधिकारों के रक्षक हैं या भक्षक (devourer-destroyer) हैं ?

7. श्री सेठ के बाहरी राजनीतिक आचरण (conduct) और परिवार के आचरण में आप क्या भेद पाते हैं ?

8. उपेन्द्रनाथ अश्क की कृतियां अपने सूक्ष्म व्यंग्य (subtle satire) के लिए प्रसिद्ध हैं । "अधिकार का रक्षक" में किस प्रकार की असंगति (inconsistency) का उपहास (ridicule) किया गया है ?

Makhan Lal Chaturvedi
"Puṣp kī Abhilāṣā"

Màkhan Lal Chaturvedi was born in 1889 and died in 1968. He was one of the early literary figures of the 20th century. He was also very active in politics and went to jail several times in the Indian Independance movement.

He was a poet who evoked nationalism and the poem selected here, "Puṣp kī Abhilāṣā," a favorite of his, is a very good example of that.

पुष्प की अभिलाषा

माखनलाल चतुर्वेदी

चाह नहीं, मैं सुरबाला के
गहनों में गूंथा जाऊं,
चाह नहीं, प्रेमी-माला में
बिंध प्यारी को ललचाऊं !

चाह नहीं सम्राटों के शव
पर, हे हरि, डाला जाऊं,
चाह नहीं, देवों के शिर पर
चढ़ूं भाग्य पर इठलाऊं ।

मुझे तोड़ लेना, वनमाली !
उस पथ में देना तुम फेंक
मातृभूमि पर शीश चढ़ाने,
जिस पथ जावें वीर अनेक !

Mirabai

Mirabai is probably the most popular of the devotional poets of the medieval Hindi Literature. Her poetical compositions are genuinely lyrical and therefore make for very popular songs which are sung even today all over northern India, if not the whole of India. Her lyrics form an important part of the repertoire of popular singers, and the piece selected in this textbook is one of her best known, easily recognized by the educated as well as the common masses.

Mirabai is a poet of the early 16th century, who was born in 1498 A.D. in a village in Rajasthan. She lost her parents at a very early age and was raised by her grandfather who was a man of a deep religious temperament. That probably had some influence on her own religious leanings. She became a devotee of Krishna and spent her time in worship and in singing devotional songs in the company of other devotees, which continued even after her marriage to Bhojraj, the prince of Udaipur and the son of Maharana Sanga. Her conduct was considered very unorthodox and unacceptable to the members of the royal family, who, it is believed prosecuted her and even tried to imprison her.

Mira's lyrics are characterized by the sentiments of a love-lorn woman who is spiritually intoxicated. Her language is essentially Rajasthani Hindi with mixtures of Brajbhasha and Gujarati. One may even come across versions of her poems with slightly differing linguistic forms. Mirabai is believed to have died in 1546 A.D.

मीराबाई

मेरे तो गिरिधर गोपाल, दूसरो न कोई ।
जाके सिर मोर मुकुट, मेरो पति सोई ।
तात मात भ्रात बंधु, आपनो न कोई ॥
छाँड़ि दई कुल की कानि, कहा करे कोई ।
संतन ढिंग बैठि बैठि, लोक लाज खोई ॥
चूनर के किये टूक, ओढ़ि लीन्हिं लोई ।
मोती मूंगे उतारि, बन माला पोई ॥
अंसुअन जल सींचि सींचि, प्रेम-बेलि बोई ।
अब तो बेलि फैलि गई, आनंद फल होई ॥

Phanishvarnath Renu
"Pañclāiṭ"

. Renu was born in 1921 in the district of Purnea in the state of Bihar. The village of his birth where he spent most of his childhood was settled by a low caste agricultural community to which he belonged. He received his education away from his village, including a year or two at Banaras Hindu University. He was drawn into the political agitation of 1942 for independence from the British and was jailed for three years. During his imprisonment he was drawn to socialism and the question of the betterment of Indian peasants and village society. His rural heritage and participation in the peasant movement certainly seems to have been instrumental in the development of regionalism in his later literary works.

Renu was recognized as a major literary figure in 1955 with the President's Award for the best novel of the year. The award was for his first novel *Mailā Āṅcal* (1954). Other famous novels of his are *Paratī Parikathā* (1957), *Dīrghatapā* (1962), *Julūs* (1965), and *Kitane Caurāhe* (1966). He also published three volumes of stories. His short story "Tīsrī Qasam" and his novel *Mailā Āṅcal* are probably his best-known works and have been made into films. He was also honored by the government of India which conferred on him the title of Padmshree. He died in 1977.

Renu stands very tall as a literary figure in the field of modern Hindi fiction for almost starting a new genre of "regional literature." The language has a regional flavor in terms of its linguistic codes, but -- even more importantly -- his works masterfully express the sensibility and the world view of the region and the values and concerns which to others might seem inconsequential if not downright ridiculous at times.

The story "Pañclāiṭ" deals with a 'crisis' of community pride. Every caste group in the village seems to have the accoutrements of their social get-togethers, including a petromax lantern which they call a "pañclāiṭ." The name 'pañclāiṭ' itself is quite meaningful because of its folk etymology. Because of its brightness and power, "paṅclāiṭ" is the kind of light suitable and appropriate for the "paṅc," that is, the community assembly. Unfortunately, however, the Mahto community hasn't had a "paṅclāiṭ" until now, and its acquisition is a matter of great excitement and tall talk in the community. But then arises an embarrassing and unexpected problem-- no one knows how to light it except for someone in a rival community. There is a young man in their own community who, it seems, can do it, but he happens to be a *persona non grata* because of his wayward romantic ways in disregard of the norms of community behavior. The community, however, after a little bit of heart-wrenching, then decides to overlook his indiscretions in view of his superior talent in lighting the "paṅclāiṭ," which saves the community from humiliation before the other communities in the village.

पंचलाइट

फणीश्वरनाथ "रेणु"

पिछले पन्द्रह महीने से दंड-जुरमाने के पैसे जमा करके महतो टोली के पंचों ने पेट्रोमेक्स खरीदा है इस बार, रामनवमी के मेले में । गाँव में सब मिलाकर आठ पंचायतें हैं । हरेक जाति की अलग-अलग 'सभाचट्टी' है । सभी पंचायतों में दरी, जाजिम, सतरंजी और पेट्रोमेक्स हैं-- पेट्रोमेक्स, जिसे गाँववाले पंचलाइट कहते हैं ।

पंचलाइट खरीदने के बाद पंचों ने मेले में ही तय किया-- दस रुपये जो बच गए हैं, इससे पूजा की सामग्री खरीद ली जाए-- बिना नेमटेम के कल-कब्ज़े वाली चीज़ का पुन्याह नहीं करना चाहिए । अंग्रेज़ बहादुर के राज में भी पुल बनाने से पहले बलि दी जाती थी ।

मेले से सभी पंच दिन-दहाड़े ही गाँव लौटे; सबसे आगे पंचायत का छड़ीदार पंचलाइट का डिब्बा माथे पर लेकर और उसके पीछे सरदार, दीवान और पंच वगैरह । गाँव के बाहर ही ब्राह्मण-टोली के फुटंगी झा ने टोक दिया-- कितने में लालटेन खरीद हुआ महतो ?

....देखते नहीं हैं, पंचलैट है ! बामन टोली के लोग ऐसे ही बात करते हैं । अपने घर की ढिबरी को भी बिजली-बत्ती कहेंगे और दूसरों के पंचलैट को लालटेन !

टोले-भर के लोग जमा हो गए । औरत-मर्द, बूढ़े-बच्चे सभी कामकाज छोड़कर दौड़े आए-- चल रे चल ! अपना पंचलैट आया है, पंचलैट ! छड़ीदार अगनू महतो रह-रहकर लोगों को चेतावनी देने लगा-- हाँ, दूर से, ज़रा दूर से ! छू छा मत करो,

ठेस न लगे ।

सरदार ने अपनी स्त्री से कहा-- साँझ को पूजा होगी; जल्द से नहा-धोकर चौका-पीढ़ी लगाओ ।

टीले की कीर्तन-मंडली के मूलगैन ने अपने भगतिया पच्छकों को समझाकर कहा-- देखो, आज पंचलैट की रोशनी में कीर्तन होगा । बेताले लोगों से पहले ही कह देता हूँ, आज यदि आखर धरने में डेढ़-बेढ़ हुआ, तो दूसरे दिन से एकदम बैकाट !

औरतों की मण्डली में गुलरी काकी गोसाईं का गीत गुनगुनाने लगी । छोटे-छोटे बच्चों ने उत्साह के मारे बेवजह शोरगुल मचाना शुरू किया ।

सूरज डूबने के एक घण्टा पहले ही टोले-भर के लोग सरदार के दरवाज़े पर आकर खड़े हो गए-- पंचलैट, पंचलैट !

पंचलैट के सिवा और कोई गप नहीं, कोई दूसरी बात नहीं । सरदार ने गुड़गुड़ी पीते हुए कहा-- दूकानदार ने पहले सुनाया, पूरे पाँच कोड़ी पाँच रुपया । मैंने कहा कि दूकानदार साहेब, यह मत समझिए कि हम लोग एकदम देहाती हैं । बहुत-बहुत पंचलाइट देखा है । इसके बाद दूकानदार मेरा मुँह देखने लगा । बोला, लगता है आप जाति के सरदार हैं ! ठीक है, जब आप सरदार होकर खुद पंचलैट खरीदने आये हैं तो जाइए, पूरे पाँच कोड़ी में आपको दे रहे हैं ।

दीवानजी ने कहा-- अलबत्ता चेहरा परखनेवाला दूकानदार है । पंचलैट का बक्सा दूकान का नौकर देना नहीं चाहता था । मैंने कहा, देखिए दूकानदार साहेब, बिना बक्सा पंचलैट कैसे ले जाएँगे । दूकानदार ने नौकर को डाँटते हुए कहा, क्यों रे ! दीवानजी की आँख के आगे 'धुरखेल' करता है; दे दो बक्सा !

टोले के लोगों ने अपने सरदार और दीवान को श्रद्धा-भरी

निगाहों से देखा । छड़ीदार ने औरतों की मण्डली में सुनाया--
रास्ते में सन्न- सन्न बोलता था पंचलैट !

लेकिन.... ऐन मौके पर 'लेकिन' लग गया ! रूदल साह
बनिये की दुकान से तीन बोतल किरासन तेल आया और सवाल
पैदा हुआ, पंचलैट को जलाएगा कौन !

यह बात पहले किसी के दिमाग़ में नहीं आई थी । पंचलैट
खरीदने के पहले किसी ने न सोचा । खरीदने के बाद भी नहीं ।
अब पूजा की सामग्री चौके पर सजी हुई है, कीर्तनिया लोग
खोल-ढोल-करताल खोलकर बैठे हैं, और पंचलैट पड़ा हुआ है ।
गाँववालों ने आज तक कोई ऐसी चीज़ नहीं खरीदी, जिसमें
जलाने-बुझाने का झंझट हो । कहावत है न, भाई रे, गाय लूँ ?
तो दुहे कौन ? ....लो मज़ा ! अब इस कल-कब्ज़ेवाली चीज़ को
कौन बाले !

यह बात नहीं कि गाँव-भर में कोई पंचलैट बालनेवाला नहीं ।
हरेक पंचायत में पंचलैट है, उसके जलानेवाले जानकार हैं ।
लेकिन सवाल है कि पहली बार नेम-टेम करके, शुभ लाभ करके,
दूसरी पंचायत के आदमी की मदद से पंचलैट जलेगा ? इससे तो
अच्छा है कि पंचलैट पड़ा रहे । ज़िन्दगी-भर ताना कौन सहे !
बात-बात में दूसरे टोले के लोग कूट करेंगे-- तुम लोगों का
पंचलैट पहली बार दूसरे के हाथ से.... ! न, न ! पंचायत की
इज़्ज़त का सवाल है । दूसरे टोले के लोगों से मत कहिए !

चारों ओर उदासी छा गई । अँधेरा बढ़ने लगा । किसी ने
अपने घर में आज ढिबरी भी नहीं जलाई थी । ...आज पंचलैट के
सामने ढिबरी कौन बालता है !

सब किये-कराये पर पानी फिर रहा था । सरदार, दीवान
और छड़ीदार के मुँह में बोली नहीं । पंचों के चेहरे उतर गये थे ।

किसी ने दबी आवाज़ में कहा-- कल-कब्ज़ेवाली चीज़ का नख़रा बहुत बड़ा होता है।

एक नौजवान ने आकर सूचना दी-- राजपूत टोली के लोग हँसते- हँसते पागल हो रहे हैं। कहते हैं, कान पकड़कर पंचलैट के सामने पाँच बार उठो-बैठो, तुरन्त जलने लगेगा।

पंचों ने सुनकर मन-ही-मन कहा-- भगवान् ने हँसने का मौका दिया है, हँसेंगे नहीं ? एक बूढ़े ने आकर खबर दी, रूदल साह बनिया भारी बतंगड़ आदमी है। कह रहा है पंचलैट का पम्पू ज़रा होशियारी से देना।

गुलरी काकी की बेटी मुनरी के मुँह में बार-बार एक बात आकर मन में लौट जाती है। वह कैसे बोले ? वह जानती है कि गोधन पंचलैट बालना जानता है। लेकिन, गोधन का हुक्का-पानी पंचायत से बन्द है। मुनरी की माँ ने पंचायत में फरियाद की थी कि गोधन रोज़ उसकी बेटी को देखकर 'सलम-सलम' वाला सलीमा का गीत गाता है-- हम तुमसे मोहोब्बत करके सलम ! पंचों की निगाह पर गोधन बहुत दिन से चढ़ा हुआ था। दूसरे गाँव से आकर बसा है गोधन, और अब तक टोले के पंचों को पान-सुपारी खाने के लिए भी कुछ नहीं दिया। परवाह ही नहीं करता है। बस, पंचों को मौका मिला। दस रुपया जुरमाना ! न देने से हुक्का-पानी बन्द। ....आज तक गोधन पंचायत से बाहर है। उससे कैसे कहा जाए ! मुनरी उसका नाम कैसे ले ? और उधर जाति का पानी उतर रहा है।

मुनरी ने चालाकी से अपनी सहेली कनेली के कान में बात डाल दी-- कनेली ! ....चिगो, चिध-ऽ-ऽ, चिन.... ! कनेली मुस्कराकर रह गई-- गोधन तो बन्द है ! मुनरी बोली-- तू कह तो सरदार से !

--'गोधन जानता है पंचलैट बालना !' कनेली बोली ।

--कौन, गोधन ? जानता है बालना ? लेकिन.... ।

सरदार ने दीवान की ओर देखा और दीवान ने पंचों की ओर । पंचों ने एकमत होकर हुक्का-पानी बन्द किया है । सलीमा का गीत गाकर आँख का इशारा मारनेवाले गोधन से गाँव भर के लोग नाराज़ थे । सरदार ने कहा-- जाति की बन्दिश क्या, जबकि जाति की इज़्ज़त ही पानी में बही जा रही है ! क्यों जी दीवान ?

दीवान ने कहा-- ठीक है ।

पंचों ने भी एक स्वर से कहा-- ठीक है । गोधन को खोल दिया जाए ।

सरदार ने छड़ीदार को भेजा । छड़ीदार वापस आकर बोला-- गोधन आने को राज़ी नहीं हो रहा है । कहता है, पंचों की क्या परतीत है ? कोई कल-कब्ज़ा बिगड़ गया तो मुझे ही दंड-जुरमाना भरना पड़ेगा ।

छड़ीदार ने रोनी सूरत बनाकर कहा-- किसी तरह गोधन को राज़ी करवाइए, नहीं तो कल से गाँव में मुँह दिखाना मुश्किल हो जायगा ।

गुलरी काकी बोली-- ज़रा मैं देखूँ कहके !

गुलरी काकी उठकर गोधन के झोंपड़े की ओर गई और गोधन को मना लाई । सभी के चेहरे पर नई आशा की रोशनी चमकी । गोधन चुपचाप पंचलैट में तेल भरने लगा । सरदार की स्त्री ने पूजा की सामग्री के पास चक्कर काटती हुई बिल्ली को भगाया । कीर्तन-मंडली का मूलगैन मुरछल के बालों को सँवारने लगा । गोधन ने पूछा-- इसपिरिट कहाँ है ? बिना इसपिरिट के कैसे जलेगा ?

....लो मज़ा ! अब यह दूसरा बखेड़ा खड़ा हुआ। सभी ने मन-ही- मन सरदार, दीवान और पंचों की बुद्धि पर अविश्वास प्रकट किया-- बिना बूझे-समझे काम करते हैं ये लोग ! उपस्थित जन-समूह में फिर मायूसी छा गई। लेकिन, गोधन बड़ा होशियार लड़का है। बिना स्पिरिट के ही पंचलैट जलाएगा। ....थोड़ा गरी का तेल ला दो ! मुनरी दौड़कर गई और एक मलसी गरी का तेल ले आई। गोधन पंचलैट में पम्प देने लगा।

पंचलैट की रेशमी थैली में धीरे-धीरे रोशनी आने लगी। गोधन कभी मुँह से फूँकता, कभी पंचलैट की चाबी घुमाता। थोड़ी देर के बाद पंचलैट से सनसनाहट की आवाज़ निकलने लगी और रोशनी बढ़ती गई। लोगों के दिल का मैल दूर हो गया। गोधन बड़ा काबिल लड़का है !

अन्त में पंचलाइट की रोशनी से सारी टोली जगमगा उठी, तो कीर्तनिया लोगों ने एक स्वर में, महावीर स्वामी की जय-ध्वनि के साथ कीर्तन शुरू कर दिया। पंचलैट की रोशनी में सभी के मुस्कराते हुए चेहरे स्पष्ट हो गए। गोधन ने सबका दिल जीत लिया। मुनरी ने हसरत-भरी निगाह से गोधन की ओर देखा। आँखें चार हुईं और आँखों-ही-आँखों में बातें हुईं-- कहा-सुना माफ़ करना ! मेरा क्या कसूर !

सरदार ने गोधन को बहुत प्यार से पास बुलाकर कहा-- तुमने जाति की इज़्ज़त रखी है। तुम्हारा सात ख़ून माफ़। ख़ूब गाओ सलीमा का गाना।

गुलरी काकी बोली-- आज रात में मेरे घर में खाना गोधन।

गोधन ने एक बार फिर मुनरी की ओर देखा। मुनरी की पलकें झुक गईं।

कीर्तनिया लोगों ने एक कीर्तन समाप्त कर जयध्वनि की--

जय हो ! जय हो.... पंचलैट के प्रकाश में पेड़-पौधों का पत्ता-पत्ता पुलकित हो रहा था।

Points to Note and Prepare for in this Lesson

पंचलाइट

I. GRAMMATICAL NOTES AND CONSTRUCTIONS

1. Adverbial Constructions

Adverbial Constructions in Hindi have many forms.

1A. Adjectives used as Adverbs:

Quite a few adjectives are simply used as manner adverbs.

वह अच्छा गाता है	He sings well
वह तेज़ दौड़ता है	He runs fast

1B. Manner Adverbs in से

A very productive device in Hindi is to derive adverbs by adding the post-position से to abstract nouns.

आराम से	with comfort, comfortably
आसानी से	with ease, easily
ज़ोर से	with loudness, loudly; with force, forcibly

1C. Manner Adverbs in कर

Certain verbs (which generally have a stative or durative meaning) yield an adverb when combined with कर

संभलकर	carefully
अचकचाकर	with surprise
हिचकिचाकर	hesitatingly

लड़खड़ाकर   unsteadily

1D. Participials as Adverbs

Both present and past participials in certain combinations are
very productively used as adverbs in Hindi. Very often they
have to be translated by a whole clause in English.

Time Adverbs in Present Participials

घर आते-आते शाम हो गई।	*By the time I arrived* home it was evening.
घर आते ही मैंने खाना खाया।	*As soon as I arrived* home I had my dinner.

Manner Adverbs in Past Participials

खड़े-खड़े मेरी जान निकल गई।	I almost died by *standing* so long.
बैठे-बैठे मेरी पीठ अकड़ गई।	My back became stiff *as a result of sitting* so long.
वह दौड़ा हुआ मेरे पास आया।	He came to me *running*.
वह दौड़ा-दौड़ा मेरे पास आया।	He came to me *running hastily*.

1E. Other Time Adverbials

Apart from the time adverbs in present paricipials given above
there are time adverbvials which use हुए

घर आते हुए मुझे शर्माजी मिले।	I ran into Sharmaji *while coming* home.

घर *आये हुए* मुझे तीन घंटे हो गये।	*I have been* home for three hours.
मुझे *घर गये* तीन साल हो गये।	It has been three years *since I was home.*
मुझे हिन्दी *पढ़ते हुए* तीन साल हो गये।	*I have been studying* Hindi for three years
मुझे *हिन्दी पढ़े हुए* तीन साल हो गये।	It has been three years *since I studied Hindi.*

-- As can be seen from the above examples the tense of the participial can change the time implication. Time implication can also vary according to the context.

1F. Adverbial Expression in the Meaning of "Ago"

मुझे यहां *आये हुए* तीन साल हो गये।	I came here three years *ago.*
तीन साल हुए जब मैं यहां आया था।	It was *three years ago* that I came here.

1G. Noun Phrases used as Adverbs

Time noun phrases can be used as adverbs but they have to appear in the oblique form.

अगला हफ़्ता	noun-- the next week
अगले हफ़्ते	adverb-- (during) next week

अगला हफ़्ता अच्छा रहेगा।	*The next week* will be nice.
अगले हफ़्ते मैं पढ़ता रहूंगा।	I will keep on studying *(during) next week.*

पिछला महीना	noun-- the previous month

पिछले महीने   adverb-- (during) last month

पिछला महीना मेरे लिए अच्छा नहीं था।   *The last month* was a bad one for me.

पिछले महीने मैं रात-दिन पढ़ता रहा।   I kept studying day and night (during) last month.

1H. Borrowed Adverbials

There are a nunber of Sanskrit loan expressions which are commonly used as fixed phrased adverbs in literary Hindi.

In –पूर्वक

प्रसन्नतापूर्वक   happily

In –वश

भाग्यवश   fortunately

In –तः

संभवतः   possibly

पूर्णतः   in full

In –अर्थ

उदाहरणार्थ   for example

The following are some Arbo-Persian loan expressions in –अन which are used as fixed phrased adverbs in Hindi-Urdu.

मसलन (from मसल = example)   for example
आदतन (from आदत = habit)   habitually, by habit
फ़ौरन (from फ़ौर =soon)   at once
तक़रीबन (from क़रीब =near)   approximately, nearly
क़ानूनन (from क़ानून =law)   legally

2. <u>Emphatic Particles</u> *ही, भी, तो*

The emphatic particle **भी** can be quite conveniently translated as the English emphatic particles-- "also," "too" or "even." There is no convenient word in English to translate the emphatic particle **ही,** though its meaning can be communicated through various circum- locutions.

The particles **भी** and **ही** institute a neat pair which may be called 'incusive' and 'exlusive' particles respectively, as shown below:

मैं *भी* शिकागो जाऊंगी।	I *too* will go to Chicago
मैं *ही* शिकागो जाऊंगी।	It is *just* me and no one else who will go to Chicago
अमरीकन लोग अंग्रेज़ी ही बोलते हैं।	The Americans, of course, speak English
मुझे इस काम के लिए तीन *ही* आदमी चाहिये।	I need *just* three men for this job

-- It is to be noted that when **भी** is translated as "too," its negative counterpart **भी...नहीं** will have to be translated into English as "not...either," following the rules of English which require alternation between "too" and "either" in negative sentences. With relative pronouns it is generally only the particle **भी** that occurs.

जो *भी* आया यहां बैठा रहा	whoever came stays on
?? जो *ही* आया वह चला गया	

जिसको *भी* देखो यही कहता है	whoever you see seems to say this
?? जिसको *ही* देखो यही कहता है	

The third emphatic participle तो also does not have a neat lexical counterpart in English and needs to be translated through various circumlocutions. The particle तो is used to fucus a contrastive attention on a word.

मैं तो शिकागो नहीं जाऊंगा	As for me, I won't go to Chicago. or As far as I am concerned, I won't go to Chicago.

All the emphatic particles ही, भी, and तो occur close to the word they emphasize. This is unlike English where a particle like "too" can occur at the end of a sentence like 'I will go to Chicago, too' and could be interpreted to emphasize either "I" or "Chicago" ambigucusly. In Hindi the particle भी will stay close to the word that it seems to emphasize.

मैं *भी* शिकागो जाऊंगा।	I will go to Chicago, too. (as well as someone else)
मैं *शिकागो भी* जाऊंगा।	I will go to Chicago, too. (as well as to other cities)
मैं ही शिकागो जाऊंगा।	Only I will go to Chicago.
मैं *शिकागो ही* जाऊंगा।	I will go to Chicago only.

The particles ही, भी, तो can emphasize any part of speech-- nouns, adjectives, adverbs, and even verbs.

मैंने *खाया भी*	I ate also (apart from doing other things)
मैंने *खाया ही*	I just ate (and did nothing else)
खाया तो मैंने नहीं	(as far as eating is concerned, I didn't do that)

2A. Translate the following sentences into English:

1. मैं तो चाय भी नहीं पीता।
2. यह ज़रा मुश्किल काम है; आप ही बताइये मैं क्या कर सकता हूं।
3. अभी सवेरा भी नहीं हुआ तुम लोग जग भी गए।
4. मैं जल्दी ही चला गया।
5. मैं उनके यहां गया ज़रूर; लेकिन खाना तो खाया ही नहीं।
6. मैं उनके यहां गया ही नहीं, उनके पिता से मिलकर भी आया।

II. VOCABULARY

1. Idioms and Expressions

रह-रह कर — at short intervals

- उसे काफ़ी चोट लगी थी; रह-रह कर कराहने लगी।

किये-कराये पर पानी फिरना — to undo the effect of hard work

- गांववाले मिहनत से पंचलाइट ख़रीद कर लाये। पर उसे जलाना किसी को नहीं आ रहा था। सब किये-कराये पर पानी फिरने लगा।

ठेस लगना — to receive a setback / painful rap on the sole of the foot

- उनकी बात सुन कर मेरे दिल में ठेस लगी।
- देखिये, ज़रा उसे ठीक से उठाइयेगा; ठेस न लगे।

डेढ़-बेढ़ होना

- तुम लोग ताल में गाओ। अगर गीत में डेढ़-बेढ़ हुआ तो सब गड़बड़ हो जायेगा।

ऐन मौके पर at the right time

- मरीज़ की तबियत ख़राब होती जा रही थी लेकिन डाक्टर ऐन मौके पर पहुंच गया। उसकी जान बच गई।

ताना देना to taunt

- क्या बात-बात पर ताना देते रहते हो। तुम्हारा ताना कौन सहे?

चेहरा उतर जाना for the face to fall

- पंचलाइट जलाना आसान नहीं था। गांववाले निराश होने लगे और पंचों के चेहरे उतर गये।

नख़रा होना / करना to put on flirtatious airs

- वह लड़की गाना-वाना नहीं गायेगी, सिर्फ़ नख़रा करेगी।

हुक्का-पानी बंद होना to be an outcast

- गोधन का तो हुक्का-पानी बंद था क्यों कि मुनरी की मां ने पंचायत से फ़रियाद कर (complain) दी थी।

मौक़ा मिलना to get a chance

- वह चुपचाप बैठा था; लेकिन मौक़ा मिलते ही वह मुझसे तपाक से मिला।

बखेड़ा खड़ा होना for the obstacle to arise

- अरे, यह क्या बखेड़ा खड़ा हो गया। मैंने सोचा था कि मेरा काम आसानी से हो जायेगा।

परवाह करना to care

- तुम कौन हो मुझे रोकनेवाले! मैं किसी की परवाह नहीं करती;

मुझे जो बोलना है बोलूंगी।

कहा-सुना माफ़ करना — to forgive unpleasant remarks

-देखो, मुझसे जो भी ग़ल्ती हुई उसमें मेरा क्या क़सूर? मेरा कहा-सुना माफ़ कर देना। चलता हूं।

X की इज़्ज़त पानी में बहना — for the reputation of X to be at stake

- अगर मैंने आपको कुछ कह ही दिया तो आप क्यों इतना बुरा मान गए? क्या आपकी इज़्ज़त पानी में बह गई?

X की इज़्ज़त का सवाल है — it is a question of X's reputation or prestige

- ज़रा इन्हें अच्छी तरह खिलाइये-पिलाइये। ये मेरे घर आये हैं। मेरी इज़्ज़त का सवाल है।

दिन-दहाड़े — in broad daylight

- चोर दिन-दहाड़े चोरी करता हुआ पकड़ा गया।

1A. Note the meanings of the idioms and expressions given above and translate the above sentences into English to bring out the meanings appropriately.

2. <u>Translation Compounds</u>

When both parts mean the same thing:

काम-काज

बिजली-बत्ती

बड़े-बूढ़े

शोर-गुल

पूजा-पाठ
कल-कब्जा
दंड-जुर्माना
चौका-पीढ़ी
डेढ़-बेढ़

3. Co-Ordinative Compounds

Semantically related pairs:

पेड़-पौधा
फूल-पत्ता
कहा-सुना
समझ-बूझ
हुक्का-पानी
जलाना-बुझाना
उठना-बैठना
नहा-धो
ढोल-करताल

4. Regional Variety in Hindi Lexicon

Hindi, as all other languages, has regional varieties. A special aspect of regionalism in Hindi is variations in word forms related to the different regions of the greater Hindi area where regional languages are in active use along with the superposed Hindi.

A typical form of word variation is the use of a historically derived regional form of the original Sanskrit word itself in literary or standard Hindi. Other varieties relate to a more or less systematic substitution of a consonant or a vowel. The following examples appear in the story पंचलाइट

1. ख for Sanskrit क्ष
   आखर = Sanskrit अक्षर 'a letter of the alphabet'

2. Consonant cluster simplification
   परतीत = Sanskrit प्रतीत

3. ल for standard Hindi न
   सलीमा = standard Hindi सिनेमा from English 'Cinema'
   सलम = standard Hindi सनम from Arabic सनम

4. र for standard Hindi ल
   जराना = standard Hindi जलाना 'to burn'
   बारना = standard Hindi बालना 'to light'
   करिया = standard Hindi काला 'black'

5. monophthong ऐ for Hindi diphthong आइ or आय
   (पंच)लैट = Hindi लाइट from English 'light'
   बैकाट = Hindi बायकाट from English 'boycott'

Regional variations may also relate to the difference in word derivations.

Adjectival forms in –इया

देहतिया = देहाती 'rustic' from देहात 'village'
कीर्तनिया = कीर्तनकार 'devotional singer' from कीर्तन 'devotional singing'
भगतिया = भगत 'devotee' (Sanskrit भक्त)

5. Collocationally Useful Verbs

1. The verb जलाना and its idiomatic uses:

The verb जलना, and its transitive counterpart जलाना, is used in the sense of setting up a fire but also in the sense of turning on or burning or lighting mechanism.

मेरा हाथ जल गया	I burnt my hand
मैंने चूल्हा जलाया	I lighted the stove
मैंने स्टोव जलाया	I turned on the stove
मैंने बत्ती जलाई	I turned on the light

2.   जलना and जलाना are also used idiomatically in the sense of anger, hatred, envy, etc.

वह मुझसे बहुत जलते हैं।	He doesn't like me.
वह मेरा घर देखकर जलते हैं।	He is envious of my house.
उनकी बातों से मेरा दिल जल रहा है।	The things he says make me smoulder.
क्यों मेरा दिल जलाते हो?	Why do you say hurtful things?

The verb आना and its idiomatic uses

1.   आना   "to know how to"
In this sense it is used only with nouns denoting skill. The subject always occurs with the postposition को

मुझे साइकिल चलाना आता है।	I know how to ride a bike.
मुझे तैरना आता है।	I know how to swim.
मुझे गाना आता है।	I know how to sing.

--Even though it translates with the English verb 'to know,' one cannot use आना in every case where "know" can be used unless the sense is "to know how to."

e.g. One cannot say: *मुझे उसका नाम आता है। when translating "I know his name."

2. आना "to be affected by an emotion or physical condition"

मुझे गुस्सा आया।	I became angry
मुझे उस पर प्यार आता है।	I feel tenderness towards him.
मुझे उस पर गुस्सा आया।	I felt very angry towards him.
मुझे एक बात याद आयी।	I remembered something.
मुझे वह फ़िल्म काफ़ी पसंद आयी।	I liked that movie very much.

3. आना in the sense of "to be accomodated, to be able to hold"

यह क़मीज़ तो बहुत छोटी है; मुझे नहीं आयेगी।	This shirt appears to be too small in size; it won't fit me.
इतना पानी तो इस बर्तन में नहीं आयेगा	This much water will not be accomodated in this utensil.
ये सारी किताबें इस थैले में नहीं आयेंगी।	All these books will not be accomodated in this bag.

4. आना in expressions of cost

ऐसी गाड़ी बीस हज़ार डालर से कम में	A car of this kind won't cost less than twenty thousand dollars.

नहीं आयेगी।

एक डालर में तीन संतरे आते हैं	Three oranges will sell for a dollar.

5. आना to express arrival at a destination

घर आ गया	We have come home
कलकत्ता आ गया	We have arrived in Calcutta

6. आना in the sense of growth

इस साल ख़ूब आम आये हैं।	Mangoes have grown plentiful this year.
मेरा छोटा लड़का अब मेरे सीने तक आ गया है।	My youngest son now stands up to my chest.

-- The verb चलना and its idiomatic uses: see Sheela Verma's *Intermediary Hindi Text Book*

III. TEXTUAL COMPREHENSION AND EXERCISES:

Answer the following questions:

1. पंचलाइट ख़रीदने के लिये पैसे कहां से आये?

2. क्या एक ही गांव में अलग-अलग जाति के लोग आपस में हिल-मिलकर रहते हैं? उचित सदर्भों के साथ बताइये।

3. पंचलाइट को जलाना (बालना) महतो टोलीवालों के लिये

इज़्ज़त का सवाल क्यों बन गया था?

4. गोधन कौन था? उसका हुक्का-पानी पंचायत ने क्यों बंद कर दिया था?

5. पंचलाइट के कारण गोधन खोल दिया गया। इस घटना से आपको एक आम गांव की परम्पराओं के बारे में क्या पता चलता है?

6. सिनेमा ("सलीमा") के बारे में गांववालों की क्या राय है? वे इसे अच्छा समझते हैं या बुरा?

7. इस कहानी की हिन्दी के बारे में आप क्या सोचते हैं?

कुछ लेखकों के बारे में

पं० चन्द्रधर शर्मा गुलेरी
(१८८३-१९२०)

गुलेरी ने २-३ कहानियाँ लिखीं पर उनमें पूर्ण मौलिकता दिखाई देती है। वे जैसे बहुपठित विद्वान थे वैसे ही प्रतिभाशाली कहानी-लेखक भी थे। उनकी "उसने कहा था" कहानी हिन्दी की श्रेष्ठ कहानियों में है। इस से इन्होंने ऐतिहासिक महत्त्व भी पा लिया। उनकी असमय मृत्यु से हिन्दी को बड़ी क्षति पहुँची। गुलेरी प्रेमचंद के समकालीन थे। दोनों ने हिन्दी पत्रिका "सरस्वती" में प्रकाशित करके ख़्याति हासिल की। इन्होंने एक अपनी पत्रिका सम्पादित की जिसका नाम था "समालोचक"। इन्होंने साहित्य, व्याकरण, इतिहास एवं पुरातत्त्व पर बहुत लिखा।

इनका जन्म जयपुर में सन् १८८३ ई० में हुआ था। बी० ए० तक प्रयाग विश्वविद्यालय में शिक्षा प्राप्त की। ये बड़े मेधावी छात्र थे। आरम्भ में वे अजमेर में संस्कृत के अध्यापक थे। वे काशी हिन्दू विश्वविद्यालय के ओरियंटल कालेज के प्रिंसिपल नियुक्त हुए जहाँ वे अंत तक रहे। हिन्दी साहित्य में यह बहुत विख्यात हुए जब कि सिर्फ़ ३८-३९ वर्ष तक जीवित रहे। "उसने कहा था" पर एक लोकप्रिय फ़िल्म भी बनी। सन् १९२० ई० में इनका देहान्त हो गया।

"उसने कहा था" एक भावुक प्रेम कहानी है। लहनासिंह ब्रिटिश/हिन्दुस्तानी फ़ौज में एक सिपाही है, लड़ाई में वह सूबेदार हज़ारासिंह को बचाने की चेष्टा में मारा जाता है। उसने ऐसा इसलिए किया क्योंकि उसने सूबेदारनी (हज़ारासिंह की पत्नी) को

अपना वचन दिया था । लड़ाई में जाते समय वह सूबेदार के घर रुकता है और उसे ज्ञात होता है कि उसे सूबेदारनी जानती है । पच्चीस वर्ष पहले लहनासिंह ने उसे अमृतसर में एक दुर्घटना से बचाया था जब वह एक छोटी बालिका थी । उसके बाद वे दोनों मिलते रहे थे और वह उसे चिढ़ाता रहा था कि उसकी मंगनी हुई या नहीं । जब एक दिन लड़की ने कहा कि उसकी मंगनी हो गई है तो लहनासिंह को ज्ञात हुआ कि वह उस लड़की से प्रेम करता है । इस प्रेम के कारण वह अपना वचन देता है कि लड़ाई में सूबेदार हज़ारासिंह और उसके पुत्र बोधासिंह को अवश्य ही बचायेगा । सारी कहानी लड़ाई के मैदान में घायल अवस्था में कही जाती है । गुलेरी इस कहानी को सुंदर एवं प्रौढ़ भाषा में प्रस्तुत करते हैं । इस में संदेह नहीं कि इसी कहानी के कारण साहित्य के संसार में गुलेरी का स्थान अत्यंत महत्त्वपूर्ण है ।

उपेन्द्रनाथ "अश्क"

"अश्क" का जन्म सन् १९१० ई० में जलंधर, पंजाब में हुआ था । इनकी शिक्षा-दीक्षा लाहौर में सम्पन्न हुई । इन्होंने अपना जीवन अध्ययन से शुरु किया । बाद में पत्रकार बने फिर कहानीकार और नाटककार । पहले ये उर्दू में लिखते थे लिकिन १९२५ ई० से इन्होंने हिन्दी में लिखना शुरु किया । शीघ्र ही प्रसिद्ध लेखक बन गये ।

भारत-विभाजन के बाद ये लाहौर से आकर प्रयाग में बस गये । यहाँ के रंगमंच और आकाशवाणी के लिये नाटक लिखने लगे । इनके सभी नाटक एवं एकांकी अभिनेय हैं । इनके

नाटकों, उपन्यासों एवं कहानियों में मध्य वर्ग के सामाजिक जीवन की विभिन्न स्थितियों का अच्छा चित्रण किया गया है। उनमें मनोवैज्ञानिक पुट भी देते चलते हैं।

हिन्दी कहानी लेखन में प्रेमचंद के समकालीन चंद्रधर शर्मा गुलेरी, जयशंकर प्रसाद आदि उल्लेखनीय हैं। उसके बाद के युग में यशपाल, अज्ञेय और उपेन्द्रनाथ अश्क आते हैं।

मार्क्सवादी कहानी लेखकों में अश्क का यशपाल के बाद नाम लिया जा सकता है। अश्क यशपाल से बहुत भिन्न हैं। इनकी कहानियों के प्लाट में वास्तविकता (यर्थाथ) घटनाओं में झलकती है। इनके नाटकों में व्यंग्यात्मकता व्यक्त की गई है, बहुत ही सूक्ष्म लेखन द्वारा।

"अधिकार का रक्षक" में जो दृश्य हैं उनमें एक तरफ़ वे राजनीतिक नेता हैं दूसरी ओर घर पर अपनी पत्नी, नौकरों से दुर्व्यवहार करते दीख पड़ते हैं। इनके कई एकांकी संग्रह प्रकाशित हो चुके हैं-- "पर्दा उठाओ पर्दा गिराओ," "चरवाहे," "तूफ़ान के पहले," आदि प्रमुख हैं।

यशपाल
(१९०३-१९७६)

यशपाल का जन्म १९०३ में फिरोजपुर, पंजाब में हुआ था। उनका पालन-पोषण उनकी माता ने किया था। यद्यपि उनका जन्म पंजाब के सपाट प्रदेश में हुआ था, फिर भी वे पहाड़ी कहलाने का गर्व अनुभव करते थे। उनके मन में पहाड़ों के प्रति प्रबल आकर्षण था। "पहाड़ की स्मृति" उनकी प्रिय कहानियों में

से एक है।

यशपाल यशस्वी कथाकार थे। यर्थाथवादी और प्रगतिशील कहानीकारों में इनका विशिष्ट स्थान है। इनकी कहानियों में मनुष्य जीवन-संघर्ष में लीन दिखाई देता है। इन पर मार्क्सवादी विचार-धारा का अधिक प्रभाव पड़ा है।

यशपाल के समय में हिन्दी कहानियों पर प्रेमचंद का बहुत अधिक प्रभाव पड़ा था। उन्होंने कहानी को एक नई दिशा दी। यशपाल ने प्रेमचंद की परम्परा को अपनाया किन्तु उन्होंने मार्क्सवाद और यर्थाश्रवाद की पुट भर कर अपनी भिन्नता निभाई। प्रेमचंद अधिकतर सद्गुण, इमानदारी, इंसाफ़ आदि की झाकियाँ अपनी कहानी में देते हैं, यशपाल इन सबों के बावजूद अपनी लेखनी में मार्क्सवादी पुट देकर उसे अत्यंत भिन्न बना देते हैं। इनकी कहानी प्रेमचंद से भिन्न है क्योंकि इनकी कहानियों के अंत में सिर्फ़ शिक्षा नहीं होती बल्कि कटु उपहास रहता है। इनकी कहानी में एक उद्देश्य रहता है। इनकी शैली सरल एवं स्पष्ट है। इन्होंने अपनी कहानी में भिन्न वर्गों, स्थितियों, एवं जातियों के पात्रों का चयन किया है तथा उनके जीवन-संघर्ष आदि का सजीव चित्र प्रस्तुत किया है। "दुःख का अधिकार" एक बहुत ही संक्षिप्त कहानी है। इसमें एक औरत सड़क के किनारे रोती हुई तरबूज़ बेचती है। बिक्री बिल्कुल नहीं होती। पता चलता है कि उसके पुत्र की मृत्यु हो गई थी और घर पर रोने के बदले वह पैसा कमाने आई है। सब लोग टिप्पणियाँ कसते हैं। यह स्पष्ट होता है कि नीचे दर्ज़े वाले लोगों को लज्जा और मर्यादा नहीं। कहानी के शीर्षक से भी यही ज्ञात होता है कि सभी दुःख के अधिकारी नहीं, सिर्फ़ धनी हैं। लेखक व्यंग्य का पुट भर देते हैं।

इनकी प्रमुख कहानियाँ हैं, "फूलों का कुर्ता," "तर्क का तूफ़ान," "चित्र का शीर्षक" आदि । इन्होंने अनेक उपन्यास भी लिखे हैं ।

फणीश्वरनाथ रेणु
(१९२१-१९७७)

हिन्दी साहित्य के आंचलिक उपन्यासकारों में रेणु एक थे । इनकी रचना को तत्काल लोकप्रियता मिली । इनका जन्म १९२१ में बिहार के पूर्णिया ज़िले के एक छोटे से गाँव औराही-हिंगना में हुआ था । इनकी शिक्षा फारबिसगंज, विराटनगर (नेपाल) और काशी के विश्वविद्यालय में हुई थी । ये जात के कुर्मी थे । इस जाति को प्रधानता दी गई थी गाँव भर में । ये गाँव में रह कर आंचलिकता से बहुत प्रभावित हुए । "भारत छोड़ो" आंदोलन (१९४२) में भाग लेने के कारण इन्हें पढ़ाई छोड़नी पड़ी और राजनीति में भाग लेने के कारण तीन साल नज़रबंद रखा गया । बिहार में किसान आंदोलनों में बराबर आगे रहे । रेणु १९४६ ई० से कहानी लिखने लगे । १९५३ से ही वे साहित्य-सृजन में जुट गये । "मैला आँचल" उपन्यास लिखने के बाद हिन्दी साहित्य में क्रांतिकारी युग की शुरुआत हुई । इस उपन्यास का अनुवाद रूसी और रुमानियन भाषाओं में हुआ । उनके और भी प्रसिद्ध उपन्यास "परती परिकथा," "दीर्घतपा," "जुलूस," "कितने चौराहे" हैं । इन्होंने अनेक हिन्दी कहानियाँ भी लिखीं । "तीसरी क़सम," "लालपान की बेग़म," "रसप्रिया," "पंचलाइट" आदि मशहूर हैं । "तीसरी क़सम" पर एक सुंदर फ़िल्म भी बनी है । "मैला आँचल"

पर भी फ़िल्म बनी "डाग्डर बाबू" के नाम से।

१९६८ में रेणु राजनीति में आये। देश में कांग्रेसी राज्य के विरोध में आप जयप्रकाश नारायण के आंदोलन में भाग लेकर जेल गये। धीरे-धीरे इनका स्वास्थ्य ख़राब होता गया और १९७७ में इनका देहान्त हो गया।

रेणु गाँव को अत्यंत हमदर्दी से देखते थे। गाँव के कार्यक्रम में लीन रहते और इसीलिये इन्होंने गाँव के बारे में इतना लिखा। इस कारण वे और लेखकों से भिन्न हैं। हिन्दी साहित्य (१९५०) इस समय मध्यवर्ग के बारे में होता था जो अधिकतर शहर के बारे में लिखा जाता था। किन्तु रेणु प्रेमचंद के बाद गाँव की ओर गये और अपने पाठकों को गाँव के जीवन से प्रेरणा दी। इन्होंने अपनी रचना पुर्णिया ज़िले के आसपास को लेकर जो अत्यंत पिछड़ा है लिखा। इनकी रचना से पाठकों को एक बार फिर घर वापस जाने की इच्छा जाग उठती है। इस तरह ये अपनी रचना से साहित्य में आंचलिकता लाये। इन्होंने अपनी रचना में लोकगीतों का भी सम्मिश्रण किया है।

Points to Note and Prepare for in the Lesson

कुछ लेखकों के बारे में

I. WORD DERIVATION

This lesson has many instances of words related to one another by derivation. For example, starting with the word देश one could derive several other words.

देश	country, native country
विदेश	foreign country, foreign land
विदेशी	foreign (Adj); foreigner (noun)
महादेश	continent
उपमहादेश	subcontinent
परदेश	alien country, non-native land
परदेशी	one who belongs to or has come from another, distant place

The following are some of the derivationally related words which occur in this lesson:

पाठ m	lesson, reading
पाठक m	one who reads
पठित Adj	studied, read
बहुपठित Adj	widely read
इतिहास m	history
ऐतिहासिक Adj	historical

प्रकाश m	light
प्रकाशन m	publication (bringing to light)
प्रकाशक m	publisher
प्रकाशित Adj	published
सम्पादन m	editing
सम्पादक m	editor
सम्पादित Adj	edited
महत्त्व m	significance
महत्त्वपूर्ण Adj	significant
पत्र m	letter
पत्रकार m	letter writer
कहानी f	story
कहानीकार m	story writer
नाटक m	play
नाटककार m	playwright
समाज m	society
सामाजिक Adj	social
विज्ञान m	science
वैज्ञानिक Adj	scientific
मनोवैज्ञानिक Adj	psychological
उल्लेख m	mention
उल्लेखनीय Adj	worth mentioning

यश m	renoun, glory
यशस्वी Adj	reputed, renowned
प्रगति f	progress
प्रगतिशील Adj	progressive
प्रगतिवाद m	progressivism
गति f	motion, movement
गतिशील Adj	mobile, dynamic
अंचल m	region
आंचलिक Adj	regional
आंचलिकता f	regionalism

1. Typically, word derivation changes the part of speech. For example:

Noun --> Adjective

समय – सामयिक	time – timely
दिन – दैनिक	day – daily

Verb --> Noun

पढ़ना – पढ़ाई	to study – studying
लड़ना – लड़ाई	to fight – a fight
चलना – चालक	to move – mover, driver

Adjective --> Adverb

साधारण – साधारणतः	ordinary – ordinarily
मुख्य – मुख्यतः	main – mainly

Noun --> Adverb

उदाहरण - उदाहरणार्थ	example - for example
आदत - आदतन	habit - habitually

2. Word derivation, however, does not always result in the change of the part of speech. Adding a prefix or a suffix may modify the meaning but not the part of speech. For example:

Noun --> Noun

देश - विदेश	country - foreign country
योग - वियोग	putting together - separation

3. Word derivation may be used to change gender.

Male --> Female

शेर - शेरनी	tiger - tigress
डाक्टर - डाक्टरनी	doctor - female doctor; doctor's wife
सूबेदार - सूबेदारनी	a lower rank officer in the Indian Army - the wife of such an officer

4. Word derivation may involve adding a prefix or a suffix to a word, as the examples above show. Word derivation may also involve forming compound words. Such compounds are called समास in Hindi. For example:

राज	government
भाषा	language
राजभाषा	official language
चोर	thief
बाज़ार	market

चोरबाज़ार black market

5. Very often, word derivation by compounding or suffixing causes some changes or merging at the boundary of the two word elements. This is known as संधि 'sandhi.' For example:

ā + ā --> ā

विद्या + आलय → विद्यालय an educational institution
learning abode

a + ā --> ā

पुस्तक + आलय → पुस्तकालय library
book abode

हिम + आलय → हिमालय 'the abode of snow,' i.e. the Himalayas
snow abode

a + u --> o

भाग्य + उदय → भाग्योदय the advent of good luck
luck rise

सम + योग → संयोग coincidence
equal together

महा + ऋषि → महर्षि great sage
great sage

6. Some compounds involve a 'semi-word,' i.e. a word that is rarely used independently even though it is not quite a prefix or a suffix.

अति + वृष्टि → अतिवृष्टि too much rain
too much rain

अना + वृष्टि → अनावृष्टि   lack of rain
lack   rain

सम + कोण → समकोण   right angle
even   angle

7. In some words of Sanskrit origin, adding a derivational suffix causes the word stem to undergo a change. This is called 'guṇa' or 'vṛddhi' depending on the type of change.

दिन + इक → दैनिक
                    i --> ai
day   --> daily

भूगोल + इक → भौगोलिक
                    ū --> au
geography   -->   geographical

समय + इक → सामयिक
                    a --> ā
time   -->   timely

जनक + ई → जानकी
                    a --> ā
Janak   -->   born of Janak

मगध + ई → मागधी
                    a --> ā
Magadh   -->   Māgadhī, the language of Magadh

8. Some useful derivational devices are given below.

Nouns to Adjectives in –लु
निद्रा – निद्रालु   sleep - sleepy
दया – दयालु   mercy, kindness - kind,
                         compassionate

कृपा - कृपालु compassion - compassionate

Nouns to Abstract Nouns in -ता

शत्रु - शत्रुता enemy - enmity

वीर - वीरता brave man - bravery

Nouns to Abstract Nouns in -त्व

मनुष्य - मनुष्यत्व man, human - humanity

गुरु - गुरुत्व preceptor - preceptorship

Nouns to Possessive Nouns in -वान

धन - धनवान wealth - man who possesses wealth

गुण - गुणवान virtue - man who possess virtue

Words prefixed with खुश or ख़ूब to express excellence and बद to express badness

क़िस्मत luck	खुशक़िस्मत lucky	बदक़िस्मत unlucky
सूरत countenance	ख़ूबसूरत good looking	बदसूरत ugly
मिज़ाज disposition	खुशमिज़ाज of pleasant dis-disposition	बदमिज़ाज of bad disposition
बू smell	खुशबू fragrance	बदबू stink

Words with the prefix ला- indicating the general sense of 'withoutness'

परवाह – लापरवाह	care – careless
पता – लापता	traceable – untraceable
जवाब – लाजवाब	answer – that which has no match

Words with the prefix ना– expressing negation

मुमकिन – नामुमकिन	possible – impossible
लायक़ – नालायक़	fit – unfit, worthless
मुराद – नामुराद	aspiration – one whose aspiration is not fulfilled
मर्द – नामर्द	man – effeminate

Words with the prefix बे– to express privation or 'withoutness'

ईमान – बेईमान	faith, honesty – dishonest
पनाह – बेपनाह	shelter – shelterless
क़सूर – बेक़सूर	fault, guilt – guiltless

हिन्दी भाषा और साहित्य

हिन्दी एक भारतीय आर्य भाषा है। अन्य भारतीय भाषाओं में बंगाल, मराठी, पंजाबी, नेपाली, उर्दू, गुजराती आदि भी आती हैं। ये सभी भाषाएँ उन बोलियों से निकली हैं जो लगभग १५ शताब्दी ईसापूर्व में भारत में आये हुए आर्य बोलते थे। इन बोलियों को वैदिक भाषा का नाम दिया गया है क्योंकि वेद की रचना इसी भाषा में हुई थी। आगे चलकर इस भाषा से संस्कृत निकली। संस्कृत का निश्चित रूप देने में पाणिनी का बहुत बड़ा हाथ है जिनका अब भी विश्व के महान भाषाविदों में बहुत ही ऊंचा स्थान है। बाद में संस्कृत से और भाषाएँ निकलीं लेकिन संस्कृत का प्रयोग विद्वत्तापूर्ण कार्य के लिये बाद की शताब्दियों में भी होता रहा। इस दृष्टि से भारत में संस्कृत का वही स्थान है जो युरोप में लैटिन का है।

मध्ययुगीन काल में (५०० ई० पूर्व से १००० ई० तक) वैदिक और संस्कृत से निकलने वाली भाषाएँ प्राकृत कहलाईं। इनमें भौगोलिक विविधताएं थीं, जैसे कि पूर्व में मागधी प्राकृत, दक्षिण में महाराष्ट्री प्राकृत, मध्यदेश में शौरसेनी प्राकृत आदि। शौरसेनी प्राकृत से ही आज की हिन्दी और उर्दू निकली हैं जिन्हें खड़ी बोली का भी नाम दिया गया है। खड़ी बोली मेरठ और दिल्ली के आसपास की भाषा है। शौरसेनी से निकली हुई अन्य भाषाएँ ब्रजभाषा, कन्नौजी, बुंदेली आदि हैं। इन सभी भाषाओं को इकट्ठे "पश्चिमी हिन्दी" भी कहते हैं। शौरसेनी प्राकृत और पश्चिमी हिन्दी दोनों का अन्य भाषाओं पर काफ़ी प्रभाव रहा है। हिन्दी बोलनेवालों की संख्या अब क़रीब २९ करोड़ है और यह संसार की चीनी और अंग्रेज़ी के बाद तीसरी सबसे ज़्यादा बोली

जाने वाली भाषा है।

हिन्दी साहित्य का प्रारम्भ क़रीब ग्यारहवीं शताब्दी से मानते हैं। इसके पहले की रचनाएँ जिस भाषा में हुईं उसे शौरसेनी अपभ्रंश कहते हैं। शौरसेनी अपभ्रंश को इस प्रकार "पुरानी हिन्दी" का अग्रदूत कह सकते हैं। हिन्दी साहित्य के प्रारम्भिक युग में (ग्यारहवीं शताब्दी -- चौदहवीं शताब्दी) में जो प्रसिद्ध नाम आते हैं वे हैं गोरखनाथ, मसूद, सल्मान, अमीर ख़ुसरो, संत नामदेव आदि।

चौदहवीं शताब्दी से सत्रहवीं शताब्दी का युग भक्ति काव्य का युग माना जाता है। यह कबीर, जायसी, तुलसीदास, सूरदास और मीराबाई आदि का युग है। इस युग के भक्ति काव्य की चार मुख्य धाराएँ मानी जा सकती हैं: (१) संत कवि, जैसे कि कबीर, दादू, आदि; (२) सूफ़ी कवि, जैसे कि मौलाना दाऊद, कुतबन, जायसी, आदि; (३) राम भक्ति के कवि, जैसे कि तुलसीदास, नाभादास, आदि; (४) कृष्ण भक्ति के कवि, जैसे कि सूरदास, मीराँबाई, रसखान, आदि। इस युग के कुछ धर्मनिरपेक्ष कवि भी हैं जैसे कि रहीम, नरहरि, केशवदास, आदि।

भक्ति काव्य के बाद का युग (सत्रहवीं शताब्दी -- उन्नीसवीं शताब्दी) "रीति काल" के नाम से जाना जाता है। इस युग की कविताएँ धर्मनिरपेक्ष और विषयासक्त थीं और इस युग के कवियों में प्रमुख नाम हैं बिहारी, भूषण, मतिराम, पद्माकर, रसलीन, आदि।

हिन्दी साहित्य की (और उर्दू की भी) गद्य रचनाएँ एक प्रकार से १९वीं शताब्दी में शुरु होती है। इसमें प्रसिद्ध नाम हैं मुंशी सदासुख लाल, जिन्होंने अठारहवीं शताब्दी के अंत के आसपास "सुख सागर" लिखा। अन्य प्रमुख नाम हैं लल्लू लाल, सदलमिश्र,

राजा शिव प्रसाद सितारेहिन्द, भारतेन्दु हरिश्चंद्र, आदि । हिन्दी साहित्य में बीसवीं शताब्दी का प्रारम्भ "द्विवेदी युग" कहा जाता है । इस युग में महावीर प्रसाद द्विवेदी ने हिन्दी गद्य की एक आधुनिक रुपरेखा निश्चित की और इसे आगे बढ़ाने में बड़ा योगदान दिया । इसी युग में पंडित राम चंद्र शुक्ल ने आधुनिक हिन्दी आलोचना की शैली स्थापित की और प्रेमचंद और गुलेरी जैसे लेखकों ने हिन्दी में कथासाहित्य की आधुनिक परम्परा चलाई । इस समय के प्रमुख कवियों में मैथिली शरण गुप्त, हरिऔध और श्रीधर पाठक के नाम आते हैं ।

द्विवेदी युग के बाद द्वितीय विश्व युद्ध तक की अवधि छायावाद के नाम से जानी जाती है । इस युग में हिन्दी कविता ने बहुत प्रगति की जिसमें जयशंकर प्रसाद, निराला, पंत, महादेवी वर्मा, बच्चन, और रामधारी सिंह दिनकर जैसे प्रमुख नाम आते हैं । इस समय के गद्य साहित्य के आदरणीय नाम हैं जैनेन्द्र कुमार, इलाचंद जोशी, अज्ञेय, अश्क, यशपाल और भगवती चरण वर्मा ।

बीसवीं शताब्दी के दूसरे चरण में हिन्दी साहित्य ने एक नया रुख़ लिया जिसमें विभिन्न प्रकार की प्रयोगात्मक और नवीन दृष्टिकोण की रचनाएँ लिखी गईं । इस युग के कथा साहित्य के कुछ प्रमुख नाम हैं मोहन राकेश, राजेन्द्र यादव, भीष्म साहनी, निर्मल वर्मा, उषा प्रियंवदा, कृष्णा सोबती, चंद्रकिरण सोनरिक्सा, आदि ।

Points to Note and Prepare for in the Lesson

हिन्दी भाषा और साहित्य

I. GRAMMATICAL NOTES AND CONSTRUCTIONS

1. Productive Collocations with Indefinite Pronouns

The Indefinite Pronouns कुछ, कोई, कहीं, and कभी occur in various similar collocations.

With और

Collocations with और has the effect of adding the meaning of "else" or "different" if और precedes an indefinite pronoun.

और कुछ	something else, anything else
और कोई	someone else, some other person
और कहीं	some place else
और कभी	some time else, some other time

If और follows an indefinite pronoun it has the effect of adding the meaning of "more" (though sometimes it may also be interpreted to mean 'else').

कुछ और	some more, something further (something different)
कोई और	any additional person (someone else)
कहीं और	some additional place

| कभी और | some other time |

With भी (नहीं)

भी as an emphatic particle adds the meaning of "even, ever."

कुछ भी	anything whatsoever
कुछ भी नहीं	nothing whatsoever
कोई भी	anyone at all
कोई भी नहीं	absolutely no one
कहीं भी	any place whatsoever
कहीं भी नहीं	nowhere at all
कभी भी	any time whatsoever
कभी भी नहीं	never at all

With ही

It is generally only the indefinite pronoun that occurs with the emphatic particle ही

| कुछ ही | very few |

Reduplicative Indefinites

Like other reduplicative phrases, an indefinite pronoun also can be reduplicated and has a somewhat negative or restrictive force.

कुछ-कुछ	a little, not much
कोई-कोई	some persons, not many
कहीं-कहीं	some places, not everywhere
कभी-कभी	sometimes, once in a while

With सब

सब कुछ	everything
सब कोई	everyone
सब कहीं	everywhere

Other special uses

The Indefinite pronoun कहीं and कभी occur with their relative pronoun counterparts for an emphatic meaning.

जब कभी — whenever

आप जब कभी चाहें मेरे यहां आ जायें ।

Come over to my place whenever you feel like doing so.

जहां कहीं — where so ever

आप जहां कहीं जाना चाहें शौक़ से जायें ।

Wherever you want to go please feel free to go.

II. VOCABULARY

1. Idioms and Expressions

X का बड़ा हाथ होना

- संस्कृत भाषा को निश्चित रूप देने में पाणिनी का बहुत बड़ा हाथ है ।

आगे चलकर — later on

- आगे चलकर वैदिक भाषा से ही संस्कृत निकली ।

इकट्ठे (इकट्ठे करके) — all together

- ब्रजभाषा, कन्नौजी, और बुंदेली आदि सभी भाषाओं को

इकट्ठे पश्चिमी भाषा कहते हैं ।

नवीण दृष्टिकोण से — from a new viewpoint

- मोहन राकेश ने अपनी कहानी नवीण दृष्टिकोण से लिखी ।

स्थापित करना — to determine, to establish

- रामचंद्र शुक्ल ने आधुनिक हिन्दी आलोचना की शैली स्थापित की ।

परम्परा चलाना — to introduce tradition

- प्रेमचंद और गुलेरी ने हिन्दी कथा साहित्य में आधुनिक परम्परा चलाई ।

1A. Translate the above idiomatic sentences into English.

2. <u>Additional Useful Idioms</u>

अवसर हाथ आना — to get an opportunity

- अरे, बहुत अच्छा अवसर हाथ आया । क्यों न, सब पैसा लगाकर व्यापार करें ।

अवसर हाथ से जाना — to lose an opportunity

- चलो, अच्छा अवसर हाथ से गया ।

एहसान लेना — to be obligated to someone

- भई, मैं किसी का एहसान न लूंगा ।

एहसान जताना — to remind (someone) of favors conferred (by me)

- तुम हर वक्त एहसान जताते रहते हो । तुम्हें शर्म आनी चाहिये ।

कमी न करना — to spare nothing

- इस काम को पूरा करने में उन्होंने कोई कमी नहीं की, फिर भी कोई ख़ुश न हो सका ।

कान पकड़ना — to take a vow against doing something

- मैं कान पकड़ता हूं, आज से फिर सिगरेट कभी नहीं पीऊंगा ।

कान पकना — to be tired of listening to a complaint

- तुम्हारी बात सुनते-सुनते मेरे कान पक गए । ज़रा चुप भी रहा करो ।

कोलाहल मचाना — to create an uproar

- क्या बात है ? क्यों कोलाहल मचा रहे हो ?

घुमा-फिरा कर बात करना — to make a point in a round about way

- क्यों घुमा-फिराकर बात करते हो ? साफ़-साफ़ क्यों नहीं बताते ?

घूर-घूर कर देखना — to stare at someone repeatedly and offensively

- वह हरदम (always) उस लड़की की ओर घूर-घूर कर देखता रहता है ।

चख़-चख़ मचाना — to exchange noisy words

- क्या छोटी-सी बात के लिए चख़-चख़ मचा रहे हो ?

3. Collocationally Useful Verbs

आना

The verb आना is used in the sense of something being
included and counted in a context.

– हिन्दी साहित्य के प्रारम्भिक युग में जो प्रसिद्ध नाम आते हैं वे
हैं गोरखनाथ, खुसरो, नामदेव आदि ।

Gorakhnath, Khusro, Namdev etc. figure as important names in
early Hindi literature.

होना

Among its various usages, होना is used in the context of
expressing a relation or interpretation. We have already seen
its use in the context of a relation, as in:

– वे मेरे मामा होते हैं ।

He is related to me as my maternal uncle.

          OR

His relationship to me can be interpreted as that of a maternal
uncle.

– इस हिसाब से तो आप मेरे साले हुए ।

Looked at in this way, you stand in the relationship of a
brother-in-law to me.

The 'interpretation' sense can be seen in the following
sentence:

– शौरसेनी अपभ्रंश इस प्रकार पुरानी हिन्दी का अग्रदूत हुआ ।

This way Shaurseni Apabhransh can be interpreted as (stands)
in the relationship of the precursor of Old Hindi.

मानना

The verb मानना has a general meaning of agreement but is also used in the sense of belief, holding a point of view or interpretation.

- इस युग के भक्तिकाव्य की चार मुख्य धारायें मानी जा सकती हैं ।

For this era one can think of four main branches of religious branches.

निकलना

The verb निकलना is used also to express the meaning of source of origin.

- आगे चलकर इस भाषा से संस्कृत निकली ।

Later on Sanskrit developed out of this language.

The verb निकलना is also used in the sense of something turning out as something else or unexpected discovery.

- वह तो चोर निकला ।

He turned out to be a thief.

- यह फ़िल्म बड़ी रद्दी निकली ।

This film turned out to be (unexpectedly) very bad.

कहना

कहना is the more frequently used verb of naming.

- इसको क्या कहते हैं ?

What is this called?

- इन सभी भाषाओं को इकट्ठा पश्चिमी हिन्दी भी कहते हैं ।

All these languages together are also given the name--
Western Hindi.

4. Word Derivation

भारत n	India
भारतीय Adj	Indian
वेद n	Vedas
वैदिक Adj	pertaining to Vedas
विद्वान Adj & m	learned
विद्वता f	scholarship, learning
विद्वतापूर्ण Adj	scholarly
भूगोल n	geography
भौगोलिक Adj	geographical
प्रारम्भ n	beginning
प्रारम्भिक Adj	preliminary

III. TEXTUAL COMPREHENSION AND EXERCISES

Answer the following questions:

1. हिन्दी किस भारतीय परिवार की भाषा है ?

2. अन्य भारतीय आर्य भाषाएं कौन-कौन-सी हैं ? और वे कहां-कहां बोली जाती हैं ?

3. इन बोलियों को वैदिक भाषा क्यों कहा जाता है ?

4. वेद की रचना किस भाषा में हुई ?

5. दुनियां के महान् भाषाविद् पाणिनी क्यों प्रसिद्ध थे ?

6. प्राकृत भाषाएं कब और कहां से निकलीं ?

7. खड़ी बोली किसे कहते हैं ?

8. हिन्दी बोलनेवालों की संख्या क्या है और संसार में उनका क्या स्थान है ?

9. हिन्दी साहित्य और उर्दू साहित्य कब शुरु होते हैं ?

10. अमीर खुसरो क्यों प्रसिद्ध हुए ?

11. कबीर, तुलसी, सूरदास, और मीरां बाई किस युग के थे और क्यों प्रसिद्ध थे ?

12. "द्विवेदी युग" क्यों प्रसिद्ध युग माना जाता है ? इस युग से प्रेमचंद और गुलेरी का क्या सम्बन्ध है ?

13. निराला, महादेवी और दिनकर किस युग के हैं और क्यों प्रसिद्ध हैं ?

14. अज्ञेय, अश्क और यशपाल किस युग के माने जायेंगे ?

Kabir

Kabir is one of the earliest poets in the Bhakti (devotional) tradition of Hindi poetry. Hindi Bhakti poetry maybe considered to fall into two distinct categories. The first one represents the poetry of saints who believed in an all-pervasive, impersonal deity without attributes that can be perceived or expressed; the second one represents the poetry of the devotees of a personal God, Ram or Krishna. The first one represents a philosophical approach that is given the name "Nirguna" and the second one is given the name "Saguna."

Saint-Poet Kabir was born in Varanasi in 1399 A.D. and died in 1495 A.D. It is believed that he was abandoned by his mother at birth and was brought up by a couple who were weavers by trade. His poetry is iconoclastic and freely criticizes both Hindu and Muslim orthodox religious practices in favor of internal purity and an impersonal, omnipotent God.

Kabir became an extremely powerful influence in the religious tradition of India. Some of Kabir's couplets have been incorporated also in the Guru Granth Sahib, the religious book of the Sikhs.

Kabir's language is "pūrvī" or eastern. He did use Punjabi words and expressions. Avadhi, Bhojpuri and Magadhi speakers can easily recognize his language as "pūrvī" in the main.

कबीर

१. साँईं इतना दीजिए, जामें कुटुम समाए ।
मैं भी भूखा ना रहूँ, साधु न भूखा जाए ॥

२. पाहन पूजे हरि मिलैं, तो मैं पूजौं पहार ।
तातें या चाकी भली, पीस खाय संसार ॥

३. कांकर पाथर जोरि कै, मसजिद लियो चुनाय ।
ता चढ़ि मुल्ला बांग दे, क्या बहरा हुआ खुदाय ॥

४. बुरा जो देखन मैं चला, बुरा न मिलिया कोय ।
जो दिल खोजा आपनो, तौ मुझसा बुरा न कोय ॥

५. कबिरा खड़ा बजार में, लिये लुकाठी हाथ ।
जो घर फूके आपना सो चले हमारे साथ ॥

Rahim

Rahim, whose full name was Abdur Rahim Khankhana, was a poet of the early 17th century. He was born in 1610 A.D. He was prominent literary figure in the court of Akbar who was a patron of literature and music. Rahim will be considered a secular poet as opposed to devotional poets like Surdas and Tulsidas roughly of the same age.

Rahim is very highly regarded in Hindi poetry for his exquisite 'dohās' or couplets. These couplets embody rich human experience and worldly wisdom, as the couplets selected here exemplify.

रहीम

१. रहिमन पानी राखिये, बिन पानी सब सून ।
पानी बिना न ऊबरैं, मोती मानुस चून ॥

२. खीरा के मुँह काटि के मलियत नोन लगाय ।
रहिमन कड़ुए मुखन को चहिये यही सजाय ॥

३. जो रहीम मन हाथ है, मनसा कहुं किन जाहिं ।
जल में ज्यों छाया परी, काया भीजत नाहिं ॥

४. रहिमन देखि बड़ेन को, लघु न दीजिये डारि ।
जहाँ काम आवे सुई, कहा करै तरवांरि ॥

५. जो रहीम उत्तम प्रकृति, का करि सकत कुसंग ।
चंदन विष व्यापत नहीं, लपेट रहत भुजंग ॥

Amir Khusro

Amir Khusro is considered just about the first poet who wrote in Khari Boli, the language recognizable as modern Hindi-Urdu (as opposed to the historically earlier Apabhramsha, Prakrit or Sanskrit languages). He was born in a village of Uttar Pradesh in the thirteenth century. In a way he was the first poet to use the language spoken by the people at large for literary creations. Other poets of his time were more conventional and preferred to use archaic language full of Prakrit and Apabhramsha expressions. He was a very talented person and is famous not only for literary compositions but also for his contribution to Indian music.

It is believed that the Indian percussion instrument "tabla" was introduced by him. He was a good scholar of Arabic and Persian too. He had become a disciple of the famous Sufi saint Nizamuddin Aulia at an early age and incorporated his philosophy in his works.

His literary compositions are of various kinds. An interesting aspect of his poetic compositions is a sense of wit which is found in riddles in various formats. One of them is called "mukari." The word 'mukari' has the meaning of "going back upon one's word." His mukaris are riddles in the form of a couplet in which the first part leads one to a possible answer that is negated in the second part.

अमीर ख़ुसरो

१. उज्जल बरन अधीन तन, एक चित्त दो ध्यान ।
   देखत में तो साधु है, निपट पाप की खान ॥

२. ख़ुसरो रैन सुहाग की, जागी पी के संग ।
   तन मेरो मन पीउ को, दोउ भए एक रंग ॥

३. गोरी सोवै सेज पर, मुख पर डारे केस ।
   चल ख़ुसरो घर आपने, रैन भई चहुं देस ॥

४. एक थाल मोती से भरा, सबके सिर पर औंधा धरा ।
   चारों ओर वह थाली फिरै, मोती उससे एक न गिरै ॥

५. एक नार ने अचरज किया, सांप मारि पिंजरे में दिया ।
   जों जों सांप ताल को खाए, ताल सूख सांप मर जाए ॥

Surdas

Surdas is one of the most important poets in the Bhakti tradition of Hindi poetry and probably the most important in the Krishna Bhakti school of Hindi poetry. He was a poet of early 16th century. Born in 1483 A.D., he died in 1563 A.D. He was one of the eight important poets forming a group called 'aṣṭachāp' (eight seals) and is definitely to be regarded as the leading poet of this group. The name 'aṣṭachāp' was probably used for the group of these eight poets because they were the eight acknowledged masters of Krishna poetry written in Brajbhasha.

Surdas was born blind and had a musical talent. He lived the life of an ascetic devotee as the disciple of Shree Vallabhacharya who was the source of the philosophy of Krishna Bhakti. Bhakti implies free but fervent devotion according to which anyone with the necessary earnestness could acquire Divine grace, and needed neither a priest nor ritual sacrifices. This intense loving devotion to a personal God is an important element in both Krishna Bhakti poetry and the Ram Bhakti poetry of Tulsidas.

Surdas is famous for his monumental work 'sūrsāgar' which is an expression in verse of a large number of episodes from the 'Bhāgavat Purān.' In his verses Surdas portrays Krishna as a lovely child full of delightful pranks and then as an adolescent lover. The first poem selected here describes Krishna's pranks as a thief of butter which as a child he enjoyed eating. In the second poem he sings the praises of the infinite mercy of an omnipotent God.

सूरदास

(१)

मैया मोरी, मैं नहिं माखन खायो ।

भोर भयो गैयन के पाछे, मधुवन मोहिं पठायो ।

चार पहर बंसीबट भटक्यो, साँझ परे घर आयो ।

मैं बालक बहिंयन को छोटो, छींको केहि विधि पायो ।

ग्वाल-बाल सब बैर परे हैं, बरबस मुख लपटायो ।

तू जननी मन की अति भोरी, इनके कहे पतियायो ।

जिय तेरे कछु भेद उपजिहै, जानि परायो जायो ।

यह ले अपनी लकुटि कमरिया, बहुतहि नाच नचायो ।

'सूरदास' तब बिहँसि जसोदा, लै उर कंठ लगायो ॥

(२)

चरन कमल बन्दौं हरिराइ ।

जाकी कृपा पंगु गिरि लंघै,
अन्धे कौं सब कुछ दरसाइ ।

बहिरौ सुनै, मूक पुनि बोलै,
रंक चलै सिर छत्र धराइ ।

सूरदास स्वामी करुनामय,
बार-बार बन्दौं तिहिं पाइ ।

Tulsidas

Tulsidas is regarded by some as the Bhakti poet par excellence in Hindi literature. At any rate Tulsidas is the most outstanding poet of the Rama Bhakti school, just as Surdas is regarded as the most outstanding poet of the Krishna Bhakti school. He was born a little later than Surdas, sometime in the second decade of the 16th century A.D. He had a very long and productive life and died in 1623 A.D.

His monumental work is "Rāmcaritamānas" which is the story of Rama, essentially as in the "Rāmāyaṇa" of Valmiki. Many believe that this work single-handedly established Rama as the personal God for most Indians.

Tulsidas's literary range is unusually wide. He authored at least twelve major works. He used not only the Avadhi variety of Hindi for his narrative composition "Rāmcaritamānas" but also used Brajbhasha for lyrical compositions as in "Gītāvalī." He used a wide variety of metrical forms in his compositions, such as "Kavitta," "Savayyā," "Dohā," "Chaupāī," etc. The piece selected here is from "Rāmcaritamānas" and describes the birth of Lord Rama.

तुलसीदास

भए प्रगट कृपाला दीन दयाला कौशल्या हितकारी।
हरखित महतारी मुनि मन हारी अद्भुत रूप निहारी।
लोचन अभिरामा तन घनश्यामा निज आयुध भुज चारी।
भूषन बनमाला नयन बिसाला सोभा सिंधु खरारी।

कह दुइ कर जोरी अस्तुति तोरी केहि बिधि करौं अनंता।
माया गुन ग्यानातीत अमाना बेद़ पुरान भनंता।
करूना सुख सागर सब गुन आगर जेहि गावहिं श्रुति संता।
सो मम हित लागी जन अनुरागी भयउ प्रकट श्रीकंता।

II.   ORAL PRODUCTION

A. Situational Conversation

Familiarize yourself with the conversations which follow and also be aware of the kinds of vocabulary, turns of phrase, and idioms used which are appropriate to the conversational situations.

The conversations which follow are essentially samples. Prepare to engage in conversations on these topics in class.

The vocabulary is basically conversational. You should develop the habit of interpreting unfamiliar words on the basis of the available context. You may also consult a dictionary for unfamiliar words (but only in times of dire emergency!).

Conversation about Personal Background

"आपका शुभ नाम ?"

"जी मुझे विनोद सहाय कहते हैं ।"

"आपके पिता का क्या नाम है ?"

"मेरे पिता तो अब रहे नहीं । उनका स्वर्गवास हो चुका है । उनका नाम प्रमोद सहाय था ।"

"अच्छा ? आपके पिता का देहान्त कब हुआ ?"

"जी पिछले ही साल ।"

"आपके परिवार में और कौन हैं ?"

"मेरी माताजी हैं । मेरा एक छोटा भाई है और एक छोटी बहन है ।"

"आपने अभी शादी नहीं की है ?"

"जी नहीं ।"

"आपका निवास कहाँ का है ?"

"मैं इसी शहर के पास रहता हूँ एक गाँव में छतरपुर नाम है उस गाँव का ।"

"गाँव में क्या करते हैं ?"

"हमारा ख़ानदानी रोज़गार तो खेती करने का है लेकिन अब केवल खेती से गुज़ारा नहीं होता ।"

"कितना खेत है आपके पास ?"

"दस-बारह एकड़ ज़मीन है, लेकिन ज़मीन बहुत उपजाऊ नहीं है ।"

"आपके परिवार की आय क्या होगी ?"

"पन्द्रह से बीस हज़ार का सालाना, पर इससे पूरा नहीं पड़ता ।"

"आपने शिक्षा कहाँ तक पाई है ।"

"मैंने बी० ए० किया है इस साल। आपके आशीर्वाद से प्रथम श्रेणी मिली है। मैंने विश्वविद्यालय में द्वितीय स्थान प्राप्त किया है।"

"बहुत ख़ुशी की बात है। आपने विषय क्या ले रखे थे ?"

"जी राजनीति-शास्त्र, अर्थविज्ञान, और गणित।"

"अनिवार्य विषय भी तो रहे होंगे ?"

"दो भाषायें, हिन्दी तथा अँग्रेज़ी।"

"आपके भाई बहन क्या पढ़ रहे हैं ?"

"अभी दोनों हाई स्कूल में हैं। भाई दसवीं कक्षा में और बहन नवमीं में। दोनों गाँव के स्कूल में ही जा रहे हैं।"

"आपने क्या कोई रोज़गार भी किया है ?"

"जी नहीं, अभी तो मैंने कॉलेज ही छोड़ा है। पर रोज़गार करने का कोई इरादा नहीं है।"

"तो आप शहर में नौकरी ढूँढ़ने आये हैं ?"

"जी हाँ कुछ छोटा-मोटा काम मिल जाए तो उसे करता हुआ अपनी पढ़ाई भी जारी रखना चाहता हूँ।"

"किस प्रकार के काम में आपकी रुचि है ?"

"मैं किसी पत्रिका या पुस्तकों के प्रकाशन विभाग में काम करना चाहूँगा।"

"इस क्षेत्र में आपका क्या अनुभव है ?"

"कुछ विशेष नहीं। पर मेरी हिन्दी बहुत अच्छी है। मैंने अपने कॉलेज की पत्रिका का सम्पादन भी किया है।"

"यह तो बहुत अच्छी बात है। आप अपने प्राध्यापक से कोई अनुशंसा पत्र लाये हैं ?"

"जी हाँ, है मेरे पास।"

"तब आपको सफलता अवश्य मिलेगी । ईश्वर आपका भला करे ।"

Asking for and Giving Directions

I. कपड़े की दुकान

1. भाई साहब, यहाँ पर कहीं कपड़े की दुकान है क्या ?
2. हाँ साहब, है ।
3. किधर है ?
4. वह जो सामने आइसक्रीमवाला खड़ा है न, उससे परली तरफ़ ।
5. सीधे हाथ ?
6. नहीं, उल्टे हाथ ।
7. बहुत आगे है क्या ?
8. नहीं जी, दो दुकान परे एक बिजली का खंभा मिलेगा, उसी से लगे, कोने पर ।
9. तब तो पास ही है ।
10. हाँ साहब, बहुत पास, बस दो क़दम पर ।

<u>Vocabulary:</u>

परली तरफ़	on the other side
सीधे हाथ	right-hand side
उल्टे हाथ	left-hand side
परे	after
खंभा	pole
क़दम	step

<u>Other Expressions:</u>

–use of **जो** as an identifier

-लगे from **लगना** for expressing proximity, also **लगे हुए**

-**तब तो** compound adverbial

-**बस** a particle expressing the meaning of "enough", "just", "that's all", "only", and such like that

-**पर** a postposition equivalent of "on", here used in the sense of "at", e.g. "at a distance of"

II. मकान का पता

1. क्या आप अपने मकान का पता दे सकते हैं ?

2. क्यों नहीं ? बहुत आसान है । आप रिंग रोड पर पूरब की ओर चले आइए ।

3. कहाँ से पूरब ?

4. पालम से आते समय । आप इनर रिंग रोड ले लीजिएगा ।

5. अच्छा, फिर ?

6. आप मेडिकल इंस्टिच्यूट होते हुए आएँगे । इंस्टिच्यूट का चौराहा पार करने के बाद आपको बाईं ओर स्कूल ऑफ़ होम इकनॉमिक्स मिलेगा ।

7. ठीक है ।

8. उसके बाद ही एक सड़क भीतर की ओर चली जाती है, साउथ एक्सटेंशन के लिये ।

9. मतलब कि सड़क से बाएँ ही ।

10. हाँ । उसी सड़क पर आगे एक पुराना मक़बरा मिलेगा । बिना कहीं मुड़े बढ़ते जाइए तो पाँच-सात मकान बाद ही बाईं ओर एक दो-मंज़िला मकान मिलेगा भूरे रंग का ।

11. क्या नम्बर है मकान का ?

12. बी० २१

13. ठीक है, समय पर पहुँच जाऊँगा ।

14. पहचान के लिए याद रखिएगा, एक छोटा-सा तिकोना पार्क है मकान के आगे ।

Vocabulary:

चौराहा	crossing
मक़बरा	tomb
दो-मंज़िला	two-storied
तिकोना	triangular
पहचान	recognition

Other Expressions:

-दे सकते हैं expresses honorific request

-ले लीजिएगा suggestion vs. instruction as expressed by ले लीजिए; also रखियेगा in number 14

-होते हुए expressed the meaning of "via" or "by way of"

-मतलब कि a conversational mannerism, "it means"

Note the word order in numbers 8, 10, 11, and 12 for purposes of style and emphasis.

Introduction Formalities

सुभाष : डा० प्रकाश, इनसे मिलिये, ये हैं मिस्टर जेम्स, अमेरिका से अभी-अभी आये हैं, भारतीय भाषाओं का अध्ययन करने ।

प्रकाश : अच्छा ? मिस्टर जेम्स, ख़ुशी हुई आपसे मिलकर । अच्छा किया सुभाष जी जो आप इन्हें साथ लेते आये । जेम्स साहब, आप भारतीय भाषाओं का अध्ययन करने आये हैं तो हिन्दी तो बोल ही लेते होंगे ।

जेम्स : हाँ, थोड़ा-थोड़ा । अमेरिका में हमने जो कुछ सीखा है उसीको और भी अच्छी तरह सीखने आया हूँ ।

प्रकाश : वाह आप तो साफ़ हिन्दी बोल लेते हैं । यह ठीक है कि यहाँ आने से आपको हिन्दी या कोई भी भारतीय भाषा सीखने में बहुत सुविधा होगी । यहाँ कितने दिन रहने का विचार है आपका ?

जेम्स : तीन महीने तो रहना ही है । इस बीच कई जगह जाना पड़ सकता है ।

सुभाष : हाँ, ये अमेरिका से फ़ेलोशिप लेकर आये हैं । इन्हें विशेषकर हिन्दी और उर्दू की मिलीजुली बोली का अध्ययन करना है । इस सिलसिले में इनका उत्तर भारत में कई जगह जाना हो सकता है ।

जेम्स : आप लोग ऐसी भाषा को हिन्दुस्तानी कहते हैं न ?

प्रकाश : कहते क्या हैं, कहने लगे हैं । पता नहीं हिन्दुस्तानी नाम किसने दिया था, पर चलाया हुआ गाँधी जी का है ।

सुभाष : इससे यह एक फ़ायदा तो हुआ कि हिन्दी-उर्दू का झगड़ा ख़त्म हो गया । कूटनीतिक दृष्टि से देखिये तो यह नाम हिन्दी के पक्ष में ही जाता है ।

जेम्स : यह आप कैसे कह सकते हैं ?

सुभाष : आख़िर हिन्दी और उर्दू दोनों के बोलनेवालों की आबादी को मिलाकर एक कर दिया और नाम भी हिन्दी से ही मिलता-जुलता रख दिया ।

प्रकाश : लेकिन यह तो केवल बोलचाल की भाषा के लिये ही हुआ । साहित्य की भाषा को हिन्दी और उर्दू के अलग नाम ही दिये जाते हैं । फिर सेंसस में कोई अपनी भाषा हिन्दुस्तानी शायद ही लिखवाता हो ।

जेम्स : ऐसा क्यों है ? क्या लोग हिन्दुस्तानी को वास्तव में भाषा नहीं मानते ?

सुभाष : जेम्स साहब आपने एक ढंग से सही बात कही है । गाँधी जी तो हिन्दुस्तानी को एक वास्तविक स्वरुप भी देना चाहते थे और उसे मान्यता भी दिलाना चाहते थे । पर ऐसा हुआ नहीं ।

प्रकाश : शायद अगर देश का विभाजन नहीं होता तो गाँधी जी का यह भाषायी फ़ारमूला चल जाता, क्योंकि तब राजकाज के स्तर पर संस्कृत-निष्ठ भाषा स्वीकार नहीं की जा सकती थी ।

जेम्स : आप लोगों से इस प्रकार बात करने से बहुत कुछ सीखने को मिल रहा है, लेकिन आज हमें जल्दी वापस जाना होगा ।

प्रकाश : अरे, आपने अभी तो चाय भी नहीं पी ।

जेम्स : चाय पीने के बहाने फिर कभी आ जाऊँगा । अच्छा, नमस्कार ।

प्रकाश : नमस्कार, तो वादा रहा ।

जेम्स : ठीक है ।

Making Enquiries

I. कुतुब मीनार :

1. भाई साहब, आपको पता है, कुतुब मीनार की बस कब मिलेगी ?
2. कुतुब के लिए आपको बराबर बसें मिलेंगी, पाँच-दस मिनट इन्तज़ार कीजिए ।
3. अच्छा ? कोई-कोई बस तो रुकती ही नहीं ।
4. बस में जगह नहीं रहने पर कभी-कभी वे लोग किसी-किसी बस पड़ाव पर नहीं भी रोकते हैं ।
5. तब तो मुश्किल ही लगता है ।
6. नहीं, कोई-न-कोई बस आपको ज़रूर मिलेगी ।
7. क्या है वहाँ देखने के लिये ?
8. वहाँ एक बड़ा लाट है, पाँच ऊँची मंज़िलोंवाला । यह लाट बहुत पुराना है, सात-आठ सौ साल पुराना ।
9. आस-पास कुछ और भी है देखने लायक़ ?
10. खंडहर हैं पुराने ज़माने के । एक मस्जिद है और हिन्दू ज़माने का इस्पात का एक पुराना स्तंभ भी है जिस पर लेख खुदे हैं ।

Vocabulary:

बराबर	all the time
इन्तज़ार	await (noun)
पड़ाव	bus stop
मुश्किल	difficult
लाट	pillar

मंज़िल	floor
इस्पात	steel
स्तंभ	pillar
लेख	inscriptions

Other Expressions:

कोई-कोई	some of them
कोई-न-कोई	someone or other
कुछ और	anything else

Note the word order in numbers 7, 8, 9, and 10.

II. शिमला :

1. भाई साहब, क्या आप बता सकते हैं शिमला जाने का सबसे अच्छा रास्ता क्या होगा ?

2. दो रास्ते हैं। अगर आप बस लेना चाहें तो कश्मीरी गेट के बस-अड्डे से आपको शिमला के लिए सीधी बस मिल जाएगी। उनकी नाइट सर्विस बहुत अच्छी है।

3. अच्छा ? मतलब कि सारी रात बस पर गुज़ारना होगा।

4. जी हाँ। और अगर आप रात आराम से गुज़ारना चाहते हों तो पुरानी दिल्ली से दस बजे कालका मेल लेकर सुबह कालका पहुँच जाइए।

5. फिर ?

6. कालका से फिर चाहे आप रेल से ही शिमला चले जाइए या बस ले लीजिए।

7. बस तो देर से पहुँचाएगी ?

8. नहीं, बस बहुत ही जल्दी पहुँचाती है । रेल में सुविधा है लेकिन रेल बहुत ज़्यादा समय लगाती है ।

9. कालका में बस कहाँ मिलेगी ?

10. बाज़ार के पास । कुली मिल जाते हैं सामान ढोने के लिए ।

Vocabulary:

बस-अड्डा	bus station
सीधी	direct, straight
गुज़ारना	to spend (time)
चाहे.../...या	either.../...or
सुविधा	facility
कुली	porter
सामान	luggage
ढोना	to carry

Other Expressions:

अच्छा ?	is that so?
फिर ?	then what?
मतलब कि...	that means...

Note the word order in number 10.

Shopping for Groceries
पारचून की दुकान

ग्राहक : क्यों भाई, आपके यहाँ अच्छा आटा मिल जाएगा ?

दुकानदार : हाँ साहब, ज़रूर । बहुत अच्छा आटा है । कल ही नया माल आया है ।

ग्राहक : ताज़ा रहना चाहिए । आटे में कीड़े जल्दी लगते हैं । पिछली बार कुछ आटा फेंकना पड़ा था ।

दुकानदार : ख़ातिर जमा रखिए । कोई शिकायत नहीं होगी । कितना चाहिए ?

ग्राहक : अभी पाँच किलो दे दीजिए । अच्छा रहा तो बाद में और ले जाऊँगा । दाम क्या होगा पाँच किलो का ?

दुकानदार : साढ़े दस रुपया ।

ग्राहक : साढ़े दस ? पिछली बार साढ़े नौ का ले गया था ।

दुकानदार : पिछली बार को भूल जाइए । इधर दाम बहुत चढ़ गया है । फिर आटा भी अच्छी कम्पनी का है । और क्या चाहिए ?

ग्राहक : सामान की तो लम्बी सूची है । लेकिन आप कीमतें बढ़ा रहे हैं ।

दुकानदार : ऐसी बात नहीं है । मेरे यहाँ सभी सामान वाजिब दाम पर मिलते हैं । खरा माल, खरा दाम । आप पर्ची बढ़ा दीजिए ।

Vocabulary:

पारचून	store for groceries and miscellaneous items of daily use
माल	consignment, goods

ख़ातिर जमा रखिए	rest assured
शिकायत	complaints
दाम	cost, price
पिछली बार	last time
चढ़ गया	increased
सूची	list
कीमतें	prices
वाजिब	reasonable, proper
खरा माल, खरा दाम	perfect goods, perfect price
परची	slip

Note the following usages:

मिल जाएगा, रहना चाहिए, पड़ा था, कितना चाहिए, और भी, अच्छा रहा, दाम होगा, पिछली बार, चढ़ गया, सामान की तो, ऐसी बात नहीं, बढ़ा दीजिए ।

At a Shoe Store
जूते की दुकान

दुकानदार : आइए साहब, इधर बैठिए ।

ग्राहक : आपके यहाँ तो बड़ी भीड़-भीड़ चल रही है । मुझे ज़रा जल्दी है ।

दुकानदार : बस हुक्म तो दीजिए, अभी आपका काम निपटाये देता हूँ । क्या चाहिये आपको ?

ग्राहक : मुझे गर्मी के मौसम के लायक चप्पल ख़रीदनी है ।

दुकानदार : ये देखिए, चप्पलों के इतने नमूने हैं । कौन सी चाहिए ?

ग्राहक : उस कोने पर जो रखी है उसे तो दिखाइयेगा ज़रा । अच्छी मालूम पड़ती है ।

दुकानदार : यह लीजिए, कानपुर की है, नई डिज़ाइन की । चमड़ा बहुत मुलायम है । नीचे में रबर का सोल है, बहुत मोटा और मज़बूत । सिलाई देखिए, दोहरी सिलाई है ।

ग्राहक : मज़बूत तो होगी न ?

दुकानदार : साहब, टूटने का नाम नहीं लेगी । आप इसे पहनते-पहनते ऊब जाएँगे । क्या साइज़ है आपकी ?

ग्राहक : सात । दाम तो बताया ही नहीं ।

दुकानदार : पैंतालीस रुपया । बाज़ार में नई आई है । यह आप ही के नाप की है ।

ग्राहक : ठीक है । दे दीजिए ।

Vocabulary:

ज़रा	little, a little bit

जल्दी	hurry
हुक्म	order, command
निपटाना	to finish
मौसम	season, weather
लायक	suitable
नमूना	sample
चमड़ा	leather
सिलाई	stitch, sewing
दोहरी	double
ऊब जाना	to get tired or bored
नाप	measurement

Note the following usages:

भीड़-भीड़ चलना, निपटाये देना, अच्छी-सी, मालूम पड़ना, होगी न, नाम नहीं लेना, पहनते-पहनते, दाम तो, ठीक है ।

Social Interaction among Family Friends

शर्मा : नमस्ते राय साहब, कहिये कैसे हैं ?

राय : नमस्कार, बस चल रहा है । आपलोगों के क्या हाल हैं ? भाभी जी नहीं आईं ?

शर्मा : आई हैं । पीछे रह गई हैं आपकी पत्नी के साथ ।

पुष्पा : नमस्ते भाई साहब, मेरी खोज कर रहे थे क्या ?

राय : नमस्कार भाभीजी, हाँ-हाँ क्यों नहीं ? आपके बिना पार्टी जमेगी कैसे ?

पुष्पा : मैं सुशीला के पास ज़रा किचेन में चली गई थी । आप लोगों ने बड़ी तैयारियाँ कर रखी हैं । बहुत सारे लोग आ रहे हैं क्या ?

राय : बहुत तो नहीं, फिर भी हैं कुछ लोग । अच्छा किया आप पहले आ गईं । सुशीला को मदद मिल जाएगी ।

सुशीला : मेरा नाम किस सिलसिले में लिया जा रहा है ?

पुष्पा : भाई साहब बता रहे थे कि मेरे आने से तुम्हें कुछ मदद मिल जाएगी, लेकिन यहाँ तो तुमने पूरी एक बारात की तैयारी कर रखी है । सारा सामान बना पड़ा है ।

सुशीला : नहीं, किसी एक के रहने से अच्छा लगता है । अब देखिए कि दही-बड़े मुझसे ठीक सँभलते नहीं, कड़े हो जाते हैं ।

पुष्पा : लेकिन मटर भरी और उरद दाल वाली कचौड़ियाँ जितनी अच्छी तुमने बनाई हैं मुझसे नहीं बन पड़तीं ।

शर्मा : खाने के सामानों की चर्चा आप लोग अभी से इतना करने लगी हैं कि मेरे मुँह में पानी आने लगा है ।

राय : इसी बात पर शर्माजी बताइए, आप क्या पीना चाहेंगे ?

शर्मा : मैं तो अब कुछ पीता नहीं । भाभी जी के हाथ की

लस्सी से लज़ीज़ चीज़ कुछ और नहीं है दुनिया में ।

सुशीला : ठीक है लस्सी तो बन ही रही है, सोचा और भी लोग
आ जाएँ तो तैयार कर दूँगी ।

शर्मा : वाह तो क्या कहने । मैं इन्तज़ार कर लूँगा ।

राय : तब तक ठंडा या गरम कुछ भी लीजिए न शर्मा जी ।
भाभीजी, आप भी लीजिए, चाय-वाय, या ठंडा में लिम्का
है हमारे पास । अभी तो वैसे भी सभी के आने में देर है ।

पुष्पा : राय साहब, हम लोग थोड़ा और रुक ही जाते हैं । तब
तक मैं सुशीला के साथ चल कर देख लेती हूँ और क्या
ज़रूरत है ।

सुशीला : सब बना पड़ा है । हाँ आप चाहें तो सब्ज़ियों का स्वाद
चखकर देख लीजिए । मेरे हाथ से नमक कम पड़ता है ।

पुष्पा : यह तो अच्छी बात है । ज़्यादा नमक खानेवाले पीछे से
और भी नमक मिला सकते हैं । लेकिन अभी पूरियाँ तो
तलनी होंगी न ? दो जन मिलकर इसे कर ही डालें ।

सुशीला : कुछ तो मैंने तंदूरी रोटियाँ सिंकवा ली हैं । बहुत थोड़ी
ही पूरियों की ज़रूरत होगी । अभी रायता और सलाद
बनाना है । पुलाव बन ही चुका है ।

पुष्पा : हाँ वह तो हमने देखा । कितना सारा केशर, काजू, और
किशमिश तुमने डाल रखा है । तुम्हारे साग पनीर और
कद्दू के कोफ़्ते का भी जवाब नहीं । मुझ से ऐसा उतरता
ही नहीं ।

शर्मा : आप लोग फिर हमारी भूख बढ़ाने लगीं ।

सुशीला : ठीक है तो हम लोग चलती हैं । आप दोनों के लिए
चाय भिजवा देती हूँ । तब तक और भी लोग आ ही
जाएँगे ।

राय : अच्छी बात है । तुम लोग जाओ क्योंकि समय भी कम ही रह गया है । कुछ हमारी ज़रूरत हो तो बताना ।

सुशीला : आप लोग इधर का देखिए । सभी के आ जाने पर फिर काम बढ़ ही जाएगा ।

Conversation on a Train

सहयात्री १ : साहेब, आप कौन देस से आये रहे ?

जॉन : मैं अमरीका से आया हूँ ।

सहयात्री १ : हम सो ही अन्दाज़ लगा रहे थे । लेकिन आप तो हिन्दी समझ लेते हैं । हिन्दी की पढ़ाई किये रहे क्या ?

जॉन : हाँ, हाँ, पढ़ाई तो की ही है मैंने । अभी भी कर रहा हूँ ।

सहयात्री २ : अच्छा ? आप दिल्ली में रह रहे हैं क्या ?

जॉन : जी हाँ । रहना दिल्ली में ही होता है, लेकिन कभी-कभी इधर-उधर भी जाना पड़ता है ।

सहयात्री १ : इधर कौन देस जा रहे हैं ?

जॉन : अभी तो मैं बनारस जा रहा हूँ ।

सहयात्री २ : वाह-वाह, बनारस बहुत ही अच्छा सहर है । आप पहले वहाँ कभी गये रहे क्या ?

जॉन : जी हाँ, एक-दो बार जा चुका हूँ । रहा भी हूँ वहाँ कुछ दिन ।

सहयात्री ३ : अच्छा बताइए तो, बनारस में आपको क्या अच्छा लगा ?

जॉन : सब कुछ । बनारस का नया और पुराना रूप दोनों अच्छा लगा ।

सहयात्री २ : ठीक कहते हैं आप । नया और पुराना का इतना

अच्छा संगम आपको बहुत कम मिलेगा।

जॉन : यह कौन सा स्टेशन आया ?

सहयात्री १ : ई सायत अलीगढ़ है । बड़ा दंगा-फसाद होता है यहाँ ।

जॉन : यहाँ मैं चाय लेकर आता हूँ।

सहयात्री १ : आप बैठिए, अभी चाहवाला यहीं पर आ जाएगा । यह लीजिए आ भी गया । ऐ चाहवाले, दो प्याली चाह तो देना ।

चायवाला : कुल्हड़ नहीं है । चाय जल्दी पीकर प्याला दे दीजिएगा ।

सहयात्री १ : ठीक है, कितना पैसा ? नहीं साहब आप पैसा का फिकर क्यों करते हैं । एक प्याला चाय कौन सी नेयामत है । आपसे हम बाद में पी लेंगे ।

जॉन : धन्यवाद । चाय अच्छी है ।

सहयात्री २ : अच्छी क्या होगी । स्टेशन की चाय स्टेशन की चाय ही होगी न ?

जॉन : गरम तो है । हमारे हिसाब से केवल चीनी ज़रा ज़्यादा है ।

सहयात्री ३ : आप अमरीकी लोग चीनी कम खाते हैं ।

जॉन : जी हाँ, ख़ासकर चाय या कॉफ़ी में ।

सहयात्री १ : गाड़ी खुल गई । कासी इसपरेस अच्छी टरेन है ।

सहयात्री २ : आपका कौन सा बर्थ है ?

जॉन : सबसे ऊपरवाला ।

सहयात्री २ : बहुत अच्छा है । आराम से सो सकिएगा ।

सहयात्री ३ : सुबह छः बजे तो गाड़ी बनारस पहुँच ही जाती है ।

जॉन : जी हाँ, सो तो है । मैं सबेरे जल्दी जग जाता हूँ ।

सहयात्री १ : आप खाना खायेंगे ? खाने के लिये दिल्ली में ही
बताना होता है । आगे टूँडला में खाना दे जाता है ।

जॉन : मुझे मालूम नहीं था । मैं गाड़ी में देर से बैठा । लेकिन
मुझे कोई ज़रूरत नहीं होगी ।

सहयात्री १ : हम अपने साथ कुछ पूरी लाए हैं, आप भी शामिल
हो सकते हैं । बहुत पूरी है मेरे पास ।

जॉन : जी नहीं माफ़ कीजिएगा, इसकी ज़रूरत नहीं होगी ।

सहयात्री ३ : गाड़ी लगता है रुकनेवाली है ।

सहयात्री २ : किसी ने चेन खींची होगी ।

सहयात्री १ : सायत सिंगल नहीं होगा ।

सहयात्री ३ : हाथरस आनेवाला होगा ।

जॉन :   हाथरस क्या बड़ा शहर है ?

सहयात्री ३ : जी हाँ, अब तो बहुत बड़ा शहर हो गया है । भारत
में सभी शहर बड़े हो रहे हैं ।

सहयात्री २ :   जनसंख्या की ऐसी समस्या आपके देश में नहीं
होगी ।

जॉन : संख्या वहाँ भी बढ़ती है लेकिन धीरे धीरे ।

सहयात्री ३ : आप लोग तो बाहर से भी लोगों को बुलाते हैं ।

जॉन : जी हाँ, ज़रूरत और क़ानून के मुताबिक़ कुछ लोग बाहर
से भी आते हैं हर साल ।

सहयात्री १ : साहब बड़ी धूल आ रही है, खिड़की ज़रा ऊपर कर
दीजिए । लगता है आप को नींद आ रही है ।

जॉन : जी हाँ, कुछ दिन भर की थकान से और कुछ हवा के
झोंके से नींद-सी आने लगी है ।

सहयात्री १ : आप ऊपर जाके सो रहिए ।

A Formal Conversation

आगन्तुक : सेठजी, दण्डवत्।

सेठजी : नमस्कार भाई, आप तो दूज के चाँद हो गये हैं आजकल।

आगन्तुक : जी क्षमा चाहता हूँ यदि मुझसे कोई उद्दण्डता हो गई हो।

सेठजी : नहीं नहीं भाई, उद्दण्डता किस बात की ? आप व्यस्त लोग हैं। कोई बात नहीं। कहिये कैसे आना हुआ ?

आगन्तुक : सेठजी, आज्ञा हो तो आपकी सेवा में मैं कुछ निवेदन करूँ ?

सेठजी : अवश्य, इसमें पूछने की क्या बात है ? फ़र्माइये।

आगन्तुक : बात यह है कि मुहल्लेवाले लोग मिलकर कुछ सामाजिक आयोजन कर रहे हैं। अब आपकी कृपा हो तो इस आयोजन में चार चाँद लग जाएँ।

सेठजी : भई हम तो अपने को इस मुहल्ले का सेवक ही समझते हैं। सेवक आज्ञा देता नहीं लेता है। आपलोग जो भी आज्ञा देंगे, सर-माथे पर।

आगन्तुक : ऐसा न कहिये। आपकी कृपा दृष्टि बनी रहती है हम लोगों पर इसे हम अपना सौभाग्य ही समझते हैं। हम सब यह चाहते हैं कि आप हमारे इस आयोजन की अध्यक्षता करें।

सेठजी : हम. भला किस योग्य हैं ? लेकिन जैसी मर्ज़ी आप सभी की।

आगन्तुक : बहुत बहुत धन्यवाद इस कृपा के लिये। अब आपसे कुछ परामर्श भी लेने हैं। आपकी सेवा में कब उपस्थित होऊँ ?

सेठजी: यदि आपको कठिनाई न हो तो ऐसा करें की इस विषय पर हम कल सुबह बात कर लें।

आगन्तुक : आपको जब भी सुविधा हो मैं आपकी सेवा में उपस्थित हो सकता हूँ। तो फिर आज्ञा दीजिये।

सेठजी: ठीक है। आप ख़ातिर जमा रखिये कि मैं आप लोगों से बाहर नहीं हूँ। मुझसे जो भी बन पड़ेगा अवश्य करूँगा।

आगन्तुक : यही आशा लेकर तो मैं आपके दरबार में आया था।

सेठजी: कुटिया कहिये बन्धु। अच्छा तो फिर मिलेंगे। कल सुबह आप जब भी चाहिए आ जाइएगा।

आगम्मतुक : जो आज्ञा। जी अच्छा तो नमस्कार। कल सुबह फिर आपके दर्शन के लिए उपस्थित होऊँगा।

B. Oral Presentation

The purpose of oral presentation is to develop the skills necessary to speak Hindi for sustained periods of time. Generally, such presentations are of three types: (1) Describing things (e.g. a room, a building, other physical objects, and procedures as to how to cook something or do something; (2) Narrative discourse (e.g. recounting an incident, telling a story); and (3) Intellectual discourse (e.g. talking about relatively abstract things and concepts, such as politics, social and cultural institutions, one's own discipline or areas of interest, etc.). These presentations may also involve more advanced tasks, such as introducing a speaker, proposing a toast, or persuading someone to do something.

Sample topics with related vocabularies in Hindi and suggestions for possible organization in English have been included. More topics can be added.

Read the following passages and familiarize yourself with the vocabulary sections which accompany them. As you are assigned each passage, prepare to make an oral presentation on it in class. Prepare a written version of these oral presentations as well.

How to Cook Chicken Curry

Put a saucepan on the stove and pour some vegetable oil into it. When the oil is heated, season it with bay leaf, cumin seeds, garlic pieces, and cut an onion into it. Let this all become well-fried. Then take the cleaned chicken parts and fry them well in the saucepan. Now add spices such as turmeric powder, curry powder, coriander powder, chili, ginger, and salt to taste. Then stir the whole thing until the spices are mixed and well-absorbed. After this, for a good curry, pour a measured amount of water into the mixture. Now the heat should be increased and the saucepan should be covered. Usually the curry is tastiest when cooked over a slow flame. It has to be stirred well from time to time. When the curry becomes thickened and the chicken becomes well-cooked, take the saucepan off the stove.

Vocabulary

chicken	मुर्ग़ी	f
turmeric powder	हल्दी	f
cumin seeds	जीरा	m
garlic	लहसुन	m
curry powder	गरममसाला	m
bay leaf	तेजपत्ता	m
to pour water	पानी डालना	tr
to fry, to sauté	भूनना	tr
to become cooked	सीझना	intr
to cut	काटना	tr
cover, lid	ढक्कन	m
heat, flame	आँच	f
to add spices	मसाला डालना	tr

salt	नमक	m
coriander powder	धनिया	m
chili	मिर्च	f
onion	प्याज़	m
ginger	अदरख	m
to season	छौंक लगाना	tr
curry	शोरबा	m
to thicken	गढ़ाना	intr
vegetabe oil	वनस्पति तेल	m
to stir	चलाना	tr
stove	चूल्हा	m
saucepan	पतीली	f
to put something on the stove	चढ़ाना	tr

A Traffic Accident

I cannot forget the day when I witnessed a serious traffic accident which took place in front of me. I was travelling down a highway back home that day. I was just behind a blue car which was trying to speed up. Two cars ahead there was a big truck. The blue car was trying to pass both the cars as well as the truck. The highway had only one lane each way. The blue car moved swiftly to the oncoming lane and sped up. Suddenly I heard a big crashing sound. Both the cars and the truck in front of me stopped suddenly and I had to try to do the same. In this attempt all of us slid onto the right-lane shoulder. Fortunately, there was no damage to my car. We found that the blue car had collided with an oncoming yellow car head-on. The drivers of both cars were seriously injured. The truck driver immediately called the police to help them. The cars were smashed and broken badly. One of the passengers in the blue car had ruptured his head. We thought that nobody had died, but later we were told that three persons had died in the hospital.

Vocabulary

traffic	यातायात, गाड़ी f
road, highway	सड़क, मार्ग m
take a turn	मुड़ना intr
to pass	आगे निकालना tr
to slow down	धीमा करना tr
to crash, to hit	टक्कर लगाना tr
to try	कोशिश करना tr
to crack	फटना intr
to be smashed	चिपटा होना intr
to die	मरना intr
to help	सहायता पहुँचाना tr

serious	भयानक, गंभीर Adj
accident	दुर्घटना f
car	कार f
by the side	किनारे Adv
way, lane	रास्ता m
to speed up	तेज़ करना tr
to get hurt	चोट पहुँचना intr
to break	टूटना intr
to rupture	फूटना intr
to get injured	घायल होना intr
police	पुलिस f
hospital	अस्पताल m
speed	गति f

A Radio Talk Comparing Life in the U.S. and India

<u>Introductory Remarks:</u> India is a vast country with a population more than three times the population of the U.S. and the land area about a third of that of the U.S. Thus the population per land unit has a ration of 1:9 between the U.S. and India. It's no wonder, therefore, that a newcomer from America will initially be struck by the milling crowd he encounters everywhere-- on the streets, at airports, railway stations, bus stations, shops, restaurants, or any other public place. The crowd, however, is lively, colorful, and full of vitality. There are more younger people in the crowd, men and women, active, and dynamic. Of course, there are the frustrations of life-- unemployment, illiteracy, scarcity, poverty, and even hunger Back-lane houses in the cities are shabby and suffocating, unhealthy to live in. There is also dust and dirt, heat and humidity But everything is taken in stride, is endured, sustained, and even overlooked. What is the source of this intrinsic endurance? --The youth and vitality, hopes against all hopes, a strong will to reconstruct, inspirations from the past and great optimism for the future. The fact of the matter is that perhaps no other nation in the world is so bound to its past glories, rich heritage, and traditional culture than India is.

<u>Points of Comparison:</u>
1. Living conditions: houses, facilities, gadgets, traffic, mode of transportation, shopping system, etc.
2. Food habits: the variety of foods available in different parts of India as opposed to almost the same food all over the U.S.
3. City and township, public places, offices, etc.
4. The climate.
5. Diversity in living, customs, dress, habits, and the languages
6. History and culture: India has 2,500 years of unbroken history and culture, as is evident from monuments, tourist places, and excavation sites.

Washing Clothes by Hand

The clothes which have to be washed first have to be soaked for a little while in a bucket of water. Then the soap cake has to be rubbed on the clothes one-by-one. It has to be well-rubbed in the foam of the soap in order to take out the dirt. Some people beat the clothes with a wooden paddle. The clothes then have to be stirred well in fresh water and rinsed, occasionally being rubbed again and again. Much water is used to rinse the clothes and to see that all the foam is gone. Then the clothes are squeezed by hand to get as much water out as possible. After this the clothes are spread out in the sun. These days, more and more people are using powder soap. When using powder soap, the clothes are soaked in water mixed with the powder.

Vocabulary

soap cake	साबुन	m
to soak	भिगोना	tr
to beat	पीटना	tr
to rub, to stir	मलना	tr
to wash	धोना	tr
to spread out	पसारना, फैलाना	tr
bucket	बाल्टी	f
foam	फेन	m
powder soap	साबुन पाउडर	m
wooden paddle	पाटी	f
to rub out dirt	मैल छुड़ाना	tr
to rinse	धोना	tr
to squeeze	निचोड़ना	tr

| to dry | सुखाना tr |
| to rub | रगड़ना tr |

The Political System in the USA

The political system of the USA is very different from that of India. In the United States there are two major political parties, although there is no restriction for having more than two. These are the Republican and the Democratic parties. Candidates for the state and federal senates and houses of representatives are set by the two parties opposing each other and get elected by direct and popular votes. And so are the state governors. However, the President and Vice-President are elected indirectly through Electoral Colleges from each state. Each state chooses a number of electors equal to the number of senators and house representatives of that state. The political parties nominate their list of electors in their respective state conventions. Electors of the party receiving the highest number of votes are elected. It is possible that a candidate may not get the most popular votes but still be elected President by means of the total number of votes cast for him by the Electors of all the states.

Vocabulary

political system	राजनैतिक प्रणाली f
democracy	लोकतंत्र m
party	दल m
republic	प्रजातंत्र m
candidate	उम्मीदवार m
convention	सम्मेलन m
election	चुनाव, निर्वाचन, मतदान m
electoral college	चुनाव प्रतिष्ठान m
electors	निर्वाचक m
nomination	नामांकन m
list	सूची f

respective	अपने-अपने Adj
vote	वोट, मत m
state	राज्य m
federal	संघीय Adj
government	सरकार f
representative	प्रतिनिधि m
house	सदन m
congress	काँग्रेस m, महासभा f
proportion	समानुपात m
right	अधिकार m
population	जनसंख्या, आबादी f
president	राष्ट्रपति m
vice-president	उपराष्ट्रपति m
senate	अधिसभा m
executive	प्रशासकीय Adj
power	अधिकार m
wide	व्यापक Adj
governor	राज्यपाल m

Arguing a Point

रमेश : प्रभात बाबू, आपने आज अख़बार में देखा, इस देश में असफल विवाहों के कारण स्त्रियों द्वारा की जानेवाली आत्म- हत्यायें कितनी बढ़ती जा रही हैं ।

प्रभात : भई, ये आत्महत्यायें तो पहले भी होती रही थीं, लेकिन यह कहिये कि अब इन घटनाओं की ख़बरें ज़्यादा छपने लगी हैं ।

रमेश : हो सकता है कि आपकी बात सही हो, लेकिन यह भी सही है कि अब की स्त्रियों में अपने अधिकारों के प्रति जागरुकता तथा आत्म-सम्मान की भावना अधिक आ गई है ।

प्रभात : लेकिन इससे आत्महत्या को बढ़ावा कैसे मिलेगा, इससे तो विद्रोह की भावना बढ़नी चाहिये ।

रमेश : बात यह है कि जो स्त्रियाँ समर्थ और शिक्षित होंगी वे विद्रोह का स्वर ऊँचा करेंगी और जो अशिक्षित होंगी वे निराश-कुंठित होकर आत्महत्या करेंगी ।

प्रभात : आप कहना क्या चाहते हैं ?

रमेश : वही जो मैं हमेशा से कहता आ रहा हूँ । तलाक़ के नियमों को और ढीला कर देना चाहिये ताकि लोग क़ानून के चक्कर में ज़्यादा न पड़ें और सुविधा से तलाक़ ले सकें ।

प्रभात : क्या मतलब ? ज़रा झगड़ा हुआ और कोर्ट जाकर हाथों-हाथ तलाक़ ले आये ?

रमेश : सो तो नहीं, लेकिन विवाहित जीवन में बनाव नहीं हो रहा है । इसके लिये प्रमाणों की पूरी सूची तैयार कराना, कोर्ट में सभी प्रमाण उपस्थित कराना और

उसके बाद भी कम-से-कम साल भर प्रतीक्षा कराना, ये सब ऐसी शर्तें हैं जिन्हें पूरा करना सामान्य लोगों के लिये बहुत मुश्किल काम है।

प्रभात : आप ठीक कहते हैं, कि क़ानून इतनी आसानी से छुटकारा नहीं देता, लेकिन मेरा कहना है कि नियमों को ढीला करने से ही समस्या का समाधान नहीं हो जाता। जो लोग अशिक्षित हैं या जो भीरु हैं, जो क़ानून का सहारा नहीं लेना चाहते, वे तब भी आत्महत्या करते रहेंगे।

रमेश : मैं ऐसा नहीं मानता। तलाक़ के क़ानून को ढीला करने से विशेष कर स्त्रियों को राहत ज़रूर मिलेगी। वैसे आप किसी मनोवैज्ञानिक से पूछिये, जो किसी मानसिक विकार से पीड़ित होगा वह हर हालत में आत्महत्या करेगा ही। लड़के- लड़कियाँ परीक्षाओं में फ़ेल करने पर भी आत्महत्या कर लेती हैं, इसका क्या कीजिएगा ?

प्रभात : इस तरह की युक्ति देकर आप आत्महत्या करनेवालों की पीड़ाओं और भावनाओं को नकार रहे हैं। लेकिन एक तरह से देखिए तो आप मेरी ही बात का समर्थन कर रहे हैं कि क़ानून में परिवर्तन कर देने से ही आत्महत्यायें कम नहीं हो जाएँगी।

रमेश : वाह आपने क्या दे मारा। मियाँ की जूती मियाँ का सर। लेकिन मेरा विचार है कि हमें इन समस्यायों पर अधिक गहराई से सोचना चाहिये और क़ानून में परिवर्तन भी आवश्यकतानुसार करते रहना चाहिये।

प्रभात : इसमें क्या शक है। मैं आपकी इस बात से सहमत हूँ।

C. Simultaneous Translation

Simultaneous translation is essentially oral translation of orally presented material. It is designed to provide for situations in which one has to play the role of an interpreter, such as helping someone in a public place who does not know the local language. This kind of translation would tend to be conversational in nature. Another variety of oral translation would be acting as an interpreter for a person giving a speech in which the translation would be for one or a couple of sentences at a time. Generally such topics of sustained speech are more formal and employ specialized or learned vocabulary. For such pieces relevant vocabulary has been provided in the following lessons. Familiarize yourself with the topics and their attendant vocabularies, and prepare oral translations of the materials in class. The lessons contain translations both from English into Hindi and from Hindi into English.

The City of Madison

- Translate into English:

१. मैडिसन छोटा किन्तु सुन्दर शहर है :

२. इसके चारों ओर अनेक झीलें हैं :

३. यह विस्कॉन्सिन प्रदेश की राजधानी है :

४. शहर की आबादी प्रायः दो लाख है :

५. इसमें छात्रों की संख्या बहुत अधिक है :

६. मैडिसन विस्कॉन्सिन विश्वविद्यालय का प्रमुख केन्द्र है :

७. यह अमेरिका के गिने-चुने विश्वविद्यालयों में है :

८. यहाँ अनेक विभाग हैं तथा अनेक विषयों की पढ़ाई होती है :

९. यहाँ का पुस्तकालय बहुत समृद्ध है :

१०. इस विश्वविद्यालय में लगभग पच्चीस पुस्तकालय हैं :

११. यहाँ शोध का काम बहुत चलता है :

१२. यहाँ के प्रध्यापक विद्वत्ता के लिए विख्यात हैं :

१३. शिक्षण का स्तर बहुत ऊँचा है :

१४. इसीलिए देश-विदेश से अनेक विद्यार्थी यहाँ पढ़ने आते हैं :

१५. मैडिसन शहर का जीवन-स्तर बहुत ऊँचा है :

Places to see in India

भारत एक विशाल देश है। साथ ही इसकी सभ्यता तथा संस्कृति भी बहुत पुरानी है। इसीलिए यहाँ आपको प्राचीन से आधुनिक काल तक के अनेक दर्शनीय स्थान तथा स्थल मिलेंगे। हिन्दू काल की स्थापत्य कला के लिए कोणार्क, रामेश्वरम्, बुद्धगया तथा मदुरई के मंदिर प्रसिद्ध हैं। मूर्तिकला के लिए तो इन मंदिरों के अतिरिक्त अन्य अनेक मंदिर हैं जिन्हें अवश्य देखना चाहिए। अजन्ता तथा एलोरा की गुफाओं में संसार की सर्वश्रेष्ठ मूर्तिकला के नमूने मिलेंगे। मुसलमानों के समय की अनेक इमारतें बहुत मशहूर हैं। दिल्ली का कुतुब मीनार और लाल क़िला, आगरे का क़िला और ताजमहल, सीकरी का क़िला, सिकन्दरे का अकबर का मक़बरा उन जगहों में हैं जिन्हें हर पर्यटक देखता ही है। जयपुर का शहर और क़िला दोनों स्थापत्य की दृष्टि से दर्शनीय हैं। आधुनिक दृष्टि से नई दिल्ली, बम्बई, तथा कलकत्ते में देखने के लिए बहुत सुन्दर जगहें हैं। भारत का भ्रमण कश्मीर की घाटियों, शिमला, मसूरी, दार्जिलिंग, तथा ऊटी के पर्वतीय सौंदर्य को देखे बिना पूरा नहीं हो सकता।

Vocabulary

विशाल	large
सभ्यता	civilization
संस्कृति	culture
प्राचीन	ancient
आधुनिक	modern
काल	age

दर्शनीय	worth seeing
स्थान	places
स्थल	locations
स्थापत्य कला	art of architecture
प्रसिद्ध	fomous
मूर्तिकला	sculpture
अतिरिक्त	apart from
अन्य	other
अनेक	many
अवश्य	definitely, must
गुफाएँ	caves
सर्वश्रेष्ठ	best
नमूने	examples, samples
इमारतें	buildings
मशहूर	famous
मक़बरा	tomb
क़िला	fort
पर्यटक	tourist
दृष्टि	viewpoint
भ्रमण	travel
घाटी	valley
पर्वतीय	pertaining to a mountain
सौंदर्य	beauty

Some Comments on Democracy

In some form, democracy must have been a cherished old idea. It must have originated in the hearts of independence-loving people much before Plato. This concept might have been born with the concept of the State. At the time of Buddha-- in the 6th century B.C.-- a number of democratic states had been thriving in north India. Buddha himself praised the democratic traditions of Vaishali as compared to the kingship of Magadh. However, in the modern sense, democracy is of a recent origin. In an absolute sense, perhaps no country can claim to be completely democratic. However, it is an ideal concept which motivates people to strive for it. Some ills are observed in democratic states, but it is said that the treatment for the ills of democracy is more democracy. In democracy, both powers as well as responsibilities have to be decentralized to the level of the individual. It is construed to be the rule of the majority, but it is not just that. The minority is not to be ruled upon, it is to be respected. The minority also has to play a significant role in the life of a nation. Democracy is not a system of administration, it is a system of self-discipline. Individual attitudes have to be changed, and traditions have to be built up to sustain it.

Vocabulary

democracy	लोकतन्त्र
cherished	संजोगित
idea	भावना
originated	उत्पन्न
independence-loving	स्वतन्त्रता-प्रिय
concept	संकल्पना
State	राज्य
century	शताब्दी

B.C.	ईसा-पूर्व
thriving	उन्नतिशील
traditions	परम्परा
kingship	राजतन्त्र
recent	अभिनव
origin	उद्भव
absolute	निरपेक्ष
ideal	आदर्श
motivate	प्रेरित करना
strive	प्रयत्न करना
ills	दोष
power	अधिकार
responsibility	उत्तरदायित्व
decentralized	विकेन्द्रित
majority	बहुमत
minority	अल्पमत
discipline	अनुशासन
attitude	मनोवृत्ति

Reporting a Theft to the Police

सुमन : इंस्पेक्टर साहब, हमें एक चोरी की घटना की रिपोर्ट लिखवानी है ।

इंस्पेक्टर : बैठिए, कहाँ चोरी हुई ?

सुमन : कल रात मेरे घर ।

इंस्पेक्टर : आपका शुभ नाम ?

सुमन : सुमन भटनागर ।

इंस्पेक्टर : पता ?

सुमन : ए० ४३, साउथ एक्स्टेंशन ।

इंस्पेक्टर : आप काम कहाँ करते हैं ?

सुमन : एन० सी० ई० आर० टी० में ।

इंस्पेक्टर : अब बताइए क्या हुआ ?

सुमन : मैं इस शहर में नया आया हूँ । गर्मी की वजह से घर के पीछेवाली खिड़की को हमने खुला रख छोड़ा था । हम ख़ुद बगलवाले कमरे में सोये थे ।

इंस्पेक्टर : खुली खिड़की वाले कमरे में भी कोई सोया था क्या ?

सुमन : जी नहीं । वह हमारा ड्रॉइंग रूम है । वहाँ कोई सोया नहीं था ।

इंस्पेक्टर : फिर क्या हुआ ।

सुमन : हमारे कमरे में पंखा ज़ोर से चल रहा था । गर्मी की वजह से हम लोगों को नींद देर से आई ।

इंस्पेक्टर : हम लोग कौन ? घर में कितने लोग थे ?

सुमन : मैं और मेरी पत्नी । और कोई नहीं ।

इंस्पेक्टर : फिर ?

सुमन : बस, फिर हम जो सोये सो सोये ही रह गये । पत्नी भी

सोई रहीं । किसी की भी नींद बीच में नहीं खुली ।

इंस्पेक्टर : आपको चोरी का पता कब चला ?

सुमन : सुबह क़रीब छः बजे पत्नी चाय बनाने रसोईघर में गईं तो उन्होंने देखा कि रसोईघर के सभी सामान तितर-बितर थे । बहुत सारे बर्तन भी ग़ायब लगे ।

इंस्पेक्टर : केवल बर्तन ही ?

सुमन : जी हाँ, वह भी केवल पीतल वाले । स्टील के बर्तन नहीं गये ।

इंस्पेक्टर : और क्या चीज़ें गईं ?

सुमन : ड्रॉइंग रूम से भी पीतल के सामान ग़ायब थे ।

इंस्पेक्टर : मेरा मतलब था कि घर में और भी तो क़ीमती सामान होंगे न ? जैसे रेडियो, टी० वी०, बक्से, और बक्सों में कपड़े, गहने वग़ैरह ?

सुमन : जी नहीं । रेडियो, टी० वी० नहीं गये । बक्स मेरे सोनेवाले कमरे में थे । लगता है, चोर सोनेवाले कमरे में आया ही नहीं ।

इंस्पेक्टर : आपके अनुमान से कितने रुपयों का नुक़सान हुआ होगा ?

सुमन : सब मिलाकर पाँच हज़ार का तो सामान गया ही होगा ।

इंस्पेक्टर : दिल्ली में खिड़कियाँ खोलकर नहीं सोया कीजिए, ख़ासकर अगर आप उस कमरे में न हों तो । ख़ैरियत हुई कि और कोई सामान नहीं गया ।

सुमन : जी, एक सीख तो मिल ही गई । अब से सावधान रहा करूँगा ।

इंस्पेक्टर : ठीक है । यह रहा आपका एफ़० आई० आर० । इसपर आप अपना दस्तख़त कर दीजिए । कल रात

उस आसपास और भी चोरियाँ हुईं, हैं । उम्मीद है, चोर का पता जल्दी ही लग जाएगा ।   पता चलने पर आपको ख़बर कर दी जाएगी ।

सुमन: अच्छा, धन्यवाद ।

At a Library and an Archive

Student: Sir, could you please help me with these books?

Librarian: What books? Let me see.

Student: Here is a list of books which I could not find in this library.

Librarian: Well, these are rare books. You will not find them here. For example, your first book on the list has long been out of print and is no longer on the market.

Student: Where could I find it then? I need it-- rather all of these-- desperately.

Librarian: I am sure some of these books would be available in the University Library.

Student: Which ones?

Librarian: I think numbers 1, 2, 4, and 7. It is only my guess. You could check with them.

Student: What about the other ones?

Librarian: You could check with the Indian Archives.

Student: You see that there are some manuscripts also.

Librarian: Yes I see. For these books, again, the Indian Archives would be your best bet.

Student: Well, thank you for the suggestion. However, do you think there is a single library where I could find all these old books and manuscripts of early Hindi literature?

Librarian: Well, you could, but not here in Delhi.

Student: Where then?

Librarian: There are two places where you could hope to get, if not all, then most of the books all at once. One is the Hindi Sahitya Sammelan Bhavan, Allahabad, and the other is the Kashi Nagri Pracharini Sabha, Varanasi.

Student: What about these periodicals?

Librarian: You will find these two periodicals in our library. Let me check.

Student: What did you find?

Librarian: We have all the back issues of this periodical since 1958. They are located on the second floor in the Reference Section in bound volumes, year-wise. You can note the call number.

Student: Where could I get the current issues?

Librarian: They are in the adjacent room with other newspapers and periodicals.

Student: What about the other periodicals?

Librarian: Again, the Indian Archives would be the best place to try for the back issues. They are no longer published.

Student: Thank you. One more question. How much time would you take if I request you to get some of these books on interlibrary loan?

Librarian: Perhaps fifteen days.

Vocabulary

rare	दुर्लभ
out-of-print	अप्राप्य
desperately	अत्यंत

available	उपलब्ध
guess	अनुमान
check	देखना
manuscript	हस्तलेख
archives	पुरातत्व
suggestion	सुझाव, परामर्श
early	प्रारम्भिक
periodical	पत्रिका
reference	संदर्भ
current	वर्तमान
issue	अंक
interlibrary loan	अन्तर्पुस्तकालय आदान

The Educational System in India

भारत की शिक्षा प्रणाली ब्रिटिश प्रणाली के आधार पर विकसित हुई है । पहले विद्यालयों में ग्यारह वर्ग हुआ करते थे । अब इसमें कुछ अन्तर आ गया है । कहीं दस, कहीं ग्यारह, तो कहीं बारह वर्ग भी मिलेंगे । विद्यालयीय स्तर पर सारे प्रान्त में एक ही परीक्षा होती है, जिसका संचालन एक प्रान्तीय बोर्ड करता है । उच्च विद्यालय के स्तर के तीन या चार वर्गों के सभी विषयों की परीक्षा एक साथ ली जाती है । विश्वविद्यालय के अन्तर्गत कई महाविद्यालय होते हैं । हर महा- विद्यालय के प्रधान को प्राचार्य कहते हैं तथा शिक्षक प्राध्यापक कहाते हैं । विद्यार्थी तीन या चार विषय चुन सकते हैं । कला, विज्ञान, वाणिज्य, इत्यादि संकायों में विद्यार्थियों को किसी एक का ही चुनाव करना होता है । सभी विषयों की अन्तिम परीक्षा दो या तीन वर्षों के बाद फिर एक साथ ही होती है । यों महाविद्यालयीय स्तर पर हर छः महीनों में परीक्षायें होती रहती हैं । उत्तीर्ण होने वाले विद्यार्थियों का परीक्षा-फल श्रेणियों के अनुसार निकलता है, जैसे प्रथम, द्वितीय, तृतीय श्रेणी । इन श्रेणियों के अन्तर्गत सभी नाम प्राप्त अंकों के क्रम में होते हैं ।

Vocabulary

प्रणाली	system
आधार	basis
विकसित होना	to develop
वर्ग	grades
अन्तर	difference

प्रान्त	State
परीक्षा	examination
संचालन	management, administration
विषय	subjects
स्तर	level
अन्तर्गत	within
प्रधान	head
उत्तीर्ण	successful
फल	result
श्रेणी	division
अनुसार	according
प्राप्त	obtained
अंक	number
क्रम	order

The Indian System of Government

The Indian system of government is different from that of the U.S. in several respects. In India, there is a central government which exerts great control over the states. At the Center, according to the parliamentary system, the Prime Minister is the head of the government. The President is the symbolic head of the state. He is the Commander-in-Chief of the armed forces. The President has some important constitutional functions, powers, and responsibilities. The Prime Minister is directly elected and so is the cabinet of ministers. They generally belong to one and the same majority party, unless there is a coalition government. The ministers, however, are selected by the Prime Minister. In the states, there are Governors, appointed by the Center. A Governor in a state is the constitutional head and represents the Center. States have their own legislative assemblies and law-making system. The Chief Minister chooses his council of ministers and distributes portfolios among them. In states, the members of the legislative assemblies are elected from within the state. Thus, there are constituencies for the elections of members of parliament, as well as constituencies for the elections of members of legislative assemblies.

Vocabulary

respects	दृष्टि
central	केन्द्रीय
government	सरकार, शासन
exert	लागू करना, प्रयास करना
state	राज्य
control	नियन्त्रण
according	अनुसार
parliamentary	संसदीय

Prime Minister	प्रधान मंत्री
head	प्रधान
President	राष्ट्रपति
symbolic	प्रतीकात्मक
Commander-in-Chief	प्रधान सेनाध्यक्ष
armed forces	सशस्त्र सेना
constitutional	संवैधानिक
functions	प्रकार्य
power	अधिकार
responsibilites	उत्तरदायित्व
directly	सीधा, प्रत्यक्ष
cabinet of ministers	मंत्री-मंडल के सदस्य
majority	बहुमत
coalition	संयुक्त
to be selected	चुना जाना
represent	प्रतिनिधित्व करना
legislative assembly	विधान सभा
council	परिषद्
portfolio	विभाग
member	सदस्य
constituency	निर्वाचन-क्षेत्र
to appoint	नियुक्त करना

An Indian Wedding

An Indian wedding is a colorful event. It is held at the bride's residence. The groom has to proceed there with his relatives and friends in a procession. This procession is called 'Barat'. The groom is seated on a decorated horseback or in a decorated car. There are many lights around. Fireworks and music continue all the way. The groom wears a kind of crown, called 'Maur', with beautiful strings hanging down to cover his face. Once the procession reaches the bride's residence, there is an equally colorful reception with matching music, light, and fireworks. The bride is decorated in the best of costumes, 'Maur', ornaments, and make-up. She is led by the women-folk to receive and garland the groom. There is a reception party at this time. After the party, the groom and his relatives are led to the courtyard for the wedding ceremony. There, a pavilion is erected with traditional rituals. It is under this pavilion that the wedding takes place. The wedding is presided over by a priest. At the center, an altar is made and a fire is lighted. The father of the bride usually gives his daughter away with the chanting of Vedic hymns. Both the bride and groom take oaths by repeating Sanskrit hymns after the priest. No Hindu wedding is complete without both the bride and groom taking seven steps around the fire. Usually the ceremony takes 4 to 5 hours and is held at night.

Vocabulary

wedding	विवाह
colorful	रंगीन
event	आयोजन, घटना
residence	निवास-स्थान
procession	शोभायात्रा, वरयात्रा
relatives	संबंधी
bride	वधू

groom	वर
decorated	सुसज्जित
fireworks	आतिशबाज़ी
crown	मुकुट
strings	लड़ी
hang	लटकना
equally	वैसा ही, समान रूप से
reception	स्वागत समारोह
matching	समान, मिलता-जुलता
costumes	परिधान
ornaments	आभूषण
make-up	श्रृंगार
garland	माला, वरमाल
reception party	स्वागत भोज
relatives	संबंधी
courtyard	आंगन
ceremony	अनुष्ठान, समारोह
pavilion	मंडप
traditional	पारम्परिक
rituals	रीति
priest	पुरोहित
altar	वेदी
to chant	उच्चारण करना
hymns	मंत्र
to repeat	दुहराना

Immigration and Customs Clearance

Immigration Officer: Show me your passport, please.

नरेश : यह रहा मेरा पासपोर्ट ।

Immigration: I see. The visa was issued to you at Madras.

नरेश : जी हाँ ।

Immigration: Why was it rejected at Delhi?

नरेश : उन्होंने कहा कि क्योंकि मैं मदुरई में काम करता हूँ इसलिए मुझे मद्रास से ही वीसा लेना चाहिए था ।

Immigration: Why did you apply at Delhi at all?

नरेश : मैंने सोचा था कि वीसा दिल्ली में ही लेकर वहीं से जहाज़ ले लूँगा ।

Immigration: How much time do you want to spend in the U.S.A.?

नरेश : मैं यहाँ तीन-चार महीने रहना चाहता हूँ ।

Immigration: What will be your address in this country?

नरेश : मैंने अपना पता कोलम्बस ओहायो का दिया है ।

Immigration: Do you have a relative or friend there?

नरेश : जी हाँ, मेरे मित्र वहाँ रहते हैं । मैं मुख्यतः वहीं रहूँगा, लेकिन अमरीका घूमना भी चाहता हूँ ।

Customs Officer: Could you please open this box?

नरेश : जी हाँ, देख लीजिए, मेरे पास कोई ख़ास चीज़ नहीं है ।

Customs: But you have some cooked and some tinned food.

नरेश : जी, कुछ रास्ते के लिए रख लिया था ।

Customs: But you should not take the cooked food with you.

नरेश : ठीक है । लेकिन मेरे पास और कुछ वैसी चीज़ नहीं है ।

Customs: How many dollars do you have? You shouldn't have more than five thousand in cash.

नरेश : काश मेरे पास इतना पैसा होता ।

Customs: I see some gold ornaments here.

नरेश : ये थोड़े-से ज़ेवर मेरी पत्नी को भेंट में मिले हैं ।

Customs: How many ounces is it?

नरेश : पाँच औंस से ज़्यादा नहीं होगा ।

Customs: O.K. You can close your box and go now.

III. THEMATIC
VOCABULARY AND WRITING

Academic Disciplines

Algebra	बीजगणित m
Anthropology	मानव विज्ञान m
Architecture	स्थापत्य कला f
Arithmetic	अंकगणित m
Art	कला f
Civics	नागरिक शास्त्र m
Commerce	वाणिज्य m
Dance	नृत्य (कला) m
Dramatics	नाटयकला f
Economics	अर्थशास्त्र m
Geography	भूगोल m
Geology	भूगर्भ-शास्त्र m
Geometry	रेखागणित m
History	इतिहास m
Humanities	मानविकी f
Journalism	पत्रकारिता f
Linguistics	भाषाविज्ञान m
Literature	साहित्य m
Logic	तर्कशास्त्र m
Mathematics	गणित m
Metaphysics	तत्वमीमांसा f
Music	संगीत (शास्त्र) m
Philosophy	दर्शन-शास्त्र m
Political Science	राजनीतिशास्त्र m

Psychology	मनोविज्ञान	m
Religion	धर्म (शास्त्र)	m
Science	विज्ञान	m
Semantics	अर्थविज्ञान	m
Social Science	सामाजिक शास्त्र	m
Sociology	समाज-शास्त्र	m
Theology	धर्म-तत्व	m

Professions

Blacksmith	लुहार	m
Goldsmith	सुनार	m
Grocer	पंसारी, बनिया	m
Shoemaker	मोची	m
Shopkeeper	दुकानदार	m
Carpenter	बढ़ई	m
Builder	राज	m
Laborer	मज़दूर	m
Agriculturist	किसान, खेतिहर	m
Betelman	तंबोली	m
Merchant	सौदागर, साहूकार	m
Sweeper	मेहतर	m
Washerman	धोबी	m
Barber	नाई, हजाम	m
Sweetmaker	हलवाई	m
Mechanic	मिस्त्री	m
Servant	नौकर, सेवक	m
Maid	नौकरानी, महरी	f
Cart-driver	गाड़ीवान	m
Carriage-driver	कोचवान	m
Cattlegrazer	चरवाहा	m
Sheepgrazer	गँडेरिआ	m
Milkman	ग्वाला	m
Gardner	माली	m
Potter	कुम्हार	m

Weaver	बुनकर, जुलाहा m
Tailor	दर्ज़ी m
Fisherman	मछेरा, मछुआ m
Oilman	तेली m
Utensil-maker	ठठेरा m
Guard	चौकीदार, संरक्षक m
Watchman	पहरेदार m
Constable	सिपाही m
Police Chief	थानेदार, कोतवाल m
Priest	पुरोहित, पुजारी m
Religious guide	पंडा m
Religious head	महंथ m
Peon	चपरासी, प्यून m
Grasscutter	घसियारा m
Artist	कलाकार m
Painter	चित्रकार m
Musician	संगीतकार m
Singer	गायक m
Dancer	नर्तक m
Doctor	चिकित्सक m
Engineer	अभियंता m
Administrator	प्रशासक m
Actor	अभिनेता m
Actress	अभिनेत्री f
Director	निर्देशक m
Producer	प्रस्तुत-कर्ता m

Editor	सम्पादक	m
Manager	संचालक	m
Writer	लेखक	m
Poet	कवि	m
Litterateur	साहित्यकार	m
Novelist	उपन्यासकार	m
Story-writer	कहानीकार	m
Dramatist	नाटककार	m
Song-writer	गीतकार	m

EXERCISES

I. Give the related words from which the following are derived.

Example:

लुहार → (mass noun; iron) = लोहा

1. सौदागर → (noun; merchandise)
2. खेतिहर → (noun; agriculture)
3. तेली → (noun; oil)
4. पहरेदार → (verb; to guard or watch)
5. थानेदार → (noun; police station)

II. Write a paragraph using the above profession-related vocabulary.

Language and Grammar

Grammar	व्याकरण	m
Noun	संज्ञा	f
Pronoun	सर्वनाम	m
Adjective	विशेषण	m
Verb	क्रिया	f
Adverb	क्रिया-विशेषण	m
Sentence	वाक्य	m
Clause	वाक्यांश	m
Phrase	पद	m
Word	शब्द	m
Sound	ध्वनि	f
Speech	वाणी	f
Dialect	बोली	f
Language	भाषा	f
Linguistics	भाषा-विज्ञान	m
Philology	भाषा-शास्त्र	m
Structure	संरचना	f
Synthesis	संश्लेषण	m
Analysis	विश्लेषण	m
Accent	स्वराघात	m
Stress	बलाघात	m
Intonation	अनुतान	m
Question mark	प्रश्न-चिन्ह	m
Period	पूर्ण विराम	m
Usages	व्यवहार	m

Standard	मानक m
Language use	भाषा प्रयोग m
Error	अशुद्धि f
Correct	शुद्ध Adj

The Indian Calendar and Seasons

पंचांग m	calendar
तिथि f	lunar month
विक्रम संवत्	the Vikram calendar arrived at by adding 57 years to the A.D. calendar
शक संवत्	the Shaka calendar arrived at by subtracting 78 years from the A.D. system
पक्ष	one-half of a lunar month
कृष्ण पक्ष	the dark, i.e. the first half
शुक्ल पक्ष	the bright, i.e. the second half
अमावस्या	the new moon day, the 15th day of the month
पूर्णिमा	the full moon day, the 30th day of the month
मलमास	the additional month of the year
प्रथमा - परिवा, पहली	the first day of the fortnight
द्वितीया - दूज, दूसरी	the second day
तृतीया - तीज, तीसरी	the third day
चतुर्थी - चौथ, चौथी	the fourth day
पंचमी, पाँचवीं	the fifth day
षष्ठी, छठवीं	the sixth day
सप्तमी, सातवीं	the seventh day
अष्टमी, आठवीं	the eighth day
नवमी, नौवीं	the ninth day
दशमी, दसवीं	the tenth day
एकादशी, ग्यारहवीं	the eleventh day
द्वादशी, बारहवीं	the twelfth day

त्रयोदशी, तेरहवीं the thirteenth day

चतुर्दशी, चौदहवीं the fourteenth day

The Planets and the Days of the Week

सूर्य Sun — रविवार (इतवार) Sunday

चंद्र Moon — सोमवार Monday

मंगल Mars — मंगलवार Tuesday

बुध Mercury — बुधवार Wednesday

बृहस्पति Jupiter — बृहस्पतिवार (गुरुवार) Thursday

शुक्र Venus — शुक्रवार Friday

शनि Saturn — शनिवार Saturday

राहु the ascending node of the moon

केतु the descending node of the moon

--both of these last two are treated as planets

The Months and the Respective Signs of the Zodiac

चैत्र, चैत (मीन) March/April (Pisces)

वैशाख, बैसाख (मेष) April/may (Aries)

ज्येष्ठ, जेठ (वृष) May/June (Taurus)

आषाढ़, असाढ़ (मिथुन) June/July (Gemini)

श्रावण, सावन (कर्कट) July/August (Cancer)

भाद्रपद, भादो (सिंह) August/September (Leo)

आश्विन, आसिन (कन्या) September/October (Virgo)

कार्तिक, कातिक (तुला) October/November (Libra)

अग्रहायण, अगहन (वृश्चिक)
November/December (Scorpio)

पौष, पूस (धनु)   December/January (Sagittarius)

माघ, माघ (मकर)   January/February (Capricorn)

फाल्गुन, फागुन (कुम्भ)   February/March (Aquarius)

The Seasons

ऋतु f		season
वसन्त m (चैत्र-वैशाख)		spring
ग्रीष्म m (ज्येष्ठ-आषाढ़)		summer
वर्षा f (श्रावण-भाद्रपद)		rainy
शरद m (आश्विन-कार्तिक)		autumn
हेमंत m (अग्रहायण-पौष)		winter
शिशिर m (माघ-फाल्गुन)		cold

Note: There are 27 or 28 नक्षत्र (lunar asterisms, i.e. longitude and lattitude of stars in the Lunar Mansion) in one year.

Newspaper Vocabulary

Newspaper	समाचार-पत्र	m
Weekly	सप्ताहिक	Adj
Edition	संस्करण	m
Countrywide	देश-व्यापी	Adj
Movement	आन्दोलन	m
Daily	दैनिक	Adj
Inauguration	उद्घाटन	m
Decision	निर्णय	m
Message	संदेश	m
Central Government	केन्द्रीय सरकार	m
Plot	षड्यंत्र	m
Unity	एकता	f
Talk	वार्ता	f
Election	चुनाव	m
Border	सीमा	f
Honored	सम्मानित	Adj
Interference	दखल	m
High level	उच्चस्तरीय	Adj
Attack	प्रहार	m
Parliamentarian	सांसद	m
Arrested	गिरफ़्तार	Adj
Demand	मांग	f
Criminal	अपराधी	Adj
Strike	हड़ताल	m
Robbery	डकैती	f

Information	सूचना	f
Popular	लोकप्रिय	Adj
Allegation	आरोप	m
Enquiry	जाँच	f
Encircling	घेराव	m
Classified	वर्गीकृत	Adj
Meeting	सभा	f
Commission	आयोग	m
Employment	रोज़गार	m
Dedication	समर्पण	m
Editorial	सम्पादकीय	Adj
Mid-term	मध्यावधि	Adj
Arson	आगजनी	f
Civil war	गृह-युद्ध	m
Action	कार्रवाई	f
Ordinance	अध्यादेश	m
Supporter	समर्थक	m
Payment	भुगतान	m
Correction	संशोधन	m
Incidents	वारदात	f
Concession	रियायत	f
Territory	क्षेत्र	m
Bombardment	बमबारी	f
Declaration	घोषणा	f
Suggestion	सुझाव	m
Suspension	निलंबन	m

Industry	उद्योग m
Terrorist	उग्रवादी m
Confiscate	बरामद Adj
Distributer	वितरक m
Facility	सुविधा f
Tax	कर m
Increase	वृद्धि f
Import	आयात m

EXERCISES

I. Familiarize yourself with the vocabulary of Hindi newspapers above and write two paragraphs making use of it.

II. Give related forms of the words below in different parts of speech (in Hindi, of course!).

Example:

happy (प्रसन्न) → happiness = प्रसन्नता

1. week
2. news
3. day
4. to elect
5. honor
6. level
7. to encircle
8. editor
9. support
10. corrected
11. to suggest
12. labor

III. Give the related words from which the following are derived.

Example:

दैनिक (Adj) → दिन (noun)

1. साप्ताहिक →
2. एकता →
3. चुनाव →
4. सम्मानित →

Travel

English	Hindi
To plan	योजना बनाना
To arrange	ठीक करना
To take a taxi	टैक्सी करना
To take a train, plane, bus	ट्रेन, प्लेन, बस लेना
To fix up	ठीक करना, निश्चित करना
To reserve	आरक्षित करना
To break journey	यात्रा-विराम करना
To rent, to hire	किराये, भाड़े पर लेना
To rest	आराम, विश्राम करना
To stay	रुकना, ठहरना intr
To camp	पड़ाव डालना tr
Reservation	आरक्षण m
Airplane	वायुयान m
Waterway	जलमार्ग m
Railway	रेलमार्ग m
Compartment	डब्बा, यान m
Sleeper coach	शयनयान m
Air conditioned	वातानुकूलित Adj
Booking office	टिकटघर m
Waiting room	प्रतीक्षालय m
Restaurant	भोजनालय m
Vegetarian	निरामिष Adj
Non-vegetarian	सामिष Adj
Bus station	बस अड्डा m
Traveler	यात्री m

Tourist	पर्यटक m
Wanderer	यायावर, घुमक्कड़ m
Berth	शायिका f
Ship	जलयान m

EXERCISE

1. Write two paragraphs about a trip. Use the vocabulary given above.

Leisure Activity

To plan	आयोजित करना
To travel	यात्रा करना
Take a route	रास्ता लेना
To turn	घुमाना, मोड़ना tr
Take a turn	घूमना, मुड़ना intr
Take round	चक्कर लगाना tr
Walk around	टहलना, घूमना intr
To drive	गाड़ी चलाना tr
To swim	तैरना intr
To dive	गोता/डुबकी लगाना tr
Merrymaking	जश्न मनाना tr, आमोद-प्रमोद m
To prepare	तैयार करना
To row a boat	नाव चलाना tr, नौका-विहार m
To get tired	थकना intr
To take rest	सुस्ताना, आराम करना
To feel	महसूस करना, अनुभव करना
Lake	झील f
Scene, sight	दृश्य m
Worth seeing	दर्शनीय Adj
To visit	सैर करना
Beautiful	सुन्दर, मनोरम Adj
Garden	बाग, उद्यान m
Weather	मौसम m
Hot	गर्म Adj
Resort	सैरगाह, यात्रा-स्थल m

To take a trip	सैर करना, यात्रा करना
Summer	गर्मी f, ग्रीष्म m
Heat	गर्मी, ताप m

EXERCISE

I. Describe a summer resort in at least two paragraphs. Use the vocabulary given above.

IV. LISTENING COMPREHENSION

A course in language should also include a component specifically designed to develop the skills necessary to understand spoken language. This is extremely important in several ways. There are more occasions to listen to and understand spoken material in a foreign language than for perhaps any other skill. Listening does not necessarily come automatically-- one needs to train for it through exposure to several varieties of speech in different contexts and different accents, as well as through different modalities, such as face-to-face exchanges, media broadcasts, announcements, and taped audio-visual materials such as songs, movies, taped lectures, etc. They should be added by the instructor as an additional component.

A Course in Advanced Hindi

Part 2

उच्च हिन्दी पाठ्यक्रम

भाग २

SHEELA VERMA

Department of South Asian Studies
University of Wisconsin, Madison

शीला वर्मा

दक्षिण एशियाई विभाग
विस्कौंसिन विश्वविद्यालय

उच्च हिन्दी पाठ्यक्रम

भाग २

विषय सूची

I. GLOSSARY FOR INTENSIVE TEXTS

दुःख का अधिकार

यशपाल

पोशाक	f	clothes, outfit
विभिन्न	Adj	different, various
श्रेणी	f	class, grade, category
बाँटना	tr	to divide, to distribute
दर्ज़ा	m	grade
परिस्थिति	f	circumstance
अनुभूति	f	feeling, awareness, sensation
बंधन	m	a bond, tie
अड़चन	f	obstacle
वायु	m	wind
लहर	f	wave
पतंग	f	kite
भूमि	f	ground
घुटना	m	knee
फफकना	intr	to cry sobbingly
तख़्त	m	a wooden structure of planks, a throne
घृणा	f	hatred
व्यथा	f	pain
व्यथा उठना	intr	to feel pain, for pain to arise
उपाय	m	way out, solution to a problem
व्यवधान	f	obstacle
ज़माना	m	time, age, epoch

"दुःख का अधिकार" की शब्दावली

बेहया	Adj	shameless
खुजाना	tr	to scratch
नीयत	f	intention
अल्ला	m	God, Allah
बरकत	f	grace, affluence, prosperity
अल्लाह बरकत देता है		God blesses you with affluence
धर्म-ईमान	m	honesty and religion
परचून की दुकान		low-grade department store
लाला जी		a form of respectful address
मरे-जिए		dead or living
कमीना	Adj	mean
ख़सम	m	husband, man
लुगाई	f	wife, woman
सूतक	m	state of temporary untouchability due to some birth or death in the family
अंधेर	m	lawlessness, anarchy, injustice
बीघा	m	a measure of land, five-eighths of an acre
कछियारी करना	tr	to irrigate
निर्वाह करना		to support oneself, to manage to maintain oneself
मुँह-अंधेरे		early in the morning when it is still dark
विश्राम	m	rest, repose
बेल	m	creeper
मेड़	f	boundary-wall between two field or beds

"दुःख का अधिकार" की शब्दावली

तरावट f	dampness, coolness
साँप m	snake
डसना tr	to bite
बावला Adj	crazy
ओझा m	an exorcist, one who cures by magic of charms
झाड़ना-फूँकना tr	to exorcise, to "hocus-pocus"
नागदेव m	god of snakes, the snake-god
दान-दक्षिणा m	gift (religious)
उठ जाना intr	to be spent, to be consumed
विष m	poison
ज़िंदा Adj	alive
नंगा Adj	naked
मुर्दा m	corpse
विदा करना	to send off
बज़ाज़ m	cloth merchant
छन्नी-ककना (कँगना) m	bracelets and such
परलोक m	the other-world
चुनी-भूसी f	straw and cattlefeed
बिलबिलाना intr	to cry
बदन m	body
तवा m	iron skillet
तपना intr	to become hot
उधार देना	to lend
बटोरना tr	to gather, collect
समेटना tr	to gather, to roll up

"दुःख का अधिकार" की शब्दावली

चारा m	way out, solution
टिकाना tr	to rest, to place
चल बसना intr	to die
हाय रे पत्थर दिल	expression of dismay, stone-hearted, cruel
वियोगिनी f	woman who has pangs of separation
अन्दाज़ा m	estimate, measure
अन्दाज़ा लगाना tr	to estimate
संभ्रांत Adj	cultured, urbane
मूर्छा आना	to faint
हरदम Adv	always
सिरहाना m	the head-side of the bed
शोक m	sorrow
द्रवित Adj	melted, moved by emotion
सूझ f	insight
बेचैनी f	restlessness
क़दम m	footstep, step, pace
शोक मनाना tr	to aggrieve
ग़म मनाना	to aggrieve
सहूलियत	convenience
अधिकार m	right

सच बोलने की भूल
यशपाल

शरद f	winter, the season between October and December
पहाड़ी Adj	hilly, mountainous
पहाड़ी f	a small hill
आरम्भ m	beginning, commencement
मास m	month
स्वास्थ्य m	health
सुधार m	improvement, betterment
आयु f	age
पड़ाव m	a rest area, a resting place
खच्चर m	mule
किराये पर लेना	to rent, to take something on rental
किराया m	rent, hire
असबाब m	packages, luggage, goods
लादना tr	to load, to pack
डाक बंगला m	A government rest house or inn where government workers stay while on official business. If rooms are vacant, they are opened to private tourists. डाक (m) = mail and post; probably derives from "documents". बंगला (m) = house, quarter, bungalow.
बिताना tr	to spend time, to pass time
सुहावना Adj	pleasant, likeable, attractive
पूर्वी Adj	eastern

"सच बोलने की भूल" की शब्दावली

आंचल m	edge, border; also, border of a sari
चौकीदार m	watchman, caretaker, guard
चोटी f	mountain peak, mountain top
सूर्यास्त m	sunset
दृश्य m	view, sight
जंगलाती Adj	zigzagging in a forest
संध्या f	dusk, twilight
चढ़ाई f	ascending slope, uphill; also, an attack
उत्साह m	enthusiasm, eagerness
अनुभव होना tr	to feel, to have experience
X के लिए मचलना intr	to be eager for X, to desire X
आश्वासन m	assurance, guarantee
पगडंडी f	trail, path
जाति f	kind, breed, variety
भेड़िया m	wolf
भेड़ m	sheep
बकरी f	a she-goat
मेमना m	a kid, a goat's offspring
समीप m	vicinity, proximity, nearby
X के पूर्व	earlier than X, prior to X, preceding X
सावधानी के लिए idiom	"for safety's sake", "as a precaution"
सावधानी f	precaution, safety
टार्च m	torch; i.e. flashlight
सीधा साफ़ Adj	straight and well marked; lit.,

'सच बोलने की भूल' की शब्दावली

		straight and clean
कठिनाई	f	difficulty, trouble, bother
पहाड़	m	mountain
बर्फ़ानी	Adj	snowy
श्रृंखला	f	chain
क्षितिज	m	horizon
सूर्य	m	sun
रीढ़	f	lit., backbone; here, backbone-like
हिमाच्छादित	Adj	snow-covered
हिम	m	snow
आच्छादित	Adj (छाया हुआ)	covered
पर्वत	m	mountain
इन्द्रधनुष	m	rainbow
झलमलाना	intr	to glisten, to twinkle
स्फटिक	m	crystal
कण	m	particle
खिलवाड़	m	lit., child's play; play
उमगना	intr	to be filled with joy
उल्लास	m	happiness
किलकना	intr	to giggle
सम्मोहन	m	attraction
प्रबल	Adj	powerful
थाली	f	metal platter
शूली	f	sharp pointed instrument
वेग	m	speed
घूमना	intr	to rotate

"सच बोलने की भूल" की शब्दावली

शनैः-शनैः	Adv	slowly, gradually
कंगूर	m	undulation, turret
ओट	f	background
सरकना	intr	to move, to disappear
मनोहारी	Adj	pretty
असम	Adj	unequal
विस्तार	m	expanse
विस्मय	m	surprise
अपलक	Adj	wide-eyed, lit., without a blink
दुलार	m	love, tenderness
श्यामल	Adj	dark-complexioned
नीलिमा	f	bluishness
घना	Adj	dense, thickening
अनुभव	m	experience
झुटपुट	m	diminished light at twilight
उजाला	m	light
उपत्यका	f	valley (at the foot of the mountains)
धुंधलका	m	haziness, semidarkness, dimness
स्मृति के अनुभव से		"as we remembered", "as we recalled"; lit., according to the feeling of our memory
स्मृति	f	memory
अनुभव	m	feeling, recollection
खोजना	tr	to find, to discover
घना	Adj	dense, thick
भटकना	intr	to meander, to wander

"सच बोलने की भूल" की शब्दावली

आशंका	f	apprehension, doubt
अनुमान	m	guess, supposition
पूर्व	m	east
घुप्प-अंधेरा	m	pitch dark, pitch black
गोला	m	circle, round object
कंटीला	Adj	thorny, prickly
झाड़	m	brush, shrub
ठोकर	f	an obstacle or object which protrudes and hurts your foot if you walk on it, like a pebble or stub
सहायता	f	assistance, help
मार्ग	m	path, route
आसपास	Adv	in the vicinity, in the nearby area
बस्ती	f	colony, settlement
आश्वासन	m	assurance
प्रकाश	m	light
झोंपड़ी	f	a hut, a shack
रास्ता काटना	idiom	to cut across a path, to intersect a path
काटना	tr	to cut, to prune
चौड़ा	Adj	wide, broad
X के बजाय		instead of X, rather than X, in place of X
दुविधा	f	dilemma, paradox
घबराहट	f	panic, restlessness, perplexity
लक्ष्य	m	destination, goal, aim
X की अपेक्षा		compared with X, in relation to X

"सच बोलने की भूल" की शब्दावली

भटकाव m	wandering away, meandering off
अवसर m	chance, occasion
उपाय m	way, place
आकाश m	sky
तारा m	star
उजला Adj	shining, bright, white
स्थिति f	position, place, location, situation
दिशा f	direction
उचित Adj	suitable, appropriate
वायु f	wind; also, a Vedic god
भयभीत Adj	frightened, afraid
भयभीत होना intr	to be afraid, to be frightened
बहलाना tr	to distract, to make one forget
रुकावट f	hindrance, obstacle
बहलाव m	diversion, distraction
थकावट f	fatigue, exhaustion
भुलाए रखना tr	to keep one distracted
शीघ्र Adv	quickly, soon, promptly
उत्साहित करना tr	to give encouragement, to give moral strength
पीठ f	back
कंधा m	shoulder
बोझ m	load, burden
हांफना intr	to pant, to breathe heavily
अज्ञात Adj	unknown, unfamiliar
सिहरना intr	to shake, to quiver

"सच बोलने की भूल" की शब्दावली

दम m	breath
दम लेना idiom	"to catch one's breath", "to take a breather"; lit., to take a breath
साहस m	courage, nerve
अजाना Adj	unknown, unfamiliar
घबराना intr	to fret, to worry
काटना tr	to spend
संभव f	possibility, likelihood
संभव होना intr	to be possible, to be likely
भय m	fear, dread, danger
ठुसकना intr	to sniffle
पत्नी f	wife
विचार m	thought, reflection, mental image, opinion
व्याकुल Adj	disturbed, upset, perturbed
टांग f	leg
कांपना intr	to tremble, to shake, to quiver
वृक्ष m	tree
भेंट f	encounter, meeting
X की आशंका से रक्त जमना idiom	"'to be scared stiff' because of the fear, terror arising from X", "'to be scared to death' from the fear of X"; lit., for the blood to congeal as a result of the fear arising from X.
रक्त m	blood
खेत m	an agricultural field
पार करना tr	to cross, to cross over
प्रकाश m	light, brightness

"सच बोलने की भूल" की शब्दावली

आभास m	glimpse, sense
फसल f	crop, commercial plants
कुत्ता m	dog
एतराज़ m	objection, disapproval
एतराज़ करना intr	to object, to disapprove, to deny
ललकार f	protestation, challenge
सांत्वना f	solace, consolation
सूना Adj	lonely, empty
छत f	roof
ढालू Adj	sloping, descending
उपयोग करना	to use
झोपड़ी f	hut
दोतल्ला Adj	double-storied
फूस f	hay
काँटा m	thorn
बाढ़ f	flood
गृहस्थी f	household
बाढ़ f	hedge
मोहरा m	opening, entrance
चेताना tr	to inform, to caution, to announce
भौंकना intr	to bark
पुकारना tr	to call, to yell
उत्तेजना f	excitement, fervor
भाग m	section, part
झुंझलाहट f	irritation, annoyance
मुसाफ़िर m	traveller, wayfarer

"सच बोलने की भूल" की शब्दावली

रास्ता भटक जाना	intr	to lose the way, to lose the path
फटकार देना	idiom	to chide, to scold, to reprimand
शहरी	Adj	"city person", one who lives in a city, here used pejoratively
आवारा	Adj	vagrant, tramp
देहात	m	village, countryside
चोरी चकारी	m	stealing and its like, pilfering, etc.
चोरी करना	tr	to steal, to commit thievery
टुकड़ा	m	piece, fragment
टुकड़ा करना	tr	to break into pieces, to chop it up
दयनीय	Adj	pitiable, pitiful
अवस्था	f	condition, state
विनती करना	tr	to entreat, to plead, to beg
बाल बच्चेदार गृहस्थ हूँ		"I'm a man with children"; lit., I am a child-rearing householder
X की प्रतीक्षा करना	tr	to wait for X, to anticipate X
तो बहुत कृपा हो		"It'll be very helpful", "It'll be very kind"; lit., it will be very merciful
कष्ट	m	hardship, botheration; also, suffering
यथाशक्ति	Adv	to the best of one's ability, as best as one can
मूल्य	m	price
झल्लाना	intr	to be irritated, to seethe, to fret and fume
क्रुद्ध	Adj	enraged, infuriated, angry
दीया	m	a lamp using vegetable oil or kerosene oil
जलना	intr	to burn

"सच बोलने की भूल" की शब्दावली

घुंघराला	Adj	curly, wavy
झुकना	intr	to bend down, to curve down
मूंछ	f	moustache
ढकना	intr	to be covered, to be concealed
चेहरा	m	face, countenance
भयानक	Adj	dreadful, frightening, terrible
खूंखार	Adj	ferocious, menacing
अधीर होना	intr	to be anxious, to be restless, to be fidgety
गिड़गिड़ाना	intr	to beseech, to entreat
प्रार्थना करना	tr	to beg, to request, to solicit
दया करो	idiom	"Have some pity", "Have mercy"; lit., do compassion, do pity
ओस	f	dew
बैठ जाने भर की ही जगह		"Just enough room to sit"
उजाला	m	light, brightness
कठोर	Adj	stern, rigid, hard
टिका लेना	tr	to allow to stay, to let stay
मेहमानदारी	f	the expectations of a guest, the privileges to be given to a guest
वश / बस	m	capability, power
X के विरोध में		in objection to X, in opposition to X
असंतोष	m	discontent, dissatisfaction
गुर्राना	intr	to growl, to snarl
शौकीन	Adj	fashionable, fancy
सैर करना	intr	to travel, to stroll, to sightsee
फूस	f	straw, hay

"सच बोलने की भूल" की शब्दावली

बड़बड़ाना	intr	to mumble, to murmur, to mutter
गैया	f	cow
ठोकर लगना	intr	"to stumble"; lit., to get stuck on something
जुगाली करना	intr	to ruminate, "to chew one's cud"
विश्राम	m	relaxation, rest
विघ्न	m	interference, interruption, obstacle
फुंकार	f	hiss
कुड़कुड़ाहट	f	squawking
ज़ीना	m	staircase, stairs
तल्ला	f	floor, story; also, sole of a shoe
छत	f	ceiling, roof
ढलता	Adj	sloping, slanting; from ढलना (int) = to droop, to be on a sloping angle
धन्नी	f	beam, rafter
गर्दन	f	neck
संकरा	Adj	narrow
गूदड़	m	patchwork mattress thin enough to be worn
कोना	m	corner
कनस्तर	m	canister
हांडी	f	small earthen pot
टटोलना	tr	to grope for, to try to grasp with fingers, to feel for
गुड़	m	raw sugar
घड़ा	m	pot, pitcher
आटा	m	flour
सांझ	f	evening, dusk

पनचक्की	f	watermill; also, grinding mill
ठिठकना	intr	to hesitate, to pause
विस्मय	m	amazement, wonder
भवें उठाना	tr	to arch the eyebrows, to lift the eyebrows
इतनी सी लड़की		implied is इतनी बड़ी सी लड़की
मोती	m	pearl
कंठी	f	small necklace of beads
स्वर भीगना	idiom	to be moved; lit., for the voice to be wet, soaked with emotion
हौंसला	m	courage, bravery
सियाना होना	intr	to grow up, to be an adult
X का चस्का लगना	tr	to be addicted to X, to be in the habit of X
हे देवी माता		"Oh Lord", "Oh God", "Oh Mother goddess"
शरण	f	refuge, protection, shelter
असन्तुष्ट	Adj	unsatisfied, discontented, dissatisfied
धरना	tr	to put; also, to grab
तुरंत	Adv	immediately, quickly
गंधाना	intr	derived from गंध देना, to give off a bad smell, to be smelly
उबकाई	f	nausea, vomiting sensation
असुविधा	f	inconvenience
चिन्ता	f	worry, anxiety, concern
असहाय	Adj	unassisted, helpless
बिलखना	intr	to wail, to weep, to sob

आततायी	m	tyrant, oppressor, despot
X के हाथ पड़ना	idiom	"to be in X's hands", "to be at the mercy of X"; lit., to fall into the hands of X
मस्तिष्क	m	mind, brain
वेदना	f	suffering, turmoil; also, pain, agony
अकड़ना	intr	to be stiff, to be rigid, to be sore
करवट लेना	intr	to sleep on one's side, to change the side while sleeping
झपकी	f	a short sleep, doze, nap
योग्य	Adj	suitable, practicable, worthy
उजाला	m	light
सांध	f	crack
पौ फटना	idiom	the breaking of dawn
पौ	f	a ray of light
फुसफुसाहट	f	whispering, murmuring
सूरज बांस भर चढ़ जाना	idiom	the rising of the sun to the height of a bamboo tree, i.e. about 8:00 to 9:00 a.m.
नींद टूटना	idiom	to wake up
सांस के स्वर में बोलना	idiom	"under one's breath", "in an undertone"; lit., to speak with a breathy voice
छुरा	m	a large knife, butcher knife, dagger
ताक	m	a niche or recess in a hall where figurines or pictures are kept
परामर्श	m	conferring, consultation
X के रोम रोम से पसीना छूटना	idiom	"For every hair on X's body to stand on end", to be

		terrified; lit., for sweat to emerge from every pore of X's body
रोम	m	pore; also, hair
हत्यारा	m	murderer, killer, assassin
पिंजड़ा	m	trap, cage
X की जान बख़्शना	idiom	"to let X go"; lit., to grant X's life
बख़्शना	tr	to grant, to bestow
बेचारी	f	the helpless one, a poor fellow
रहने देना	tr	to let live, to let go
मन करना	idiom	"to desire", "to want"
बचते फिरना	tr	to keep on saving
छिपाते फिरना	tr	to keep on safeguarding, to keep on hiding
आतंक	m	terror, panic
बेसुध	Adj	sleepy, unaware; lit., senseless
बांह	f	arm
भय	m	fear, terror, horror
उत्तेजना	f	excitement, agitation, frenzy
हृदय धक धक करना	idiom	"for the heart to throb", "for the heart to pound" from fear, terror
रक्षा	f	protection, guarding
गले ने साथ न दिया	idiom	"but the words just didn't come out"; lit., for the throat not to cooperate
साथ देना	tr	to cooperate; lit., to accompany
धक्का	m	shove, push
कुड़कुड़ाना	intr	to squawk

"सच बोलने की भूल" की शब्दावली

उपालम्भ m	complaint, reproach
मन्त्रणा f	advice, counsel
लज्जा से पानी पानी होना idiom	"to be overcome with shame", "to be shamefaced"
लज्जा f	shame
खातिर f	hospitality
बख़्शीश f	present, reward
मामूली Adj	ordinary, common
जेब f	pocket
ख़रीदारी f	purchasing, buying
नकली Adj	imitation, simulated
परखना tr	to test, to examine
मनी आर्डर m	"money order"
भेजना tr	to send, to dispatch
क़दम m	footstep, step
चाप f	sound of a footstep
X की भांति	like X, similar to X
निर्दय Adj	heartless, merciless, cruel
डरावना Adj	terrible, dreadful, frightening
नींद खुलना idiom	to wake up; lit., for sleep to open
लिपटना intr	to be wrapped
पुड़िया f	small, conically-shaped wrapping or package
भाग्य m	luck, fortune
X को हांकना tr	to yell at X, to drive X away, to drive X on
X पर तरस आना tr	to feel pity for X, to feel

"सच बोलने की भूल" की शब्दावली

	sympathetic toward X
अंडा m	egg
पापी Adj	sinful, immoral
बीमारी f	disease, illness; implied here is that the disease was caused by the sin
फैलना intr	to spread
पीर m	saint
दरगाह f	shrine or tomb of a Muslim saint, where Muslims worship
ढेर m	heap, pile
लहसुन m	garlic
सरकारी Adj	governmental
अस्पताल m	hospital
दवाई f	medicine
X का काल आना idiom	"for X's death to come", "for X's time to come"
काल m	death; also, age, era
जीवट m	enduring, hardy
झेलना tr	to endure, to bear, to experience
काल की आंख से बचना idiom	"to be saved from death", "to be saved from death's glance"
देखा जाएगा idiom	"We'll see what will happen", "We'll just see"; implies acceptance of fate's will
कुल्ला करना tr	to gargle, to rinse the mouth
मन चाहे	"If you'd like...", "If you want..."
व्याकुलता f	impatience, restlessness
प्रकट करना tr	to show, to make evident, to

"सच बोलने की भूल" की शब्दावली

	manifest
आशा f	hope, expectation
अन्तिम Adj	last, final
चूज़ा m	chicken
प्रसन्नता f	glee, delight, pleasure
किलकना intr	to shriek with joy, to be very pleased
मठ m	monastery
मानता मानना idiom	to pray to God for the granting of one's desire
मानना tr	to desire, to long for
कोप दृष्टि f	evil eye
सरलता f	frankness, simplicity, directness
धोखा देना tr	to fool, to trick
घृणा f	scorn, hatred, loathing
झुंझलाहट f	annoyance, irritation
उंगली f	finger
उंगलियाँ छिटकाना tr	to give a snap of the fingers; implied here is a contemptuous reaction
ठगा जाना intr	to be cheated, to be tricked
अस्त व्यस्त Adj	shabby, untidy, disheveled
विक्षिप्त Adj	bewildered, perplexed; a sad feeling expressed in the face
धरती f	soil, land, earth
पत्ता m	leaf
आंसू m	tear
तर Adj	wet, damp

"सच बोलने की भूल" की शब्दावली

पीला	Adj	yellow, pallid
गुड़हल	m	a flower, the china-rose
कलेजा	m	breast, chest; lit., liver
चिपटना	intr	to cling to, to hold close
अवस्था	f	predicament, condition, state
काल्पनिक	Adj	imaginary, illusory
लोभ	m	greed, avarice
सचाई	f	truth
खिन्न	Adj	gloomy, sad, disappointment
उलाहना	m	complaint, reproach
भावना	f	feelings, emotions
संतुष्ट	Adj	satisfied
पसीना-पसीना हो जाना		to be overcome with

मर्द

चन्द्रकिरण सोनरिक्सा

मनों का	very heavy; lit., weighing several maunds (1 maund = 82 pounds)
बेहोशी f	faint
सत m	essence
चोट f	hurt, injury
बोध m	awareness
पागल Adj	crazy
निरीह Adj	helpless
ताकना tr	to look
आसमान सिर पर रखना " " " उठाना	"to stir a storm in a teacup"
ठोड़ी f	chin (also ठुड्डी)
घूँघट m	the part of a sari that covers a woman's head and sometimes her face, too
काढ़ना vt	to cover the face
विलाप करना	to lament
कुम्भ नहाना tr	to bathe in the holy river (in this case, the confluence of the Ganga and the Yamuna) on a particular festive day which comes every twelve years
मरदानी Adj	male's section; adjective of **मर्द**
आधुनिक Adj	modern
बेकार Adj	unemployed
त्यागना tr	to quit

'मर्द' की शब्दावली

कनक लता f	a creeper made of gold
कामिनी f	beautiful
अतिरिक्त	except
अध्यवसायी Adj	hard-working
योग्यता f	ability
व्रत m	fasting, religious observance
पूजन m	worship
निष्ठा f	faith
युग m	year, time
संस्कार m	ritual, tradition
पुण्य m	virtue, religious merit
अनिच्छा f	lack of desire
ललकना intr	to be eager
स्वर्गाभिलाषी Adj	desirous of heaven (स्वर्ग + अभिलाषी)
त्रिवेणी f	the confluence of three rivers in Prayag: Ganges, Yamuna and Saraswati
दुर्लभ Adj	hard to get
पुण्य m	spiritual reward
अपेक्षा f	in comparison to that
भावी Adj	pre-ordained
मिश्रानी f	female Brahmin cook
लच्छेदार Adj	colorful
स्वर m	vioce
कलेजा धक करना idiom	Lit., for the heart to pound; to be worried

'मर्द' की शब्दावली

हाय	exclamation of grief
लक्ष्मी f	Goddess of wealth
गोद f	lap
सुर मिलाना	to join the same tune
काठ मार जाना	to become motionless
बहू f	wife, daughter-in-law
गंगा की भेंट होना	to become an offering to the holy Ganges
होश आना	to come to one's senses
सँभलना int	to control, to take care of
चक्कर खाना	to feel giddy
हाँफ उठना	to become out of breath
कड़ियल Adj	muscular, hard-bodied
ग़श आना intr	to faint
रागनी अलापना tr	to start a tune
फटा-सा स्वर	hoarse voice
मगरमच्छ m	crocodile

"मेरी लाढ़ो के हाथों की मेहंदी भी अभी मैली न हुई थी"

"The henna on the palms of my dear daughter had not even faded as yet"; that is, she had not been married long enough to have the henna applied during the marriage ceremony fade out of her palms.

निश्चेष्ट Adj	motionless
निस्पंद Adj	not even breathing
चिता f	funeral
फूस का छप्पर	roof of hay, thatched roof
नसीब होना	to get

'मर्द' की शब्दावली

भीड़ चीरना	to push into a crowd
हौसला खोना	to lose hope
जोड़ा m	pair
बिछुड़ना intr	to separate
आँखें फाड़ना	to stare with wide-open eyes
उठावनी, दसवाँ, तेरहवीं	funeral rituals
लकीर पीटना	to follow the customs
"भला बिरादरी यह सब कराये बिना छोड़ती"	"How could the community leave them free not to observe the rituals?"
कलेजे पर पत्थर रखना	with fortitude, stoically
बिछुवा m	toe-ring
काज m	work
आत्मीय m	close people, relatives, intimates
फेंट m	the part of a dhoti that comes between the two legs and is tucked behind
फ़िक्र करना	to worry
घुटी चाँद f	bald head
कमबख़्त Adj	lit., less fortunate; stupid, a curse word
लुगाई f	wife (dialectal)
चढ़ती हुई	younger and better
तिलमिला जाना	to get mad
संवेदना f	sympathy
सम्बन्धी	relatives
वर m	bridegroom

"मर्द" की शब्दावली

उज़्र m	objection
स्वर्ण अवसर	golden opportunity
राज़ी होना	to agree
उड़द पर सफ़ेदी f	polish on the urad (which is a kind of lentil)
मीन मेष निकालना tr	to raise objections
लड़का रुकवाना tr	to declare a boy informally engaged; the first step in a marriage
रंज m	grief
उच्छ्वास m	emotional outburst
रूखापन m	rudeness
अनुरोध करना	to request
शिष्टाचारवश Adv	for the sake of etiquette
खद्दरपोश Adj	clad in khaddar (home-spun cloth)
वयस्क Adj	grown up, adult
अचकचाना intr	to be surprised
सादृश्य m	similarity
लिपटना intr	to cling to
दम भर	in a moment (the time needed to take a breath)
उमड़ना intr	to come like a flood
ठसाठस Adv	full to the brim
गठरी f	bundle
मुँह सफ़ेद फ़क होना	to be nonplussed
काटो तो ख़ून नहीं	so nonplussed that if one cut them, there would be no blood
ओट किए	hiding behind

सिसकियाँ लेना	to sob
संवाद	news
उपेक्षा करना	to become indifferent
घूँघट के तूफ़ान में	in the calamity of घूँघट
रेला m	pushing and shoving
बिछुड़ जाना	to be separated
मेला m	fair, religious gatherings
नक़ाब m	mask, here घूँघट
छरछंदी लुगाई f	women who plot and deceive
मौज़ मारना	to enjoy oneself
काला मुँह m	infamous face
बेहया f	shameless
ग़ज़ब का	unparalleled
दम m	courage
चंगुल m	clutches, grasp
भरा स्वर	unhappy voice; lit., wet voice (as when one is crying)
देहरी f	inner section of the house
लांघना tr	to cross over
कुल की आब f	prestige of the family
वक्र Adj	crooked
भिनभिनाना intr	to be irritated
X पर मिट्टी डाल देना	to bury X
हमारे लेखे	as far as we are concerned
विवाद m	discussion
दालमंडी	the red light district in Allahabad

कोठा आबाद करना	to become a prostitute; lit., to inhabit a prostitute's quarters
रसातल	the lowest depth, hell
किस खेत की मूली हैं	what standing do we have?; lit., what farm are we the radishes of?
"भगवती सीता... भला"	the reference is to the mythological story in which Ram banished Sita to the forest when he found out that some of his subjects did not believe that-- in spite of being a prisoner of Ravana-- she was still chaste, that she had not accepted Ravana as either her lover or her husband, etc.
विधवा आश्रम	institution where Hindu widows who have no family to protect them are taken care of
तिरिया चरित्तर	proverbial womanly behavior (designed to trick people)
निर्लज्जपना f	shamelessness
दफ़ा होना	clear out
टुकड़े m	charity; lit., pieces
चिहुँकना intr	to be startled

बादशाह
विपिनकुमार अग्रवाल

बादशाह	m	emperor
बीमार	Adj	sick
डाँटना	tr	to scold
डाँट	f	scold, a scolding
ख़ुशी-ख़ुशी	Adv	happily
सहना	intr	to bear
छोड़ना	tr	to leave
थकना	intr	to get tired
उठना	intr	to get up
विचार	m	thought

हिरोशिमा
'अज्ञेय'

सहसा Adv	suddenly
सूरज m	sun
निकलना intr	to come out, to rise
नगर m	town, city
चौक m	courtyard, town square
धूप m	sunshine
बरसना intr	to rain, to shower
अन्तरिक्ष m	horizon, space
फटना intr	to crack
मिट्टी f	clay, mud, earth
छाया f	shadow
मानव-जन m	group of people; humanity
दिशाहीन Adj	without any direction
सब Adj	all, entire
ओर f	direction
उगना intr	to rise
पूरब m	east
बीचो-बीच	right in the middle
काल-सूर्य m	sun of death
रथ m	chariot
पहिया m	wheel
ज्यों (जैसे)	as if
धुरा m	axle

"हिरोशिमा" की शब्दावली

बिखरना intr	to be scattered
दसों दिशा f	all (ten) directions
क्षण m	moment
उदय m	(sun) rise
अस्त m	(sun) set
प्रज्वलित Adj	blazing
दृश्य m	scene
सोख लेना tr	to absorb
दोपहरी f	noon
मिटना intr	to be extinct
भापना m	steam
झुलसना intr	to be scorched
पत्थर m	stone
उजड़ना intr	to be desolated, to be ruined
गच f	plaster, cement
रचना tr	to create, to make
जलना intr	to burn
साखी f	proof, witness

कफ़न
प्रेमचंद

कफ़न m		shroud, pall
झोंपड़ी m		hut
द्वार m		door, doorway, gate
बाप m		father
बेटा m		son
बुझना intr		to be extinguished
अलाव m		a fire (for warmth)
जवान Adj		young, youthful
बीवी f		wife
प्रसव-वेदना f		labor pain
पछाड़ खाना tr		to faint, to fall down in grief
दिल हिला देनेवाली आवाज़		piercing, heart-rending voice
कलेजा m		heart
थाम लेना tr		to hold
कलेजा थाम लेना tr		to repress one's grief
प्रकृति f		nature
सन्नाटा m		silence
डूबना intr		to be drowned
अन्धकार m		darkness
लय होना intr		to be absorbed
दौड़ना intr		to run
मरना intr		to die
बेदर्द Adj		hardhearted; lit., without pain

सुख-चैन	m	comfort
बेवफ़ाई	f	faithlessness
तड़पना	intr	shaking, to toss and turn
हाथ-पाँव (पटकना)	tr	to writhe
चमार	m	cobbler
कुनबा	m	family
बदनाम	Adj	having a bad reputation
काम-चोर	Adj, m	gold-bricker, shirker
चिलम	f	earthen funnel in which tobacco is placed for smoking
मज़दूरी	f	work, labor
मुट्ठी भर	Adj	handful
मौजूद	Adj	present, on hand, in attendance
क़सम	f	oath, promise
फ़ाका	m	a day without food
इधर उधर	Adv	back and forth
मारा मारा फिरना	intr	to wander around shiftlessly
कमी	f	shortage, lack
मेहनती	Adj	hardworking
सन्तोष करना	intr	to be contented, to be satisfied
जब दो आदमियों से...		"Only when there was no alternative except to be satisfied with two men doing the work of one."
धैर्य	m	endurance
संयम	m	restraint, control
नियम	m	discipline, rule
विचित्र	Adj	unique, strange

मिट्टी f	clay
सम्पत्ति f	property
फटा Adj	torn
चीथड़ा m	rag
नग्नता f	nakedness
ढाँकना tr	to cover
जीना intr	to live, to survive
चारा m	alternative, choice
संसार m	world
चिंता f	worry
मुक्त Adj	freed, liberated
कर्ज़ m	debt
X से लदना intr	to be laden with X
गाली खाना tr	to suffer abusive language
मार f	beating
ग़म m	worry
दीन m	pitious, poor
वसूली f	repayment of debts
मटर f	peas
आलू m	potato
फ़सल f	crop
उखाड़ना tr	to pull up, to uproot
भूनना-भानना tr	an echo-word formation meaning "to bake and the like, to bake and do other associated activities."
ऊख m	sugarcane
चूसना tr	to suck

आकाश-वृति f	meager subsistence
उम्र f	age
काटना tr	to spend
सपूत m	a worthy son
पद-चिन्ह m	footstep
उजागर Adj	shining
ख़ानदान m	family
देहान्त m	death; lit., the end of the body
खोदना tr	to dig up
व्यवस्था f	organization
नींव f	foundation
बे-ग़ैरत Adj	shameless
दोज़ख m	hell; here, bottomless pit
भरना intr	to be filled, to be full
आरामतलब Adj	lazy
अकड़ना intr	to be arrogant
कार्य m	work
निर्व्याज Adj	frankly
भाव m	intention
दुगना Adj	double
इन्तज़ार m	expectation, waiting
मांगना tr	to ask for, to request
छीलना tr	to peel
दशा f	condition
चुड़ैल f	witch
फ़िसाद m	mischief

ओझा	m	a spiritual healer popular in villages; a "witch doctor"
भय	m	fear
कोठरी	f	a room
साफ़ करना	tr	to eat up, to finish off
लजाना	intr	to be embarrassed, to be ashamed
उघड़ा होना	intr	to be uncovered
बदन	m	body
तन	m	body
सुध	f	consciousness
खुलकर	Adv	openly
हाथ-पांव पटकना	intr	to be restless, to toss and turn
सोंठ	f	dry ginger
गुड़	m	molasses
बेड़ा	m	ship
बेड़ा पार लगाना	tr	to be helpful in time of need; lit., to send one's ship across
समाज	m	society
X के मुकाबले (में)		in comparison with X
दुर्बलता	f	weakness
लाभ उठाना	tr	to take advantage of
सम्पन्न	Adj	well-off
मनोवृत्ति	f	mentality, disposition
अचरज	m	surprise
विचारवान	Adj	sensible, thoughtful
विचार-शून्य	Adj	without sense, thoughtless
समूह	m	group

"कफ़न" की शब्दावली

शामिल होना		to join
बैठकबाज़	m	a person who spends much of his time in social gatherings, gossiping and other such things.
कुत्सित	Adj	disreputable
मण्डली	f	company; party, team
शक्ति	f	strength
पालन करना		to abide by
सरगना	m	ringleader
मुखिया	m	leader
उंगली उठाना	tr	to point a finger of blame
तसकीन	f	consolation
फटे हाल	Adj	in bad shape
कम-से-कम		at least
जान तोड़	Adv	hard
सरलता	f	innocence
निरीहता	f	helplessness
बेजा	Adj	improper
फ़ायदा उठाना	tr	to take advantage
जलते जलते	Adj	very hot
सब्र	m	patience
ज़बान	f	tongue
हिस्सा	m	part
दांत	m	tooth
तले	Adj	under
हलक	m	throat
तालू	m	palate

"कफ़न" की शब्दावली

अंगारा	m	ember
ख़ैरियत	f	safety
निगलना	tr	to swallow
हालाँकि	Adv	although
बारात	f	the procession of a bridegroom's party at a wedding
तृप्ति	f	satisfaction
ताज़ा	Adj	fresh
भोज	m	feast
भरपेट	Adv	to one's satisfaction, to one's fill; lit., full stomach
पूड़ी	f	a flat whole wheat cake fried in fat so as to puff up
असली	Adj	pure, true, real
चटनी	f	a relish
रायता	m	a dish made with yogurt
साग	m	green leaf vegetables
रसेदार		curry
तरकारी	f	vegetable
दही	m, f	yogurt
स्वाद	m	taste
रोकटोक	f	restriction
परोसना	tr	to serve (food)
पत्तल	f, m	a plate made of leaves
गोल	Adj	round
सुबासित	Adj	fragrant
कचौड़ी	f	stuffed fried bread

"कफ़न" की शब्दावली

इलायची f	cardamom
पान m	pieces of betel nut, spices, and lime wrapped in betel leaf, to be held in the mouth and sucked on
चटपट Adv	without loss of time
दिल-दरियाव Adj	generous
पदार्थ m	a thing
मन-ही-मन	in the mind, in the mind's eye, in the heart of hearts
मज़ा m	taste
ज़माना m	time, period
किफ़ायत	economy, being cheap
बटोरना tr	to accumulate
पट्ठा Adj	strong
ओढ़ना tr	to cover
पाँव m	foot, leg
अजगर m	python
गेंडुली मारना intr	to coil oneself
कराहना intr	to groan
स्त्री ठंडी हो गई	The woman had died; lit., the woman had become cold
मक्खी f	a fly
भिनकना intr	to buzz
पथराना intr	to be like stone
रंगना tr	to dye
देह f	body
हाय	alas
धूल f	dust

"कफ़न" की शब्दावली

लथपथ होना	intr	to be covered with
हाय-हाय करना	tr	to bewail
छाती पीटना	tr	to beat one's breast
पड़ोस	m	neighborhood
रोना धोना	m	weeping, etc.
मर्यादा	f	decorum, propriety of conduct
अभागा	m	unfortunate one
कफ़न	m	shroud
फ़िक्र	f, m	worry
ग़ायब	Adj (intr)	to disappear
चील	f	kite bird, hawk
घोंसला	m	a nest
नफ़रत	f	hatred
चोरी	f	theft, stealing
वादा	m	promise
विपत्ति	f	misfortune
गुज़रना	intr	to pass on, to die
X के सिरहाने बैठना		to sit by X's side
सिरहाना	m	pillow
दवा-दारु	f	medicine
मुदा	conj or prep	but
दग़ा देना	tr	to cheat
तबाह होना	intr	to be ruined
उजड़ना	intr	to be uprooted
ग़ुलाम	m	servant

"कफ़न" की शब्दावली

मिट्टी f	lit., dust, but also a dead body treated as dust
ग़रज़ f	need
ख़ुशामद f	flattery
हरामख़ोर Adj, m	a term of abuse which implies that one lives only off of the efforts of others
बदमाश Adj, m	wicked (one)
कुढ़ना intr	to be irritated
सान्त्वना tr	to console
ताकना tr	to stare
सिर का बोझ उतारना intr	to unload one's burden
ढिंढोरा पीटना tr	to proclaim aloud
रकम f	amount
अनाज m	grain
बांस-वांस m	bamboo, etc.
नर्म-दिल Adj	softhearted
लाश f	corpse
बेकसी f	the state of being without a patron
बूंद f	drop
हलका Adj	cheap, lightweight
रिवाज़ m	custom
जीते जी Adv	while living
ढाँकना tr	to cover
ताड़ना tr	to speculate about
बज़ाज़ m	a cloth merchant
X को जंचना intr	to appeal to X

दैवी	Adj	divine
सूती	Adj	cotton
प्रेरणा	f	inspiration
मधुशाला	f	tavern, bar
पूर्व-निश्चित	Adj	predestined
दयालु	Adj	kindhearted
कम्बल पर रंग चढ़ाना		to waste one's effort; lit., to dye a black rug
असमंजस	m	hesitation
साहू जी		a respectful term of address used for shopkeepers
बोतल	f	bottle
चिख़ौना	m	snack
तलना	tr	to fry
मछली	f	fish
शान्तिपूर्वक	Adv	peacefully
कुज्जी	f	an unglazed cup
ताबड़तोड़	f	one right after another
सरुर	m	intoxication
आसमान	m	sky
देवता	m	deity
निष्पापता	f	virtue; lit., the condition of being without sin
साक्षी	m	witness
दस्तूर	m	custom
बाभन	m	corrupted form of **ब्राह्मण**, a Brahman
परलोक	m	the next world

फूंकना tr	to spend extravagantly
अनपेक्षित Adj	unexpected
सौभाग्य m	good luck
उड़ना intr	to disappear, to fly away
कलेजी f	liver of a small creature, e.g., birds
शराबख़ाना m	tavern
लपकना intr	to rush forth
शान f	splendor
शेर m	lion
शिकार m	victim, prey
जवाबदेही f	responsible
ख़ौफ़ m	terror
बदनामी f	bad reputation
भावना f	feelings, emotions
जीतना tr	to win, to be victorious
दार्शनिक Adj	philosophic
उसे पुन्न न होगा ?	Wouldn't she get the reward of this good deed?
श्रद्धा f	reverence, faith
तसदीक f	testimony
अन्तर्यामी Adj	omnipresent
बैकुंठ m	heaven
आशीर्वाद m	blessing
उम्र-भर	lifelong
शंका f	doubt
जागना	to wake up

एक-न-एक	one or the other
भोला Adj	innocent
बाधा f	hindrance
कहेंगे तुम्हारा सिर	What a silly question.
गधा m	donkey
घास खोदना	to twiddle one's thumbs; lit., to dig up grass
चट कर जाना	to use something up in no time
मांग f	the part in the hair
सेंदुर m	vermilion
गर्म हो कर	getting angry
सितारा m	star
चमक f	sparkle
रौनक f	liveliness
डींग मारना	to brag
संगी m	companion
गले लिपटना	to embrace
कुल्हड़ m	an earthen vessel
वातावरण m	atmosphere
नशा m	intoxication
चुल्लू m	handful
मस्त Adj	overjoyed; also, drunk
बाधा f	obstacle
खींचना tr	to drag, to draw, to pull
चुसकी लेना tr	to sip
निगाह f	glance

जमना intr	to fix
भाग्य का बली Adj	lucky
भिखारी m	beggar
गौरव m	dignity
उल्लास m	rejoicing
गाढ़ी कमाई	hard-earned money
रानी f	queen
लहर f	wave
तैरना intr	to swim
सताना tr	to bother
दबाना tr	to oppress
लालसा f	desire
लूटना tr	to rob
गंगा f	the Ganges
जल चढ़ाना tr	to offer water
श्रद्धालुता f	credulity
तुरन्त Adv	immediately
अस्थिरता f	fickleness
ख़ासियत f	specialty, distinctive quality
निराशा f	disappointment
दौरा (m) होना	to attack
मार मार कर	with intensity
चीखना intr	to cry out
मायाजाल m	temptation's net, illusion's net
मुक्त Adj	liberated, freed
जंजाल m	entanglement (of this life)

भाग्यवान्	Adj	fortunate
मोह	m	attachment
बन्धन	m	bonds
ठगिनी क्यों नैना झमकावे		"Deceiver, why do you make my eyes bright?"
पियक्कड़	m	drunkard
मटकना	intr	to gesture
भाव	m	idea
अभिनय करना		to act (as in a play)
मद	m	intoxication
गिरना	intr	to drop, to fall

उसने कहा था
चन्द्रधर शर्मा गुलेरी

(1)

इक्का m	an Indian horse carriage
ज़बान f	tongue, language, mother tongue
कोड़ा m	whip, here the whip of (harsh) language
पीठ f	back
छिलना intr	to be wounded
कान m	ear
पकना intr	to ripen
कान पकना	to become tired of hearing something
प्रार्थना f	prayer, request
बम्बूकार्ट वाला m	pushcart man
बोली f	speech
मरहम m	ointment
लगाना tr	to apply
चाबुक m	whip
धुनना tr	to card; this word is used to "card cotton"
रुई धुनना	to card cotton
सिर धुनना	to knock one's head
"घोड़ों की नानी"	to swear involving one's maternal grandmother
निकट संबंध जोड़ना tr	here, to use abusive language; literally, to say things that presuppose a close relationship

नानी f	maternal grandmother
निकट Adj	close
सम्बन्ध m	relationship
स्थिर करना	to maintain, to establish
राह f	way, path
तरस खाना tr	to have pity
पोर m	finger, digit
चीथना tr	to tear to pieces
सताना tr	to torture
ग्लानि f	compunction, feeling of shame, agitation
निराशा f	disappointment
क्षोभ m	feeling of regret, frustration
अवतार m	incarnation
नाक की सीध में	in a straight direction, following one's nose
बिरादरी f	caste, community
तंग Adj	narrow
चक्करंदार Adj	circular
गली f	alley
लड्ढी (वाला)	(person with) a stick
सब्र m	patience
समुद्र m	sea
उमड़ाना tr	to make swell
खालसा	a sect among Sikhs
बाछा m	a corruption of 'बादशाह', meaning a king, a ruler, an outstanding man,

	but here used sarcastically
फेंटा m	short turban
खच्चर m	donkey
बत्तक m	duck, goose
गन्ना m	sugarcane
खोमचा m	a large plate in which pedlars display their wares
भारेवाला m	carriers, men carrying heavy burdens/loads
राह खेना	to cross a path
मजाल f	courage, "guts"
क्या मजाल़ है	(idiom) meaning to express an impossible situation; "How dare s/he!"
जीभ चलना	(idiom) to talk a lot irresponsibly
छुरी f	knife
महीन Adj	thin, fine, subtle
मार करना tr	to attack
चितौनी (चेतावनी) देना	to give a warning
लीक f	track
वचनावली f	string of words, stream of speech
नमूना m	sample
जीणे जोगिए	worth living
करमा वालिये	fortunate one
पुत्ताँ प्यारिये	beloved of sons
लम्बी वालिये	with long life, long-lived one
समष्टि में Adv	in totality, in effect, in final result
अर्थ m	meaning

पहिया m	wheel
सुथना m	pants
जान पड़ना	to appear
मामा m	maternal uncle
केश m	hair
बड़ी f	small balls made of lentil
गुथना intr	to become entangled with someone, to get into an argument
पापड़ m	round flat condiment, a kind of food item
गड्डी f	package
निबटना intr	to finish one's work
सौदा m	purchase, transaction
कुड़माई	means same as **मंगनी** (f), an engagement to be married
धत्	exclamation of bashfulness
मुँह देखते रह जाना	(idiom) to watch hopelessly, to be baffled
अकस्मात् Adv	suddenly
चिढ़ाना tr	to tease
सम्भावना f	expectation, possibility
सालू m	means same as **ओढ़नी** (f) a scarf, stole
राह लेना	to go, to leave
मोरी f	drain
ढकेलना	to push
छाबड़ीवाला m	pushcart pedlar
कमाई f	earning

खोना tr	to lose
ठेला m	cart
उड़ेलना intr	to pour
वैष्णवी f	a female devotee of Lord Krishna; an orthodox sect among Hindus
टकराना intr	to collide
अन्धा m	blind
उपाधि f	title, epithet

(2)

राम-राम	an exclamation which means "Oh what a shame/pity"
खन्दक f	ditch
हड्डी अकड़ना intr	to become stiff
मेह m	rain
पिंडली f	calf
कीचड़ f	mud
धँसना intr	to get stuck in
ग़नीम m	competition, enemy
फाड़ना tr	to tear apart
कान फाड़ना	lit., "to tear ears," idiomatically used of a loud, unbearable noise
धमाका m	loud noise
धरती f	earth
उछलना intr	to jump, to shake
ग़ैबी Adj	from unknown source; unexpected
ज़लज़ला m	earthquake

साफ़ा m	a turban-like headdress
कुहनी f	elbow
चटाक-से Adv	crackling sound
गोली लगना	to be struck by a bullet
बेईमान Adj	dishonest
बिताना tr	to spend (time)
झटका m	the killing of a goat (by beheading, for food)
पेट m	stomach
पेट भर खाना	idiomatically, to eat to one's full satisfaction
फिरंगी m	foreigner
मखमल f	velvet
पलक झँपना intr	to be able to sleep
फेरना tr	to run a horse
बिगड़ना intr	to get angry, to be spoilt
संगीन चढ़ना tr	to lift a bayonet
दरबार m	court, house
दरबार साहब	Sikh's famous "golden temple" in Amritsar
साहब	this is a term used by Sikhs to express special respect for religious places, things and institutions. '**साहब**' is an Arabic word which means 'lord' or 'master.' But it is used as '**जी**' in Hindi.
देहली f	threshold
मत्था/माथा टेकना	to bow down as a sign of salutation

"उसने कहा था" की शब्दावली

नसीब होना	to have the good fortune
पाजी Adj	naughty
कलों के घोड़े	mechanical horses; inhuman; to do their duties mechanically
कल f	part
मुँह फाड़ना idiom	to feel helpless
पैर पकड़ना idiom	cultural significance of humbling oneself; 'I beseech you;' to touch one's feet
गोला m	bomb
धावा करना	to attack
कमान देना	to order or command
मामला m	affair
जमादार m	head constable
नायक m	leader
सूबेदार m	non-commissioned officer in the Indian Army
खाई f	trench
चम्बा	a river in Punjab
बावली f	small tank with steps around it
सोता m	stream
झरना intr	to fall
धावा m	attack
उदमी Adj	same word as उद्यमी , meaning "energetic"
सिगड़ी	a charcoal warmer which people wore around the neck in cold places like Punjab and Kashmir

'उसने कहा था' की शब्दावली

कोले-कोयले m	coal
पलटन f	army
विदूषक m	buffoon
बाल्टी f	bucket
गँदला Adj	dirty
पाधा(-पौधा)	plant
तर्पण m	offering; libation
खिलखिलाना intr	to laugh
उदासी f	sadness
बाड़ी f	garden
खरबूजा m	melon
खाद m	fertilizer
स्वर्ग m	heaven
घुमा	a measure of land
बूटा m	tree
शरम f	shame (shyness); sense of proper conduct
हठ करना	to show obstinacy
बुरा मानना tr	to dislike
उढ़ाना tr	to cover, to wrap
गुज़र करना tr	to manage
पहरा देना tr	to guard
मांदे पड़ना intr	to get tired or famished
मुरब्बा m	jam and preserves (idiomatically, "sweet reward")
तुरक (तुर्क) m	Turkish people

***	
Song	translation can be found
***	immediatley after this section
त्योरी चढ़ाना	to show displeasure; to scowl, frown
दाढ़ियों वाले	men with beards
घरबारी Adj	domesticated
लुच्चा Adj	ill-bred (people)

(3)

गूंजना intr	to echo, to resound
सन्नाटा छाना	for the silence to prevail
बरानकोट m	an overcoat
कँपनी f	same as कँपकँपी (f), "shakiness"
रोम m	soft hair on the body
रोम-रोम में	in one's whole being
तार m	wire
ज़बरदस्ती से Adv	insistently; by force
कथा f	story
लपटन साहब m	lieutenant
ज़ियादह (ज़्यादा)	much; more
घुमाव m	turning
जवान m	soldier in the Indian Army; 'G.I.' in the U.S.
हुज्जत f	argument

मुँह फेरना	to turn face
आँख मारना idiom	to give a hint by a gesture of the eye
सिगरेट सुलगाना tr	to light a cigarette
माथा ठनकना intr	to become suddenly aware of something unforeseen
पट्टियों वाले बाल m	long hair down one's sides
उड़ना intr	to disappear, fly away
जाँचना tr	to examine
शिकार करना	to hunt
नकली Adj	artificial
परसाल-पिछले साल	last year
खोता m	a donkey, ass
ख़ानसामा m	cook
जल चढ़ाना tr	to offer holy water
पट्ठा m	thigh
सींग m	horn
संदेह m	doubt
टकराना intr	to collide
क़यामत f	doomsday; day of destruction
आँख लगना idiom	to sleep, doze off

(4)

होश m	consciousness
वर्दी f	uniform
क़ैद होना intr	to be imprisoned
मुँह देखना idiom	to have familiarity with something

सौहरा = सुसरा = ससुरा	idiom	term of abuse; lit., 'father- in-law'
खड़कना intr		to make noise
X की ऐसी-तैसी	idiom	expression of disparagement
ख़बर लेना tr		to take someone to task
अकालिया Adj		a sect among the Sikhs
मुहाना m		estuary
चिपकना intr		to stick
बेल m		a round, hard fruit
घुसेड़ना tr		to insert
सूत m		thread
गुत्थी f		knot
तानना tr		to stretch
कुन्दा m		block of wood
ऑख, मीन गाट्ट !		bad German for "Oh, my God!"
चित्त होना		to fall flat; idiomatically, to be defeated
बीनना tr		to pick, to pluck
तलाशी लेना tr		to make a search
हवाले करना		to hand over
मूर्छा f		faint
मिज़ाज m		condition
मिज़ाज कैसा है ?		how do you feel?
नील गाय f		antelope, yak
खोता m		donkey
लफ्ज (लफ़्ज़)		word

मांझा	name of a place
चकमा देना	to deceive
चार आँखें	here, to be extra watchful
ताबीज f	amulet
बड़ m	banyan tree; a kind of tree with small green fruit
मंजा	खटिया ; cot
हुक्का पीना	to smoke a water pipe
वेद m	Vedas, holy scriptures
वेद पढ़ना	to read the Vedas
विमान m	airplane
विद्या f	skill, knowledge
गौ (गाय) f	cow
गोहत्या f	cow-slaughter
मंडी f	bazaar
बहकाना tr	to mislead
डाकखाना m	post office
डाक बाबू m	postman
मूँड़ना tr	to shave
दाढ़ी मूँड़ना	to shave the beard; here, an act of humiliation
पैर रखना	to set foot (in)
जाँघ f	thigh
कपाल m	skull
कपाल-क्रिया f	Hindu rite of breaking the skull of a burning corpse
हड़कना intr	to get disturbed

हड़का हुआ	instigated, disturbed, loose
पट्टी f	bandage
कसना tr	to tighten
तक-तक कर (देख-देख कर)	looking and picking out
तकना (ताकना)	to look
मुर्दा m	corpse
फ़तह f	victory
ख़ालसा m	pure
गुरु जी	Sikh leader
गुरु जी का खालसा	Oh the pure one of Guruji
चक्की f	grinding mill
पाट m	two sides of the grinding mill
जवान m	soldier in the Indian Army; 'G.I.' in the U.S.
आग बरसाना tr	to fire
पिरोना tr	to insert
किलकारी f	gleeful shout
अकाल	sect of Sikhs, also used for Sikhs in general
सिक्खाँ	plural of 'Sikh' in the Punjabi language
दी	genitive marker in Punjabi
अकाल सिक्खाँ दी	of the Akali Sikhs
सत श्री अकाल	a form of greeting among Sikhs
सत (सत्य) श्री	glory to the gods
खेत रहना intr	to be killed in action
आर-पार Adv	right across

पसली	f	rib
पूर लेना	tr	to fill
साफ़ा	m	turban
कमर बंद	m	waist belt; cummerbund
लपेटना	tr	to wrap
क्षयी		that which wanes
सार्थक	Adj	meaningful, purposeful
बाणभट्ट		celebrated 7th century Sanskrit poet; his famous prose works are 'हर्ष-चरित' and 'कादम्बरी'
'दन्तवीणोपदेशाचार्य'		probably, 'like a teacher of the musical instrument made of teeth'
दंतवीणा		"tooth guitar"
उपदेशाचार्य		great instructor; the wind is described as the instructor of the "tooth guitar" because the very cold wind makes the teeth chatter
बूट	m	boots
तुरत-बुद्धि (तुरन्त)	f	presence of mind; quick-wit
सराहना	tr	to admire, praise
झटपट	Adv	quickly
मामूली	Adj	ordinary
घायल	Adj	wounded
टाल देना	tr	to ignore, to avoid
ज्वर	m	fever
बर्राना	intr	to talk incoherently or deliriously
X की क़सम		oath on X; an expression used to persuade or convince someone of

		something; X is always some dear or revered person or thing
सौगन्ध	f	oath
मत्था (माथा)	m	head
मत्था टेकना		to bow the head; to salute
तैने (तूने)		you (Punjabi)
तर होना		to get wet

(5)

स्मृति	f	memory
घटना	f	incident
धुन्ध	f	mist, fog
कुड़माई	f	engagement
जमादार	m	sweeper; here, head constable
मुकदमा	m	legal case
पैरवी करना		conducting a lawsuit in court
लाम पर जाना		to go to the battle-front
बेड़ा		a woman's apartment, the women's quarters
असीस (आशिष)	f	blessings
भाव	m	idea
करवट	f	side
स्वप्न	m	dream
भाग (भाग्य)	m	fate
फूटना	intr	to break
भाग फूटना		for misfortune to befall
खिताब	m	title

नमकहलाल	"to be pure to the salt"; to be loyal, faithful
हलाल Adj	well-begotten
हराम Adj	ill-begotten
नमक खाना idiom	to be obligated; lit., eat someone's salt
नमक हलाली f	loyalty
नमक हराम	unfaithful; one who fails to fulfill the obligation of having eaten another's salt
तीमी f	woman
घँघरी f	a low and covered skirt worn by women
पलटन f	platoon, battalion
भिक्षा f	begging
आँचल पसारना tr	to beg for a favor; lit., spread the border of one's garment out (for alms)
ओबरी f	a room inside a house
पट्टा m	thigh
हाड़ m	the fourth month of the Hindu calendar, आषाढ़
सूची f	list; regiment

Hindi translation of the Punjabi song on page 101 of the story:

दिल्ली शहर से पेशावर जानेवाली

(तुम) अपनी नाक के लौंग (nosepin) का सौदा कर लेना

और (सलवार के) नाड़े का भी सौदा कर लेना

चटकदार कद्दू लाना

ओ गोरी, तुम्हारा क़द बड़ा अच्छा है

अब चटकदार कद्दू लाना

तोड़ती पत्थर
सूर्यकान्त त्रिपाठी निराला

छायादार	Adj	shadowy
तले	Adv	beneath, below
श्याम	Adj	black, dark
बँधा	Adj	maintained, preserved
नत	Adj	bent, twisted, curved
नयन	f	eyes
कर्म	m	work, act, business
रत	Adj	busy, engrossed
गुरु	Adj	heavy, big, high
हथौड़ा	m	hammer
तरु	m	tree
तरु-मालिका	f	line of trees
अट्टालिका	f	multi-storied house
प्राकार	m	a rampart, a fence
दिवा	m	a day
तमतमाना	intr	to grow red in the face owing to the heat of sun
झुलसना	intr	to be scorched or singed, to be half-burnt
रुई	f	cotton
भू	f	the earth, the ground, soil
गर्द	f	dirt, dust
चिनगी	f	a spark
छिन्न	Adj	broken

सितार m	sitar, a string instrument
झंकार f	tinkling, jingling
छन (क्षण) m	moment
सुघर Adj	elegant, beautiful
सीकर m	drops; here, of sweat, perspiration
लीन Adj	absorbed, immersed

अण्डे के छिलके
मोहन राकेश

अण्डा m	egg
छिलका m	peel, skin (of fruit); here, shell
पात्र m	character in a play
पर्दा m	screen, curtain
सीटी f	pipe, whistle
सीटी बजाना tr	to whistle
बरसाती m	raincoat
भीगा Adj	wet
निचुड़ना intr	to drip
पराया Adj	stranger's
नक्शा m	plan, pattern, map
हौसला m	desire, enthusiasm
हालत f	state, condition
चारपाई f	bed
चमकना tr	to shine
खड़ा गाँव m	mildly scornful characterizations of one's place of origin
खड़े-खड़े	at once, soon
आराम m	rest
सुहाना tr	to be pleasant
सूखा Adj	dry
हरगिज़ (कतई)	in no case
फ़र्श m	floor
गीला Adj	wet

"अण्डे के छिलके" की शब्दावली

उतारना tr	to take off
मज़ा m	flavor/fun
थमना intr	to stop
सूझना intr	to occur
हलुआ m	sweet dish
कुल्ला करना	to rinse one's mouth
भ्रष्ट होना	to be polluted
भोला Adj	innocent
झट Adv	immediately
मान जाना	to accept a proposal
संयम m	self-control
समेत	along with
वसूल होना	to be paid
भनक पड़ना	to come within range of one's hearing
गंगा इश्नान	hyper-sanskritized form of **गंगा-स्नान** (ritual dip in the Ganges to free oneself of sins)
हो-हवा जाना	for something unpleasant to happen
छिपाना tr	to hide, conceal
X की बजाय	instead of X
किसी के सिर होना	to pester someone
जान निकलना intr	to do something particularly hard
मुकर जाना	to deny responsibility, even when one is responsible for the act
रिश्ता m	connection, relationship
एकाध	some

अण्डे के छिलके " की शब्दावली

साबित Adj	proved
कच्चा Adj	raw
ताल्लुक़ m	relationship
तलब होना	to be asked for, need
ज़ाहिर करना	to express, make known
ख़ुराक f	diet
समझौता m	compromise
ज़बान f	tongue
शोर मचाना tr	to make noise
आधा Adj	half
मंजूर करना	to accept
किशमिश m	raisins
खूँटी f	hook
तहाना tr	to fold
प्रेस (इस्तरी) करना	to iron
टाँगना tr	to hang
लटकना intr	to hang
मलना intr	to be rubbed
नाली f	drain
सौगात m	gift
जीजी	term of address for older sister, or husband's older brother's wife
केतली f	kettle
पर्दा m	curtain
कुंडी f	latch
जेठ m	husband's older brother

"अण्डे के छिलके" की शब्दावली

अँगड़ाई लेना	to stretch oneself
शरीर कुछ टूट-सा रहा था	"I was feeling some discomfort;" "My body was ailing"
धंधा करना	to do a chore
अनमनी-सी	slightly bored
स्वर m	sound
चौंकना intr	to be startled
चन्द्रकान्ता	a famous Hindi novel
झपटना	to pounce upon
छीनना	to snatch away
झाँसा देना	to fool someone
प्रयत्न करना	to try
छीना-झपटी f	grabbing, snatching
चन्द्रकान्ता, संतति, भूतनाथ	novels by the author of चन्द्रकान्ता
किस्सा m	story
ज़बर्दस्ती f	force, injustice
फ़ुरसत f	free time
गुटका रामायण m	pocket-sized Rāmāyaṇa
बाँचना tr	to read a holy text
पीछे पड़ना intr	to be after X
जान निकाल देना	to kill, harass
बचकाना Adj	childish
थोड़े ही	not
शूर-वीरता f	heroism
वन m	forest

मारा-मारा फिरना intr	to wander around helplessly and without purpose
तिलिस्म	world of illusion
समुद्र m	sea
लाँघना tr	to cross a barrier by jumping
उद्धार करना	to save, free
उत्सुकतापूर्वक Adv	with curiosity
मेरा दिल तो कहता है	"my heart says" = "I feel"
मोमबत्ती f	candle
आत्महत्या f	suicide
फुहार f	spray, fine mist
दुनिया f	world, worldly affairs
अंदाजा m	estimate
बहुत सही अंदाजा है वक़्त का	"(you have) a good sense of timing"
गलतफ़हमी f	misunderstanding
गलतफ़हमी में रहना	to remain in misunderstanding, delude oneself
मेहरबान Adj	kind
X पर मेहरबान होना	to be kind to X
रिश्ता m	relationship
ख़तरनाक Adj	dangerous
देवर-भाभी... होता है	"The relationship between husband's younger brother and sister-in-law is very dangerous" (implies that there may be more to the relationship than is apparent)
जीजी बैठी हैं, यह तो... होंगी	"Jījī-- Gopāl's bhābhī-- must know more about such a

	relationship!" (a repartée; after all, Gopāl and Rādhā have been together longer)
प्रतिमा f	statue
शरारत f	mischief
लहज़ा m	tone
खिसियायी Adj	embarrassed
अक्षर m	letter of the alphabet
रख छोड़ना tr	to keep with care, save
मन में भावना होनी चाहिए	"It's the feelings or intentions that count"
विद्या f	knowledge, skill
अनपढ़ Adj	illiterate, uneducated
उल्टा Adj	contrary to normal
रीत (also रीति) f	custom
दस्तूर m	custom
डिब्बी f	box
सुलगाना	to light a fire, match, cigarette (but not a lamp or candle)
इजाज़त f	permission
इक़बाल करना	to accept
जब जब ज़रूरत पड़ती थी	"whenever I felt the need"
मगर मजाल है... चला हो	"but no one even got a hint"
X के अलावा (also इलावा)	except X
...बताया थोड़े ही होगा	"...wouldn't have told" (implication: must have told)
क़सम f	oath
क़सम उठवाना	to make someone swear to something

"अण्डे के छिलके" की शब्दावली

इधर की बात उधर लगाना	to gossip about X in the presence of Y, and Y in the presence of X; to tattle
V-ते फिरना	to go around V-ing
खौलना intr	to boil
अभी हुआ जाता है	"it will be done in a second"
असमंजस m	hesitation
असमंजस में पड़ना	to be unsure of what to do
गला साफ़ करना	to clear one's throat
टपकना intr	to drip or trickle
खंखारना intr	to clear one's throat
हील-हुज्जत f	argument
दर्ज़न m	dozen
काठ m	wood
छिपाव m	secret
हिचकिचाहट f	hesitation
अन्यवस्थित Adj	agitated
X से Y का पर्दा होना	to hide X from Y
होश की दवा करो !	"come to your senses!"
बेकस Adj	helpless
तलना tr	to fry
ख़ुशबू f	aroma
ख़ुशबू... जाती है	"after all, the aroma spreads that far"
करतूत m	black deed
महरी f	maid
मँजवाना tr	to get pots and pans washed

"अण्डे के छिलके" की शब्दावली

बुख़ार	m	fever
शीशी	f	bottle
सूंघना	tr	to smell
ख़ामख़ाह		uselessly
बेचारी	Adj	poor thing
अनजाने में		unknowingly
हित करना		to do good
स्वभाव	m	nature
माफ़ कर दें तो...		"If he is in the mood, he will forgive us for serious offenses"
नाराज़ होना		to be angry
...तो हमारा कहना न कहना सब बराबर है।		"my telling or not telling would be the equal;" i.e. "it will not make any difference whether I tell or not"
अण्डा फेंटना	tr	to beat an egg
अण्डे का घोल		beaten egg
हिलाना	tr	to shake
किवाड़ मिलाना	tr	to shut the door
जम्पर	m	blouse
ढँकना	tr	to cover
धकेलना	tr	to push
कंधा	m	shoulder
X को धकेल कर खोलना		to push X open
रोक रखना	tr	to keep captive
छत	f	roof
चूना	intr	to drip

लिपाई f	white-washing
सुनी अनसुनी करना	to pay no attention
टाल देना	to avoid, postpone
गुमसुम Adj	quiet
मरहम (also मलहम) m	ointment
एहतियात बरतना tr	to be careful
X के तौर पर	as X
बाज़ वक़्त	occasionally
नाहक	without reason
फ़िक्र करना	to worry
मरदूद Adj	dreadful
तलना tr	to fry
हाथ लगाना tr	to touch
पन्ना पलटना tr	to turn pages
गम्भीर मुद्रा बनाए	"with a serious expression on her face"
भरोसा m	dependability, trust, rightful expectation
मुसीबत f	trouble
बुझना intr	to be off (used for fire)
तन-बदन m	body
पुलटिस बनाकर... बाँध दो	"make a poultice and tie it to Shyām's leg"
कृतज्ञता f	gratitude
कृतज्ञता के भाव से	gratefully
सेहत f	health
सेहत का ख़्याल रखना	to take care of one's health

"अण्डे के छिलके" की शब्दावली

बिगाड़ हो जाना	to worsen
क्या ग़ज़ब करती हो	"What are you doing?" i.e., "It is unimaginable that you should do it"
ये काम... कर रही हो	"Are these things worth your doing that you should do them?"
और वहाँ... आ गया	"And it jumped from the peg which is over there and landed on the table here?"
लच्छन m	behavior
तुम लोगों के... नहीं आते	"I cannot understand your behavior at all"
घर उजाड़ना tr	to ruin the house
टिड्डियाँ लगना	to get moth-eaten
कंधे से पकड़ कर	holding one's shoulders
कहीं पैर उल्टा-सीधा पड़ गया	"God forbid if you should take a wrong step"
पैर उल्टा-सीधा पड़ना	to stumble
वाकई	in reality
झपटना intr	to leap, jump
निगलना intr	to swallow
सब्र m	patience
टख़ना m	knee
सब्र से काम लेना	to have patience
तारीफ़ करना	to praise
हताश Adj	hopeless
घबराना intr	to worry
मज़ाक करना	to joke
पोंछना tr	to wipe

"अण्डे के छिलके" की शब्दावली

आगे से	in the future
तुम्हारे बाँए हाथ... हुई हैं	"How the fingers on your left hand turned yellow!"
आश्चर्य m	surprise
तरह तरह के	all kinds of
किसी की ख़ैर नहीं	"no one will be safe"
जहाँ तक X का सवाल है	as far as X is concerned

विदेह
भारतभूषण अग्रवाल

विदेह Adj	bodiless, detached
अजीब Adj	strange
घटना होना intr	for an event to occur
ध्यान देना tr	to pay attention
आके (आकर)	having come
पत्नी f	wife
ढीठ ढंग से Adv	rudely
झाड़ू लगाना tr	to sweep
बोध m	realization
विस्मय m	puzzlement
ग़ायब Adj	missing
मुंह m	mouth
लुप्त Adj	hidden, lost
दृष्टि f	vision
पता नहीं	no trace of
नदारद Adj	missing, lost
ज्ञान m	knowledge
ज्ञान होना intr	to come to know
भूल f	mistake
दफ्तर m	office
टंगे रहना	to remain hanging
चिपटा-सटा Adj	glued, stuck
देह-हीन Adj	bodiless

"विदेह" की शब्दावली

कल्पना	f	thought, imagination
संस्कृति	f	culture
सार	m	substance
थकान	f	weariness
शामिल	Adj	included
अंगहीन	Adj	bodiless
दबोचना	tr	to squeeze, to seize

अधिकार का रक्षक
उपेन्द्रनाथ "अश्क"

घंटी/घण्टी f	bell
घंटी बजना intr	for the bell to ring, for the bell to sound
ट्रे m	tray
चोंगा m	telephone receiver
मंत्री m	minister
हरिजन m	the name used for the "untouchable" classes, first used by Gandhi-- it means "children of God"
सभा m	assembly, council, committee
जलसा m	meeting, function; also, gathering
हवा पलट जाना	"for a change to sweep through (the crowd of listeners)," to bring about a change; lit., for the direction of the wind to change
पक्ष m	side, party; also, a fortnight
X का प्रचार करना tr	to make propaganda for X, to work for X
वास्तव में Adv	really, truly, in reality
समस्त Adj	entire, whole, complete
पीड़ित m	oppressed, afflicted
पददलित m	downtrodden, crushed
हमारे घरों में	in all our homes
दशा f	condition, state
शोचनीय Adj	pitiable, lamentable

"अधिकार का रक्षक" की शब्दावली

लालन-पालन	raising of children, bringing up children
लालन m	child
पालन m	raising, bringing up, rearing
शिक्षा-दीक्षा की पद्धति	the system of education
शिक्षा f	education
दीक्षा f	initiation of sacred rites
पद्धति f	manner, process, method
ऊल जलूल	worthless, pointless, nonsensical
दकयानूसी f	orthodox, conservative
स्वास्थ्य m	health
X की ओर ध्यान देना	to pay attention to X, to give attention to X
अनुचित Adj	improper, inappropriate
दबाव m	restriction, constraint, pressure
डरपोक m	coward, a timid person
भीरु Adj	a shy person, coward
मेला m	a fair
पूर्ववत् Adv	as before, as earlier
तनिक Adj	somewhat, a little
छोर m	edge, border, end
कम्बख़्त Adj	"idiot," "fool;" a very offensive, abusive curse word; lit., ill-fated one, unfortunate one
सूअर m	swine, pig; a very offensive abuse
कान पकड़ना tr	to grab someone's ear, to reprimand
घसीटना tr	to drag, to yank, to pull

आये रहे	= (मैं) आ रहा हूँ
साँस फूलना *intr*	"out of breath," to pant heavily; also, asthma
पीटना *tr*	to beat, to slap, to hit
हरामख़ोर *m*	"pimp," lit., one who subsists on other's earnings
पाजी *m*	wretch, vile one; not as insulting as the preceding abuse
काहे *Adv*	= क्यों
लिये तो जात रहे	= (मैं बच्चे को) ले (तो) जा रहा था
X की ख़ाल उधेड़ना	"to skin X alive," "to beat the hell out of X;" lit., to skin X
किवाड़ लगाना *tr*	to close the door, to shut the door
अहमक़ *Adj*	dumb, blockhead, simpleton
मुफ़्त में *Adv*	unnecessarily; lit., profitlessly, unprofitably
कर्कश *Adj*	harsh
विनम्रता *f*	modesty, humility
संयत करना *tr*	to control, to restrain, to sober
प्रांत *m*	constituency, region, district; also, state
अत्याचार *m*	oppression, outrage
X के विरुद्ध	against X, in opposition to X
आन्दोलन करना *tr*	to oppose, to agitate against, to move against
X पर तोड़ा जाना *intr*	"to shove on X," "to drop on X," "to place on X"
शारीरिक *Adj*	physical, bodily

"अधिकार का रक्षक" की शब्दावली

दण्ड/दंड m	punishment, penalty
तत्काल Adv	immediately, right away
बंद करना tr	to stop
ज़ोर देना	to stress
भोले भाले	innocent, simple-hearted
भोले Adj	innocent
भाले Adj	an echo-word which occurs only with भोला
निरीह Adj	harmless, poor, helpless; lit., desiring nothing
क्रूर Adj	cruel, oppressive
ज़ुल्म m	tyranny, oppression
X का शिकार बनना	to fall prey to X, to become a victim of X
अन्याय m	injustice
जड़ m	root
उखाड़ना tr	to root up, to dig up
के हेतु	= के लिये
अन्याय को जड़ से उखाड़ना	to uproot injustice; lit., to pull up the roots of injustice
स्थापित करना tr	to establish, to found
X के अतिरिक्त	besides X, in addition to X
X का स्वत्व	X's right, X's self-interest
रात दिन एक करना	"to work day and night;" lit., to make night and day the same
परमात्मा ने चाहा	"if God wished," "if God wanted"
धारा सभा m	a State Legislative Assembly
झाँकना intr	to peek

"अधिकार का रक्षक" की शब्दावली

जमादारिन	f	a female sweeper
V जारी रखना	tr	to keep on V-ing, to continue V-ing
X की सेवा करना	tr	to serve X, to do service for X
X की घोषणा करना	tr	to make a statement about X (an action), to make a declaration about X (an action)
खिसियाने से होकर	Adv	bashfully; to be embarrassed, to be disconcerted, to be abashed; also, to be angry
घोषित करना	tr	to announce, to proclaim
असेम्बली	f	assembly
X की हिमायत करना	tr	to espouse the cause of X, to support X, to defend X
X के हक में		in favor of X, on behalf of X
शामिल होना	intr	to join, to participate
X का प्रयास करना	tr	to do effort for X, to work for X
अवकाश	m	leisure, rest, free time
इत्तला	f	information, news
मुदा		"but," an archaic expression, heard in villages in Bhojpuri speech
मजूरी	f	= मज़दूरी, wages; also, job, employment
भंगिन	f	sweeper woman, a low caste woman who sweeps the streets
विनीत	Adj	entreating, begging
हिसाब करना	tr	to settle an account, to figure an account
चुनाव	m	election
कुछ नहीं सूझता		"nothing occurs to me," "nothing is obvious to me"

सूझना	intr	to occur (to someone), to be known
घड़ी	f	a while, an indefinite time interval
दूधो नहाओ, पूतों फलो		uttered by the भंगिन; a kind of blessing meaning "may God make so wealthy that you bathe in milk and be blessed with many sons"
X को अपना होश होना		for X to have his/her proper senses
चिल्लाना	intr	to shout, to scream
X की भेंट होना	intr	to be offered to X, to be presented to X
वेतन	m	salary, pay
खाने ओढ़ने		"to feed and clothe," "to provide"
ओढ़ना	tr	to clothe, to cover up with
चाय-पानी	m	substandard expression for tea and snacks
बक बक करना	tr	to bullshit, to talk nonsense
कौड़ी	f	cowry, token, a small shell previously used as a coin
सौदा-सुलुफ़	m	purchases
पैसा रखना	tr	to take money without one's consent
अकड़ना	intr	to be arrogant, to be pompous
अदालत	f	court
मामला चलना	tr	to sue, to bring an action against
मामला	m	matter, affair, issue
अपराध	m	offense, crime, guilt
चोरी... तो नाम नहीं।		"If I don't have you sent to jail for six months for theft, then my name isn't Seṭh."

"अधिकार का रक्षक" की शब्दावली

लाख (बार)	100,000 (times)
ईमानदार Adj	honest, trustworthy, trustful
X की आँखों में धूल झोंकना	to pull the wool over X's eyes, to cheat X; lit., to throw dust into X's eyes
झोंकना tr	to throw, to cast
हाथ साफ़ कर जाना tr	to usurp, to make an illegal profit
चन्दा m	subscription, contribution; also, moon
X के नाम पर	in the name of X
सहस्त्र	thousand
बलिष्ट Adj	powerful, strong
चौड़ा चकला Adj	well-built, big and tough
चौड़ा Adj	broad, wide
नख m	toe nail
शिख m	hand
X से परे	away from X, beyond X
लखपती m	millionaire; lit., possesser of 100,000's
नामाकूल Adj	unworthy, unfit (another abusive term)
सीटी f	whistle
सीटी बजाना tr	to whistle
ला भाग कर	an imperative sentence denoting "bring quickly;" lit., bring running
वक्तव्य m	speech, statement
जोरदार Adj	powerful, forceful, strong
हलचल मच जाना intr	to be excited, to be agitated

"अधिकार का रक्षक" की शब्दावली

सहानुभूति f	sympathy
होज़री यूनियन	Hosiery Union
चुनाव क्षेत्र m	election constituency, election district
कृतज्ञ Adj	obliged, grateful
अत्यन्त Adj	very, greatful
X-सम्बन्धी	pertaining to X, belonging to X
अवस्था f	condition, state
सुधारना tr	to correct, to improve, to better
पठन-पाठन m	education, schooling
पठन/पढ़ना m	learning, studying
पाठन/पढ़ाना m	teaching, instructing
विशेष Adj	special, particular
बिल पेश करना tr	to introduce a bill, to submit a bill
सरकारी तौर पर Adv	officially
X के सिलसिले में	in regard to X, in connection with X, in the matter of X
श्रमजीवी m	laborer, worker
मुसीबत f	trouble, difficulty
सामना करना tr	to force, to confront
पूँजीपति m	capitalist
पूँजी m	capital
X पर विवश करना tr	to force someone to do X; lit., to force someone to be helpless in doing X
शानदार m	magnificent, spectacular
परिश्रम m	labor, hard work

लोहू पानी एक करना	खून पसीना एक करना: "to work until dropping," "to work until death;" lit., to work until sweat becomes blood
हाथ तंग होना	"to be in a tight spot," "to be in a hardship;" lit., for the hand to be tight
कारोबार m	business
हानि f	loss
अथवा	or
बहाना m	excuse, pretention
टाल जाना tr	to avoid, to put off, to pro-crastinate
श्रमिक m	laborer, worker
माँग f	demand, requirement
सोलह आने ठीक	"a hundred percent correct;" lit., correct up to sixteen annas
X का समर्थन करना tr	to support X, to be behind X
भला काम की कुछ हद है	Is there a limit to this work!
सम्पादक m	editor
महोदय m	gentleman, mister
ऐनक f	glasses, spectacles
पिचक जाना intr	to be contracted, to be hollowed
प्रतीत होना intr	to appear, to seem
प्रवाहिका f	diarrhea
संध्या f	evening, late afternoon
तक़ल्लुफ़ m	formality, observing propriety or etiquette
तख़्त-पोश m	cushion, pallet

"अधिकार का रक्षक" की शब्दावली

फ़र्माना tr	to say; also, to order
X से परामर्श करना tr	to consult X, to take advice from X
परामर्श m	opinion, suggestion, advice
रुक्का m	note, a small letter
थूक m	saliva, spit
निगलना tr	to swallow
बोझ m	burden, load
सहन करना tr	to bear, to tolerate
निबटा देना tr	to finish, to complete
लाख चाहना	"I'd love to," "I really want to;" lit., I want (it) a hundred thousand (times)
अनुवाद करना tr	to translate
लेख m	essay, article
पृष्ठ m	page
X की प्रतीक्षा करना tr	to wait for X
करते-कराते	"while doing it and having it done"
बेजारी से Adv	with annoyance
निवेदन करना tr	to request, to ask for
X का प्रबन्ध करना tr	to arrange for X, to make preparations for X
बदली f	change of shift, change of duty; also, transfer
X पर Y का बोझ डालना	to thrust an extra burden of X on Y
बढ़ा देना tr	to give a raise, to increase (a salary)
आज्ञा देना tr	to allow, to permit

वृद्धि tr	raise, increase (in wages)
यों आप काम छोड़ना चाहें तो शौक से छोड़ दें	"However, if you want to quit the job you may gladly do so."
शौक से Adv	with pleasure, by all means, gladly
द्वि Adj	दो
प्रकाशित करना intr	to be published, to be printed
X पर प्रभाव पड़ना intr	for X to be influenced, for X to be affected
मुँह फुलाना	to be annoyed, to try to control anger; lit., for the cheeks to be puffed up
संघ m	union
लगा रखना tr	to have put on
जोश m	excitement, passion, enthusiasm
प्रकट करना tr	to show, to manifest
निश्चय दिलाना tr	to assure, to certify; lit., to cause to give certainty
प्रतिशत m	per cent
बहुमत m	majority
बूढ़ा होना int	to be old, to be aged, to be elderly
प्रतिनिधित्व m	leadership
खाक करना	to ruin, to destroy; lit., to turn into dust, to turn into ashes
नेता m	a political leader
आवश्यकता f	necessity, need, requirement
रिफ़ार्म m	reform
ख़ौफ खाना	to be afraid, to fear
सुधार m	reform, correction

कन्नी कतराना	to refuse to face X, to avoid X, to turn away from X; lit., to turn the face away as quickly as a kite dives to one side when it has had its कन्नी cut off.
कन्नी f	a small piece of cloth or paper added to a corner of a kite to make it balanced so that it does not keep diving to one side.
प्रबन्ध m	administration, management
परिवर्तन m	change, alteration
सर्वे-सर्वा m	managers, administrators; lit., all in all, everything
प्रोटेस्ट करना tr	to oppose, to protest
हड़ताल करना tr	to strike
वर्तमान Adj	present, existing, current
छींकना intr	to sneeze
ज़ुर्माना करना tr	to fine, to penalize
खाँसना intr	to cough
व्यवहार m	behavior, treatment, practice
सर्वथा Adv	completely, entirely, thoroughly
नातेदार m	relative, kinsman
अपमानजनक Adj	insulting, offensive
उत्साहहीन होना intr	to be discouraged, to be disappointed
योग्य Adj	suitable, worthy, qualified
X के बदले	instead of X, in place of X
वैधानिक Adj	legal, lawful
रीति f	method, manner, way

"अधिकार का रक्षक" की शब्दावली

X का प्रयोग में लाना	to bring X into use, to utilize X
X से मिलना जुलना tr	to meet with X, to get together with X
जनाब m	a term of respect
असंतोष m	dissatisfaction, discontent
व्यवस्थापक m	manager
परवाह करना tr	to worry, to think about
आवेदन पत्र m	petition, application
कानों पर जूँ रेंगना	"But no one stuck a pen into or prodded the committee;" lit., there was no louse on the committee's ear (to wake them). "X के कानों पर जूँ नहीं/न रेंगना" is a proverb which imparts the idea that a louse crawling on X's ear will wake up X or will make X become aware of what is happening around X.
रेंगना intr	to crawl, to creep
हारना tr	to be defeated, to lose
छापना tr	to publish, to print
सहायता f	support, help, assistance
X का बीड़ा उठाना	to accept the challenge of X, to take on X
उपस्थित होना intr	to be present, to be ready
अन्यमनस्कता से Adv	inattentively, carelessly
बयान m	story, narration
कदापि नहीं	never, never ever
कृपालु m	benefactor, supporter
सदस्य m	member, participant

"अधिकार का रक्षक" की शब्दावली

आफ़त f	trouble, misfortune, distress
आरम्भ करना tr	to start, to begin
दीर्घ Adj	long, deep
निःश्वास m	breath
बाज़ू m	arm, hand
थामना tr	to hold, to grasp
बगूला/बगुला/बगला m	a kind of heron
घूरना intr	to stare
झिड़कना tr	to scold, to reprimand
डाँटना tr	to scold, to reprimand
पराया Adj	strange, foreign, belonging to someone else
X पर दृष्टि जमाना tr	to fix the eyes on X, to center eyes on X
सलीक़ा m	etiquette, manners
नाश्ता m	breakfast
छान मारना intr	to explore thoroughly (for him), to investigate
भूसा m	hay, grass; also, straw
सिसकना intr	to sob, to whimper
पटकना tr	to throw down, to slap down
दिमाग़ चाटना	to destroy the mind, to eat away the mind; lit., to finish off by eating the mind
थप्पड़ m	a slap, a hit, a blow
उन्नति f	progress, betterment, development
भाषण झाड़ना tr	to give a political speech containing little facts

"अधिकार का रक्षक" की शब्दावली

चपत m	slap, hot, blow
X का कान तोड़ना tr	to make X have cauliflower ears
ढकेलना tr	to push, to shove
पाप करना tr	to commit a sin
ताँता लगाना tr	to form a line, to form a queue
ताँता m	line, queue; also string
फोड़ना tr	to crack, to break
नौबत f	verge, just about
आकाश पर सर उठाना	to be worried about multifarious problems of the world; lit., to raise the sky onto one's own head
उन्मादी f	an insane person, a crazed person
तड़ातड़ Adv	without stopping
नित्य Adj	excessive, extreme
नित्य Adv	daily
बकझक f	bullshit, useless talk
एकान्त m	solitude, privacy
भर्राना intr	to be stifled
ताँगा m	Tonga, a horse-drawn carriage
पीहर m	a woman's parental house
मृदुलता f	softness, gentleness
माधुर्य m	sweetness
महिला समाज m	"Woman's Association," "Woman's Group"
आभारी Adj	obliged, grateful
उम्मीदवार m	candidate, one's desiring (the position)

पुष्प की अभिलाषा
माखनलाल चतुर्वेदी

पुष्प m	flower
अभिलाषा f	desire
चाह f	wish
सुरबाला f	nymph, divine girl
गहना m	ornament
गूंथना tr	to braid
प्रेमी-माला f	lover's garland
बिंधना intr	to be threaded
प्यारी f	beloved
ललचना intr	to attract, to arouse desire
सम्राट m	emperor
शव m	corpse
हरि m	Lord Krishna
डालना tr	to place, to put
देव m	god
शिर m	head
चढ़ना intr	to climb
भाग्य m	fate, fortune
इठलाना intr	to feel proud, to show off
तोड़ना tr	to pluck off
बनमाली m	gardener
पथ m	path
फेंकना tr	to throw

मातृभूमि	f	motherland
शीश चढ़ाना	tr	to offer one's head
वीर	Adj	strong, brave

मीराबाई

जाके	whose
मोर	peacock (feathers)
मुकुट	crown
सोई	that one
तात	father
बंधु	friends, relatives
छाँड़ि दई	gave up
कुल	family
कानि	pride and prestige
कहा	what
संतन	saints
लोक-लाज	wordly honor and sense of shame or guilt
टूक	piece
ओढ़ लीन्हीं	wrapped around, covered with
लोई	rug
मोती-मूंगे	pearls and rubies
बनमाला	garland of wild flowers
पोई	made
अंसुअन	tears
सींचि-सींचि	irrigating with
प्रेम-बेलि	creeper of love
आनंद फल	fruits of happiness

पंचलाइट
फणीश्वरनाथ "रेणु"

दंड-जुरमाना (ज़ुर्माना)	m	penalty and fines
महतो टोली	f	Mahto Caste-- settlement area found in Bihar
रामनवमी		(a fair on the eve of) Rāmnavami, the birthday of Rāma (on the ninth day of Chaitra)
पंचायत	f	the village council
सभाचट्टी	f	meeting-place
जाजिम	m	a multicolored floor-sheet, rug
सतरंजी	f	of seven colors, multicolored
दरी	f	cotton rug
पंच	m	lit., the number 'five;' here, the elders who are elected to the Panchāyat to make decisions at the village level
नेमटेम		implies unnecessary ritualism
कल-कब्ज़े	m	machinery, mechanical devices
पुन्याह	m	auspicious inauguration
बलि	f	sacrifice of an animal
दिन दहाड़े		in broad daylight
दीवान	m	administrative counselor or manager
टोकना	tr	to interrupt, to question
ढीबरी		small lamp lit with oil and wick
लालटेन	m	lantern
टोला	m	settlement area

"पंचलाइट" की शब्दावली

जमा होना	to assemble
चेतावनी देना tr	to warn, to caution
ठेस लगना intr	to receive a setback/shock/painful rap on the sole of the foot
चौका-पीढ़ी लगाना tr	to set up an altar for a ritual
कीर्तन-मंडली f	a Kīrtan-performing group
कीर्तन m	a type of devotional song
मूलगैन m	leader
भगतिया पच्छक	group of devotional singers
बेताले Adj	out of rhythm
आखर (अक्षर)	here, starting the line of the song at the right point
मण्डली f	group
गुनगुनाना tr	to hum
शोर गुल मचाना tr	to make noise, to make a racket
धरना tr	to catch, to grab
बैकाट m	boycott
गोसाईं m	= गोस्वामी ; Tulsīdās or any religious leader
गुड़गुड़ी पीना tr	to puff on a water-pipe
पाँच कौड़ी m	a hundred rupees; lit., five 20's
अलबत्ता	in reality
धुरखेल करना tr	to beguile someone; lit., to play games with dirt
श्रद्धा-भरी निगाह f	eyes filled with devotion
किरासन	kerosene
कीर्तनिया Adj the	the people who perform Kīrtans, hymn singers

"पंचलाइट" की शब्दावली

ढोल करताल	m	drum and cymbal
झंझट	m	problem, complication
कहावत	m	proverb
दुहना	tr	to milk
बालना	tr	to light, to ignite
नेमटेम करना	tr	to perform rituals
शुभलाभ करना	tr	to perform an inauguration, rituals
ताना	m	taunting
सहना	tr	to tolerate
कूट करना	tr	to make insinuations
इज़्ज़त	f	reputation, honor, standing
छड़ीदार	m	watchman
चेहरा उतरना	intr	for the face to fall, for the face to lose its hue
कल कब्ज़ेवाली चीज़	f	machinery
नख़रा	m	overly fussy and difficult behavior
सूचना देना	tr	to announce, to inform
बतंगड़	Adj	show-off, making something sound big
पम्प देना	tr	to pump
होशियारी	f	caution, care
हुक्का पानी बंद होना	intr	to be outcast
फरियाद करना	tr	to complain
सलीमा (सिनेमा)	m	cinema, movie theater
मोहोब्बत (मोहब्बत)	f	love
सलम (सनम)	m	beloved one
निगाह पर चढ़ना	intr	to take undue notice of something

"पंचलाइट" की शब्दावली

परवाह करना	tr	to care
जाति का पानी उतरना	intr	to humiliate one's caste
पानी उतरना	intr	to lose dignity, to be humiliated
चालाकी	f	cleverness
बन्दिश	f	restriction
इज़्ज़त पानी में बहना	intr	for the reputation to be at stake or to be lost
खोल देना	tr	to release
राज़ी होना	intr	to agree
परतीत (प्रतीत)	f	trust
मूरछल	m	a peacock-tail whisk
सँवारना	tr	to organize
इसपिरिट	m	spirit
बखेड़ा खड़ा होना	intr	for an obstacle to arise
जन-समूह	m	gathering
मायूसी	f	dejection, disappointment
होशियार	Adj	clever
मलसी	f	capful
रेशमी थैली	f	a mantle used in a gaslight; lit., "silk pouch"
फूँकना	tr	to blow
चाबी (चाभी)	f	valve; lit., a key
सनसनाहट	f	hissing sound
दिल का मैल	m	malice; lit., a spot in one's heart
जगमगाना	intr	to glitter, to be lighted
जय-ध्वनि	f	sounds of victory
दिल का मैल दूर होना	intr	for the malice of the heart to

		be removed
स्पष्ट होना	intr	to be clear
हसरत	f	longing
निगाह	f	glance
सात ख़ून माफ़		pardon for all sins; lit., pardon for seven murders
आँखें चार होना	intr	for the eyes to meet, to communicate with the eyes without words
पलक	f	eyelid
समाप्त होना	intr	to end
पुलकित होना	intr	to be thrilled

कुछ लेखकों के बारे में

पं० चंद्रधर शर्मा गुलेरी

मौलिकता f	originality
बहुपठित Adj	well-read
प्रतिभाशाली Adj	brilliant
ऐतिहासिक Adj	historical
क्षति f	damage
समकालीन Adj	contemporary
ख़्याति f	fame
पुरातत्त्व m	archaeology
मेधावी Adj	intellectual
नियुक्त Adj	appointed
विख्यात Adj	famous
लोकप्रिय Adj	popular
भावुक Adj	sensitive, sentimental
दुर्घटना f	accident, mishap
वचन देना tr	to promise, to give one's word
प्रौढ़ Adj	mature
घायल Adj	wounded

उपेन्द्रनाथ "अश्क"

अध्ययन m	reading
विभाजन m	partition
बसना intr	to settle
अभिनेय Adj	actable, stageable

"कुछ लेखकों के बारे में" की शब्दावली

रंगमंच	m	stage
आकाशवाणी	m	radio
एकांकी	Adj	one-act play
मध्य वर्ग	m	middle class
विभिन्न	Adj	different
मनोवैज्ञानिक	Adj	psychological
पुट	m	dash
उल्लेखनीय	Adj	mentionable, worth mention
मार्क्सवादी	Adj	Marxist
वास्तविकता	f	reality
घटना	f	event
झलकना	intr	to shine
व्यंग्यात्मकता	f	sarcasm
व्यक्त करना	tr	to express
सूक्ष्म	Adj	fine, subtle
दुर्व्यवहार करना	tr	to mistreat
प्रमुख	Adj	important

यशपाल

गर्व	m	pride
आकर्षण	m	attraction
स्मृति	f	memory
यशस्वी	Adj	one who possesses name, glory, importance; glorious
कथाकार	m	story writer
यर्थाथवादी	Adj	realistic

"कुछ लेखकों के बारे में" की शब्दावली

प्रगतिशील	Adj	progressive
विशिष्ट	Adj	specific, special
संघर्ष	m	struggle
लीन	Adj	involved
प्रभाव	m	influence
दिशा	f	direction
परम्परा	f	tradition
भिन्नता	f	difference
निभाना	tr	to maintain
बावज़ूद		in spite of
शिक्षा	f	moral
उपहास	m	biting satire
उद्देश्य	m	aim, motive
शैली	f	style
स्पष्ट	Adj	clear
वर्ग	m	class
पात्र	m	character
चयन करना	tr	to cull, to collect
सजीव	Adj	lively
प्रस्तुत करना	tr	to present
संक्षिप्त	Adj	brief, short
बिक्री	f	sale
कमाना	tr	to earn
टिप्पणियाँ कसना	tr	to pass remarks
लज्जा	f	shame
मर्यादा	f	ethical propriety, decorum

फणीश्वरनाथ रेणु

आंचलिक Adj	regional
तत्काल Adv	immediately, right away
लोकप्रियता f	popularity
ज़ात f	caste, race
भाग लेना	to take part, to participate
आंदोलन m	movement, strike
नज़रबंद Adj	interned, detained
सृजन m	creation
जुटना intr	to be busy with, to be involved
क्रांतिकारी Adj	revolutionary
विरोध m	opposition
हमदर्दी f	sympathy
कार्यक्रम m	program, schedule
लीन रहना intr	to be involved
मध्यवर्ग m	middle class
पाठक m	reader
प्रेरित करना tr	to inspire
पिछड़ा Adj	backward
लोकगीत m	folk song
सम्मिश्रण करना tr	to include

हिन्दी भाषा और साहित्य

वेद m	ancient Hindu scriptures (four in number)
वैदिक Adj	pertaining to the Vedas
भाषाविद् m	linguist
विद्वतापूर्ण Adj	scholarly
मध्ययुगीन Adj	medieval
भौगोलिक Adj	geographical
विविधता f	varieties
अग्रदूत m	precursor
युग m	period
काल m	period
भक्ति काव्य m	devotional poetry
धारा f	wave
अवधि f	period
धर्म निरपेक्ष Adj	secular
विषयासक्त Adj	sensuous
योगदान m	contribution
परम्परा f	tradition
विश्व m	world
युद्ध m	war
छायावाद m	mysticism
आदरणीय Adj	respected
चरण m	phase
रुख m	direction
नवीन Adj.	new, fresh, novel

दृष्टिकोण	m	visual angle, viewpoint
कथा साहित्य	m	fiction

कबीर

साँईं	Lord
कुटुम (कुटुम्ब)	family
साधु	sage, guest, visitor
पाहन	stone
हरि	God
तातें	compared to that
चाकी	grinding stone
कांकर पाथर	stone and chips
लियौ चुनाय	got built up
मुल्ला	Muslim priest
बांग दे	crows
लुकाठी	burning stick
फूकै	burns down

रहीम

पानी	water, honor
मोती	pearl
चून	flour
ऊबरैं	doesn't become suitable
कड़ुए	bitter
सजाय	punishment
मनसा	mentally
कहुँ किन जाहिं	go to whatever place
छाया	shadow
काया	body
कहा	what
तरवारि	sword
उत्तम प्रकृति	best-natured
कुसंग	bad company
व्यापत	spread
भुजंग	snake

अमीर ख़ुसरो

उज्जल	white, fair
बरन	complexion
अधीन	subordinate
चित्त	mind
ध्यान	attention
निपट	absolute
पाप	sin
खान	mine
रैन सुहाग	the first night after marriage
पीउ	husband, lover
चहुं देस	all sides
ताल	tank
पिंजरा	cage

सूरदास

(१)

मोरी	my
माखन	butter
भयो	became
मधुबन	name of a nearby forest
मोहिं	me
पठायो	sent
पहर	a period of three hours
बंसीबट	name of a pasture land
साँझ	late evening
परे	having fallen
बहिंयन	arms
छींको	a rope-hanging made to contain earthen- and wooden-wares
केहि	what
विधि	method
बैर	animosity
परे हैं	are filled with
बरबस	forcibly
लपटायो	smeared
अति	excessive
जननी	mother
भोरी	simple and plain
पतियायो	believed

कहे	sayings
जिय	heart
भेद	discrimination
उपजिहै	has arisen
परायो	other's
जायो	child
लकुटि कमरिया	names of clothes
नचायो	made me dance around
बिहँसि	having laughed
उर कण्ठ लगायो	embraced
लै	having taken

(२)

बन्दौं	(I) pray
हरिराइ	= हरि (God) + राइ (the great)
पंगु	lame
लंघै	crosses over
गिरि	mountain
दरसाइ	becomes visible
मूक	a mute person, a speechless person
पुनि	again
रंक	the poorest, a beggar
छत्र	the royal umbrella
स्वामी	the Master, the Lord
करुनामय	the Merciful

| तिहिं | His |
| पाइ | feet |

तुलसीदास

प्रगट	appear
कृपाला	the gracious one
दीन	the lowly
दयाला	the compassionate one
हितकारी	benefactor
हरखित	pleased
मुनि	sage
मन हारी	the one who stole the heart
अद्भुत	marvellous, wonderful
निहारी	having seen
लोचन अभिरामा	delight of the eyes
तन	body
घनश्यामा	dark as cloud
आयुध	the emblems
भूषन	ornament
बनमाला	garland of the sylvan flowers
बिसाला	large
सोभा सिंधु	ocean of beauty
खरारी	enemy/slayer of the demon Khar
कर	hand/palm
अस्तुति	praise
अनंता	the Infinite One
माया	the Illusion of the world
गुन	attributes

ग्याना	knowledge
अतीत	transcending, beyond, above
अमाना	beyond all measures
भनंता	declare, describe
करुना	mercy
सुख	bliss
गुन	virtues
आगर	repository
गावहिं	sing the praise
सुति	the Vedas
संता	the holymen
मम	my
हित	benefit/good
लागी	for
जन अनुरागी	lover of the devotees
भयउ प्रकट	revealed
श्री	the goddess of wealth, Lakshmi
कंता	lord